Zagadka Błękitnego Ekspresu

Agata Christie

Zagadka Błękitnego Ekspresu

przełożyła
Hanna Pasierska

Wydawnictwo Dolnośląskie

Tytuł oryginału
The Mystery of the Blue Train

Projekt znaku serii
Ludwik Żelaźniewicz

Projekt okładki
Mariusz Banachowicz

Redakcja
Ewa Krawczyńska-Olesińska

Redakcja techniczna
Agata Nowakowska-Duk

ISBN 978-83-245-8987-6

Wrocław

Wydawnictwo Dolnośląskie
50-010 Wrocław, ul. Podwale 62
oddział Publicat S.A. w Poznaniu
tel. 71 785 90 40, fax 71 785 90 66
e-mail: wydawnictwodolnoslaskie@publicat.pl
www.wydawnictwodolnoslaskie.pl

I

Mężczyzna o białych włosach

Dochodziła północ. Przez Place de la Concorde szedł samotny mężczyzna. Mimo bogatego futra okrywającego jego drobną postać wydawało się, że jest w nim coś do gruntu słabego i nędznego.

Drobny człowieczek o szczurzej twarzy. Mężczyzna, który, zdawałoby się, nigdy nie odegra znaczącej roli ani nie wybije się w żadnej dziedzinie. A jednak ważąc się na podobny wniosek obserwator popełniłby błąd. Mężczyzna ów bowiem, jakkolwiek skromny i bez znaczenia się wydawał, w wielkim stopniu wpłynął na losy świata. W imperium rządzonym przez szczury on był królem szczurów.

Nawet w tej chwili w ambasadzie oczekiwano jego powrotu. Ale najpierw miał do załatwienia pewną sprawę – sprawę, o której ambasada oficjalnie nic nie wiedziała. W blasku księżyca twarz mężczyzny wydawała się blada i ostra, wąski nos był niemal niedostrzegalnie zakrzywiony. Jego ojciec był polskim Żydem, wędrownym krawcem. Interes, który skłonił mężczyznę do wyjścia na ulicę tej nocy, sprawiłby jego ojcu wielką satysfakcję.

Dotarł do Sekwany, przeszedł na drugi brzeg i znalazł się w jednej z gorszych dzielnic Paryża. Zatrzymał się przed wysoką zaniedbaną kamienicą, po czym ruszył po schodach do mieszkania na czwartym piętrze. Ledwie zastukał, drzwi otwarła kobieta, która wyraźnie oczekiwała jego przybycia. Wzięła od niego płaszcz i wprowadziła go do salonu umeblowanego z tanią elegancją. Światło lamp przyćmione przez zakurzone różowe girlandy łagodziło rysy kobiety, nie mogło jednak ukryć grubej warstwy wulgarnego makijażu na jej twarzy. Ani szerokich, mongolskich rysów. Nie było wątpliwości co do profesji Olgi Demiroff ani co do jej narodowości.

– Wszystko w porządku, mała?

– Wszystko w porządku, Borysie Iwanowiczu.

Skinął głową.

– Nie sądzę, żeby mnie śledzili – mruknął, ale w jego głosie brzmiał niepokój. Podszedł do okna, lekko odchylił zasłonę i ostrożnie wyjrzał na zewnątrz. Cofnął się szybko.

– Dwóch mężczyzn... na chodniku po przeciwnej stronie. Wygląda na to... – Urwał i zaczął obgryzać paznokcie; robił to zawsze, gdy był zdenerwowany.

Rosjanka powoli, uspokajająco kiwnęła głową.

– Byli tu już, zanim pan przyszedł.

– Tak czy inaczej, wygląda mi na to, że obserwują dom.

– Być może – przytaknęła obojętnie.

– Ale w takim razie...

– No to co? Nawet jeśli wiedzą, to nie pana będą stąd śledzić.

Jego cienkie wargi wykrzywił okrutny uśmieszek.

– Nie – przyznał. – To prawda. – Zastanawiał się przez chwilę, po czym zauważył: – Ten przeklęty Amerykanin... potrafi zadbać o siebie nie gorzej niż inni.

– Tak sądzę.

Znowu podszedł do okna.

– Uparci klienci – stwierdził i zachichotał. – Obawiam się, że policja dobrze ich zna. No cóż, życzę braciom Apaczom pomyślnych łowów.

Olga Demiroff pokręciła głową.

– Jeśli ten Amerykanin jest taki, jak opowiadają, trzeba dużo więcej niż paru tchórzliwych apaszów, żeby dać mu radę. – Umilkła. – Zastanawiam się...

– Tak?

– Nic. Tylko że dwa razy widziałam dzisiaj tam, na ulicy, jakiegoś mężczyznę... z białymi włosami.

– I co z tego?

– Kiedy mijał tych dwóch, upuścił rękawiczkę. Jeden z nich ją podniósł i mu oddał. Taką znoszoną.

– Myślisz, że ten mężczyzna o białych włosach jest... ich pracodawcą?

– Coś w tym rodzaju.

Mężczyzna wyglądał na zaniepokojonego.

– Jesteś pewna, że paczka jest bezpieczna?... że nikt przy niej nie grzebał? Za dużo się o tym mówiło... o wiele za dużo. – Znowu zabrał się do obgryzania paznokci.

– Niech pan sam osądzi. – Schyliła się i zręcznie odgarnęła węgle w kominku. Ze spodu, spomiędzy kul pogniecionego papieru, wydobyła podłużny pakunek owinięty w brudną gazetę i wręczyła go mężczyźnie.

– Pomysłowe – przyznał, z aprobatą kiwając głową.

– Przeszukali mieszkanie dwa razy. Wypatroszyli nawet materac na łóżku.

– Tak jak mówiłem – powtórzył. – Za wiele gadania. To całe targowanie się... to był błąd.

Odwinął gazetę. Wewnątrz znajdowała się niewielka paczuszka w brązowym papierze. Zdjął go również, sprawdził zawartość i szybko zawinął z powrotem. W tym momencie ostro zadźwięczał elektryczny dzwonek.

– Amerykanin jest punktualny – stwierdziła Olga zerkając na zegar.

Wyszła z pokoju. Po chwili wróciła prowadząc za sobą wysokiego mężczyznę o szerokich ramionach, z całą pewnością pochodzącego zza oceanu. Bystrym wzrokiem zmierzył oboje.

– Pan Krassnin? – zapytał uprzejmie.

– To ja – odparł Borys. – Wybaczy pan... niestosowność miejsca naszego spotkania. Ale konieczne jest zachowanie tajemnicy. Ja... nie mogę sobie pozwolić, żeby w jakikolwiek sposób kojarzono mnie z tą sprawą.

– Doprawdy? – grzecznie spytał Amerykanin.

– Mam pańskie słowo, nieprawdaż, że szczegóły transakcji pozostaną między nami? To jeden z warunków... sprzedaży.

Amerykanin skinął głową.

– Tak zostało ustalone wcześniej – stwierdził obojętnie. – A teraz zechce pan łaskawie pokazać mi tę rzecz.

– Przygotował pan pieniądze... banknoty?

– Tak.

Nie wykonał jednak najmniejszego ruchu, żeby po nie sięgnąć. Po chwili wahania Krassnin wskazał gestem paczuszkę leżącą na stole.

Amerykanin wziął ją i odwinął papier. Zawartość przeniósł w stronę małej lampki elektrycznej i poddał starannym oględzinom. Najwyraźniej zadowolony, wyciągnął z kieszeni wypchany skórzany portfel i wyjął z niego plik banknotów. Wręczył je Rosjaninowi, który starannie je przeliczył.

– W porządku?

– Dziękuję, *monsieur*. Wszystko się zgadza.

– Świetnie – odparł Amerykanin. Obojętnie wsunął brązową paczkę do kieszeni. Skłonił się Oldze. – Dobranoc, *mademoiselle*. Dobranoc, panie Krassnin.

Wyszedł zamykając za sobą drzwi. Oczy dwojga pozostałych spotkały się. Mężczyzna zwilżył językiem suche wargi.

– Ciekawe... czy uda mu się wrócić do hotelu? – mruknął.

Tknięci jedną myślą zwrócili się ku oknu. W sam czas, żeby zobaczyć, jak Amerykanin wychodzi na ulicę. Skręcił w lewo i szybkim krokiem ruszył przed siebie nie oglądając się ani razu. Z bramy wychynęły dwa cienie i bezszelestnie podążyły za nim. Ścigany i ścigający zniknęli w mroku. Pierwsza odezwała się Olga.

– Uda mu się wrócić bezpiecznie – powiedziała. – Nie musi się pan obawiać... czy też mieć nadziei, jak pan woli.

– Dlaczego sądzisz, że mu się uda? – spytał Krassnin zaciekawiony.

– Facet, który zbił taką fortunę jak on, nie może być głupcem – odparła Olga. – A skoro już mowa o pieniądzach… – Znacząco spojrzała na Krassnina.

– Tak?

– Mój udział, Borysie Iwanowiczu.

Z pewną niechęcią Krassnin odliczył dwa banknoty. Bez śladu emocji skinęła głową i wsunęła pieniądze za pończochę.

– Dobra jest – stwierdziła z zadowoleniem.

Spojrzał na nią zaciekawiony.

– Nie żałuje pani, Olgo Wasiliewno?

– Żałować? Czego?

– Tego, co miała pani pod swoją opieką. Wiele kobiet… większość kobiet, jak sądzę, szaleje za takimi rzeczami.

Skinęła głową w zamyśleniu.

– Tak, ma pan rację. Większość kobiet ma to szaleństwo we krwi. Ja nie. Zastanawiam się… – urwała.

– Tak? – spytał z zainteresowaniem.

– Amerykanin jest bezpieczny… tak, z pewnością. Ale potem…

– Potem? Co pani ma na myśli?

– Podaruje je, oczywiście, jakiejś kobiecie – powiedziała Olga powoli. – Ciekawe, co się potem stanie… – Poruszyła się niecierpliwie i podeszła do okna. Nagle cicho krzyknęła i zawołała swego towarzysza. – Niech pan patrzy, idzie w dół ulicy… ten facet, o którym mówiłam!

Patrzyli oboje. Ulicą przechadzał się wolno smukły elegancki mężczyzna. Ubrany był w pelerynę, na głowie miał cylinder. Kiedy mijał latarnię, światło zalśniło na jego gęstych białych włosach.

II

Pan markiz

Mężczyzna o białych włosach bez pośpiechu kontynuował swój spacer, pozornie obojętny na to, co działo się wokół. Skręcił w uliczkę na prawo, potem na lewo. Od czasu do czasu nucił półgłosem fragment jakiejś arii.

Nagle stanął jak wryty i zaczął uważnie nasłuchiwać. Dobiegł go jakiś dźwięk. Mógł to być huk pękającej opony albo... wystrzał. Przez chwilę na jego ustach igrał dziwny uśmiech. Potem podjął na nowo swoją nieśpieszną przechadzkę.

Za rogiem natknął się na ożywioną scenę. Przedstawiciel prawa zapisywał coś w swoim notesie, jeden czy dwóch spóźnionych przechodniów zebrało się na miejscu zdarzenia. Mężczyzna o białych włosach zwrócił się do jednego z uprzejmą prośbą o wyjaśnienia.

– Coś się wydarzyło, prawda?

– *Mais oui, monsieur**. Dwaj chuligani napadli na starszego dżentelmena z Ameryki.

– Zranili go?

– Ależ nie – roześmiał się mężczyzna. – Amerykanin miał w kieszeni rewolwer i zanim go zaatakowali, zaczął strzelać. Wystraszyli się i uciekli. Policja, jak zawsze, przybyła za późno.

– Aha! – rzekł nieznajomy. W jego głosie nie znać było śladu emocji.

---

* *fr.* Ależ tak, proszę pana.

Spokojnie i beztrosko ruszył dalej. Przeszedł Sekwanę i znalazł się w zamożniejszym kwartale miasta. Dwadzieścia minut później zatrzymał się przed jakimś domem w spokojnym, arystokratycznym zaułku.

Sklep, bo był to sklep, wyglądał skromnie i bezpretensjonalnie. D. Papopolous, pośrednik w handlu antykami, cieszył się taką reputacją, że nie potrzebował reklamy, zresztą większość prowadzonych przez niego transakcji nie odbywała się w sklepie. Pan Papopolous miał własne, bardzo eleganckie mieszkanie z widokiem na Pola Elizejskie i o tej porze należało się go spodziewać raczej tam niż w miejscu pracy. Jednak mężczyzna o białych włosach wydawał się pewny swego; obrzucił szybkim spojrzeniem pustą ulicę i nacisnął umieszczony w ukryciu dzwonek.

Jego pewność okazała się uzasadniona. Drzwi uchyliły się, w szparze stanął mężczyzna. Miał złote kółka w uszach i smagłą cerę.

– Dobry wieczór – odezwał się gość. – Czy twój pan jest w środku?

– Pan jest, ale nie przyjmuje nieumówionych klientów tak późno – burknął służący.

– Mnie chyba jednak przyjmie. Powiedz mu, że przyszedł jego przyjaciel, pan markiz.

Służący otworzył drzwi trochę szerzej i wpuścił gościa do środka.

Mężczyzna, który przedstawił się jako „pan markiz", mówiąc osłaniał ręką twarz. Kiedy służący powrócił z wiadomością, że pan Papopolous z przyjemnością przyjmie gościa, w wyglądzie przybyłego zaszła kolejna zmiana. Służący musiał być bardzo mało spostrzegawczy albo bardzo dobrze wyszkolony, bo nie okazał najmniejszego zdumienia na widok czarnej atłasowej maski kryjącej rysy gościa. Poprowadził go do drzwi na końcu korytarza, otworzył je i ogłosił pełnym szacunku półgłosem: pan markiz.

Postać, która podniosła się na powitanie dziwnego gościa, robiła wielkie wrażenie. W panu Papopolousie wyczuwało się coś czcigodnego, patriarchalnego. Miał wysoko sklepione czoło i piękną białą brodę. Jego zachowanie cechowała łaskawość dostojnika kościelnego.

– Witam, drogi przyjacielu – rzekł pan Papopolous.

Mówił po francusku, głębokim, namaszczonym tonem.

– Proszę mi wybaczyć późną godzinę – powiedział gość.

– Ależ nie szkodzi – odparł Papopolous. – To interesująca pora nocy. Spędził pan, jak mniemam, ciekawy wieczór?

– Nie ja osobiście – powiedział markiz.

– Nie osobiście – powtórzył Papopolous – nie, nie, oczywiście, że nie. Przynosi pan nowiny...? – Rzucił swojemu gościowi bystre, ukradkowe spojrzenie, które nie było w najmniejszym stopniu dostojne ani łaskawe.

– Niestety nie. Próba się nie powiodła. Nie spodziewałem się zresztą niczego innego.

– Słusznie – zgodził się Papopolous. – Gwałtowne środki... – Gestem dłoni wyraził swoją głęboką niechęć do gwałtowności w jakiejkolwiek postaci. Istotnie, zarówno w panu Papopolousie, jak i w jego interesach, naprawdę trudno się było dopatrzyć jakiegokolwiek śladu gwałtowności. Znano go dobrze na większości europejskich dworów, wielu władców nazywało go poufale Demetriosem. Miał opinię człowieka w najwyższym stopniu dyskretnego. To oraz nobliwy wygląd pomogło mu przeprowadzić wiele bardzo podejrzanych transakcji.

– Bezpośredni atak – powiedział Papopolous i pokręcił głową – udaje się czasami... ale bardzo rzadko.

Gość wzruszył ramionami.

– Oszczędza czas – zauważył – a próba nic nie kosztuje. Drugi plan na pewno się powiedzie.

– Tak? – odparł Papopolous uważnie mu się przyglądając.

Mężczyzna wolno skinął głową.

– Polegam całkowicie na pańskiej... reputacji – odezwał się handlarz antykami.

Markiz uśmiechnął się leciutko.

– Chyba mogę powiedzieć – mruknął – że postawił pan na właściwego człowieka.

– Ma pan niezwykłe możliwości – dodał handlarz z nutką zazdrości w głosie.

– Stwarzam je. – Gość wstał i sięgnął po pelerynę, którą wchodząc rzucił niedbale na oparcie krzesła. – Będę pana informował zwykłymi kanałami, ale musi pan zadbać, żeby pański plan przebiegał bez zakłóceń.

Pan Papopolous poczuł się urażony.

– Moje plany zawsze przebiegają bez zakłóceń – oświadczył z godnością.

Gość uśmiechnął się i bez słowa opuścił pokój, zamykając za sobą drzwi.

Pan Papopolous siedział przez chwilę pogrążony w myślach, gładząc szlachetną białą brodę, potem podszedł do drugich drzwi, otwierających się do wewnątrz. Kiedy nacisnął klamkę, młoda kobieta, która najwyraźniej opierała się o nie z uchem przyciśniętym do dziurki od klucza, wpadła do pokoju głową naprzód. Pan Papopolous nie wydawał się zdziwiony ani zaniepokojony. Bez wątpienia uważał to za naturalne.

– No i jak, Zio? – zapytał.

– Nie słyszałam, jak wychodził – rzekła.

Była piękną młodą kobietą, zbudowaną jak Junona, o ciemnych błyszczących oczach i tak uderzającym podobieństwie do pana Papopolousa, że łatwo się było domyślić, iż jest jego córką.

– To takie denerwujące – ciągnęła ze złością – że nie można równocześnie patrzeć przez dziurkę od klucza i słyszeć, co się dzieje.

– Też mnie to denerwuje – przyznał pan Papopolous z wielką prostotą.

– A więc to jest pan markiz – mówiła Zia wolno. – Czy on zawsze nosi maskę, ojcze?

– Zawsze.

Zapadło milczenie.

– Chodzi o rubiny, prawda? – spytała Zia.

Papopolous skinął głową.

– A więc, co sądzisz, maleńka? – zapytał z błyskiem rozbawienia w czarnych paciorkowatych oczach.

– O panu markizie?

– Tak.

– Myślę – powiedziała Zia powoli – że bardzo rzadko można spotkać Anglika, który mówi po francusku tak dobrze jak on.

– O! A więc taka jest twoja opinia.

Jak zwykle nie mówił nic o własnych wrażeniach, ale przyglądał się Zii z pełną łaskawości aprobatą.

– Uważam też – dodała młoda kobieta – że jego głowa ma dziwny kształt.

– Masywna – uściślił ojciec. – Trochę zbyt masywna. To z powodu peruki.

Popatrzyli na siebie i uśmiechnęli się.

III

Serce Płomienia

Rufus Van Aldin minął obrotowe drzwi Savoyu i podszedł do recepcji. Recepcjonista uśmiechnął się z szacunkiem na powitanie.

– Miło pana znowu zobaczyć, panie Van Aldin.

Milioner obojętnie kiwnął głową.

– Wszystko w porządku? – spytał.

– Tak, proszę pana. Major Knighton czeka na górze, w numerze.

Van Aldin skinął znowu.

– Były jakieś listy? – spytał łaskawie.

– Wszystkie wysłałem już na górę, panie Van Aldin. Zaraz... Momencik! – Sięgnął do przegródek na listy i wyciągnął jakąś kopertę. – Przyszedł właśnie w tej chwili – wyjaśnił.

Van Aldin wziął przesyłkę. Kiedy spojrzał na charakter pisma – okrągłe kobiece litery – jego twarz uległa nagłej przemianie. Twarde rysy złagodniały, stanowcze usta drgnęły w uśmiechu. Wyglądał jak zupełnie inny człowiek. Ruszył do windy z listem w ręce, ciągle uśmiechnięty.

W salonie jego apartamentu przy biurku młody mężczyzna sortował korespondencję z wprawą świadczącą o długiej praktyce. Na widok Van Aldina poderwał się z miejsca.

– Halo, Knighton!

– Miło pana widzieć z powrotem. Dobrze się pan bawił?

– Jako tako – odparł milioner obojętnie. – Paryż staje się strasznym zaściankiem w dzisiejszych czasach. Tak czy inaczej dostałem to, po co pojechałem. – Uśmiechnął się do siebie trochę ponuro.

– Zwykle pan dostaje, jak sądzę – powiedział sekretarz z uśmiechem.

– No, właśnie – zgodził się Van Aldin. Mówił rzeczowym tonem, jak ktoś stwierdzający ogólnie znany fakt. Zdjął gruby płaszcz i zbliżył się do biurka. – Jakieś pilne sprawy?

– Nie wydaje mi się. To, co zwykle. Nie skończyłem jeszcze ich rozdzielać.

Van Aldin skinął krótko. Należał do ludzi rzadko okazujących niezadowolenie czy zachwyt. Jego metoda postępowania z podwładnymi była prosta: przyjmował ich na okres próbny i z miejsca zwalniał tych, którzy okazali się nieudolni. Dobierał ich w niekonwencjonalny sposób. Knightona spotkał przypadkowo w szwajcarskim kurorcie dwa miesiące wcześniej. Polubił go; przeglądając jego akta z czasów wojny, znalazł tam wyjaśnienie, dlaczego Knighton utyka. Knighton nie robił tajemnicy z faktu, że szuka pracy, i nieśmiało zapytał milionera, czy słyszał o jakiejś wolnej posadzie. Van Aldin przypomniał sobie z lekkim rozbawieniem całkowite zaskoczenie młodego człowieka, kiedy zaproponował mu stanowisko sekretarza.

– Ale... ale ja nie mam doświadczenia w pracy biurowej – wyjąkał Knighton.

– To nie ma znaczenia – odparł Van Aldin. – Mam od tego trzech sekretarzy. Prawdopodobnie spędzę w Anglii najbliższe pół roku i potrzebuję Anglika, który... który wie, co w trawie piszczy i będzie umiał zadbać o moje rozrywki.

Jak dotąd Van Aldin był zadowolony z wyboru. Knighton okazał się bystry, inteligentny i zaradny, a w dodatku miał sympatyczny sposób bycia.

Sekretarz wskazał trzy czy cztery listy leżące na biurku.

– Może byłoby dobrze, gdyby pan na nie spojrzał – zasugerował. – Ten na wierzchu dotyczy umowy z Coltonem...

Van Aldin podniósł rękę w geście protestu.

– Nie mam najmniejszego zamiaru zawracać sobie tym dzisiaj głowy – oświadczył. – Niech poczekają do rana. Z wyjątkiem tego – dodał patrząc na list, który trzymał w ręce. I znów dziwny uśmiech odmienił na chwilę jego twarz.

Knighton uśmiechnął się ze zrozumieniem.

– Od pani Kettering? – spytał. – Dzwoniła wczoraj i dzisiaj. Zdaje się, że bardzo pilnie chce się z panem zobaczyć.

– Ach, tak?

Twarz milionera spoważniała. Rozdarł kopertę i wyciągnął złożoną kartkę papieru. W miarę jak czytał, jego rysy mroczniały, usta zacisnęły się gniewnie w grymasie dobrze znanym na Wall Street, a brwi zmarszczyły się groźnie. Knighton odwrócił się taktownie i zajął z powrotem otwieraniem i sortowaniem listów. Z ust milionera wymknęło się stłumione przekleństwo, zaciśnięta pięść uderzyła w blat stołu.

– Nie będę tego tolerował – prychnął do siebie. – Biedna dziewczyna, całe szczęście, że ma za sobą ojca, żeby ją bronił.

Przez parę minut przechadzał się po pokoju ze zmarszczonymi brwiami. Knighton pracowicie pochylał się nad biurkiem. Nagle Van Aldin zatrzymał się i sięgnął po płaszcz, rzucony na krzesło.

– Wychodzi pan znowu?

– Tak, idę się zobaczyć z córką.

– A jeśli zadzwonią od Coltona...?

– Niech im pan powie, żeby poszli do diabła – burknął Van Aldin.

– Jak pan sobie życzy – powiedział sekretarz bez emocji.

Van Aldin był już w płaszczu. Nakładając kapelusz szedł w stronę drzwi. Raptem zatrzymał się z ręką na klamce.

– Rozsądny z pana człowiek, Knighton – powiedział. – Nie zawraca mi pan głowy, kiedy jestem wściekły.

Knighton uśmiechnął się lekko, ale nie odpowiedział.

– Ruth to moje jedyne dziecko – rzekł Van Aldin. – Nikt na świecie nie wie, jak wiele dla mnie znaczy. – Delikatny uśmiech rozjaśnił jego twarz. Wsunął rękę do kieszeni. – Chce pan coś zobaczyć? – Podszedł do sekretarza. Wyjął z kieszeni paczuszkę niedbale owiniętą w brązowy papier. Zerwał opakowanie odsłaniając dużą, zniszczoną kasetkę z czerwonego aksamitu. Na wieczku widniały splecione litery zwieńczone koroną. Otworzył kasetkę; sekretarz gwałtownie nabrał powietrza. W środku, na podniszczonym białym jedwabiu, kamienie połyskiwały jak krew.

– Mój Boże, panie Van Aldin! – wykrzyknął Knighton. – Czy one... czy one są prawdziwe?

Van Aldin zachichotał rozbawiony.

– Nie dziwię się, że pan pyta. Wśród tych rubinów są trzy największe na świecie. Nosiła je caryca Katarzyna. Ten w środku nazywają Sercem Płomienia. Jest doskonały, bez najmniejszej skazy.

– Musiały kosztować fortunę – mruknął sekretarz.

– Czterysta czy pięćset tysięcy dolarów – potwierdził Van Aldin nonszalancko. – Częściowo ze względu na wartość historyczną.

– I nosi je pan ze sobą ot, tak, w kieszeni?

Milioner zaśmiał się ubawiony.

– Tak. Widzi pan, to prezent dla Ruthie.

Sekretarz uśmiechnął się lekko.

– Nie dziwię się, że pani Kettering tak się niepokoiła – powiedział cicho.

Ale Van Aldin potrząsnął głową. Twardy wyraz powrócił na jego twarz.

– I tu się pan myli – odparł. – Nic o nich nie wie, to niespodzianka. – Zamknął kasetkę i powoli zaczął ją zawijać. – To smutne, Knighton – mówił dalej – jak niewiele możemy zrobić dla tych, których kochamy. Mógłbym kupić Ruth sporą posiadłość, gdyby tylko zechciała, ale ona nie chce. Mogę powiesić jej to na szyi i ofiarować parę przyjemnych chwil, ale... – Pokręcił głową. – Kiedy kobieta nie znajduje szczęścia we własnym domu... – urwał.

Sekretarz potaknął. Nikt nie wiedział lepiej od niego, jaką reputacją cieszy się Derek Kettering. Van Aldin westchnął. Wsunął paczkę z powrotem do kieszeni, skinął głową Knightonowi i wyszedł z pokoju.

IV

Dom przy Curzon Street

Pani Derekowa Kettering mieszkała przy Curzon Street. Lokaj, który otworzył drzwi, poznał Van Aldina od razu i pozwolił sobie na dyskretny uśmiech powitania. Poprowadził go do dużego salonu na pierwszym piętrze.

Siedząca przy oknie kobieta poderwała się z okrzykiem.

– Och, tato, to zbyt piękne...! Od rana wydzwaniam do majora Knightona, żeby cię złapać, ale nie potrafił mi powiedzieć, kiedy się ciebie spodziewać.

Ruth Kettering miała dwadzieścia osiem lat. Nie była piękna ani nawet ładna w potocznym rozumieniu, zwracała jednak uwagę. Van Aldina swego czasu przezywano„rudzielcem"; włosy Ruth miały barwę świeżo wyłuskanych kasztanów. Miała ciemne oczy i bardzo czarne rzęsy – niezupełnie naturalnego koloru. Była wysoka i smukła, poruszała się z gracją. Na pierwszy rzut oka jej twarz przywodziła na myśl Madonnę Rafaela. Dopiero patrząc uważniej dostrzegało się linię szczęki i podbródka podobną jak u ojca, świadczącą o takim samym uporze i determinacji. Pasowało to do mężczyzny, do kobiety już nie tak dobrze. Od dzieciństwa Ruth Van Aldin była przyzwyczajona przeprowadzać własną wolę i każdy, kto spróbował się jej sprzeciwić, przekonywał się wkrótce, że córka Rufusa Van Aldina nigdy się nie poddaje.

– Knighton mi mówił, że dzwoniłaś – wyjaśnił Van Aldin. – Wróciłem z Paryża ledwie pół godziny temu. O co znowu chodzi z Derekiem?

Ruth Kettering poczerwieniała z gniewu.

– To nie do opisania! To przekracza wszelkie granice! – wykrzyknęła. – On... on w ogóle nie słucha, co do niego mówię! – W jej głosie, oprócz złości, brzmiało niedowierzanie.

– Mnie będzie słuchał – powiedział groźnie milioner.

– Prawie go nie widywałam przez ostatni miesiąc – ciągnęła Ruth. – Wszędzie się pokazuje z tą kobietą.

– Z jaką kobietą?

– Mirelle. Wiesz, tancerką z Parthenonu.

Van Aldin skinął głową.

– W zeszłym tygodniu byłam w Leconbury. Rozmawiałam z lordem Leconbury. Był strasznie miły, mówił, że mnie rozumie. Obiecał natrzeć Derekowi uszu.

– Akurat – mruknął Van Aldin.

– Co chcesz przez to powiedzieć?

– Właśnie to, co myślisz, Ruthie. Biedny stary Leconbury stoi nad grobem. Pewnie, że ci współczuje i że próbował cię pocieszyć. Ożenił swojego syna i dziedzica z córką jednego z najbogatszych ludzi w Stanach, więc oczywiście stara się całą sprawę załagodzić. Ale jak wszyscy wiedzą, jedną nogą jest już na tamtym świecie i to, co mówi, obchodzi Dereka tyle, co zeszłoroczny śnieg.

– A czy ty mógłbyś coś zrobić, tato? – spytała Ruth po chwili milczenia.

– Mógłbym – odparł milioner. Zamyślił się na moment, a po chwili podjął: – Jest kilka rzeczy, które mógłbym zrobić, ale tylko jedna rozwiązałaby sprawę. Jak bardzo jesteś dzielna, Ruthie?

Popatrzyła na niego zaskoczona. Pokiwał głową.

– Pytam poważnie. Czy starczy ci odwagi, aby przyznać przed światem, że popełniłaś błąd? Jest tylko jeden sposób, Ruthie. Uratować ile się da i zacząć od nowa.

– Masz na myśli...?

– Rozwód.

– Rozwód!

Van Aldin uśmiechnął się sucho.

– Mówisz, jakbyś nigdy wcześniej nie słyszała tego słowa. A przecież twoi znajomi ciągle się rozwodzą.

– Tak, ale...

Urwała zagryzając wargi. Ojciec pokiwał głową ze zrozumieniem.

– Wiem, Ruth. Jesteś taka jak ja: nie znosisz się poddawać. Ale nauczyłem się, i ty również będziesz się musiała nauczyć, że czasami nie ma innego wyjścia. Mógłbym w jakiś sposób zmusić Dereka, by do ciebie wrócił, ale wcześniej czy później skończyłoby się tak samo. To łajdak, Ruth, zepsuty do szpiku kości. I wyrzucam sobie, że pozwoliłem ci go poślubić. Ale wyglądało, że ci na nim zależy, a on na serio ma zamiar zacząć życie od nowa... poza tym, raz już ci się sprzeciwiłem, kochanie... – Mówiąc to odwrócił wzrok. Gdyby spojrzał na córkę, spostrzegłby nagły rumieniec na jej twarzy.

– To prawda – powiedziała surowo.

– Nie miałem serca robić tego po raz drugi. Chociaż nie masz pojęcia, jak bardzo żałuję. Przez ostatnich parę lat miałaś ciężkie życie.

– Nie było zbyt... przyjemne – zgodziła się Ruth.

– Dlatego mówię, że to się musi skończyć! – uderzył pięścią w stół. – Może mimo wszystko nadal masz do niego słabość. Skończ z tym. Spójrz prawdzie w oczy. Derek Kettering ożenił się z tobą dla pieniędzy. Tylko o nie mu chodziło. Daj sobie z nim spokój, Ruth.

Ruth Kettering siedziała przez parę chwil ze wzrokiem wbitym w ziemię, po czym odezwała się nie podnosząc głowy:

– A jeśli się nie zgodzi?

Van Aldin popatrzył na nią zdumiony.

– Nie będzie miał nic do powiedzenia.

Zaczerwieniła się i zagryzła wargę.

– Nie... oczywiście, że nie. Myślałam tylko...

Urwała. Ojciec przypatrywał się jej uważnie.

– Co myślałaś?

– Myślałam... – zamilkła, starannie dobierając słowa. – On może nie będzie chciał łatwo ustąpić.

Van Aldin groźnie wysunął podbródek.

– Że będzie walczył? Niech spróbuje! Ale jeśli o to chodzi, mylisz się. Nie będzie się spierał. Każdy prawnik, do którego się zwróci, powie mu, że nie ma do tego podstaw. – Nie sądzisz... – zawahała się. – To znaczy, z czystej złośliwości... że może, hm, stwarzać trudności?

Ojciec patrzył na nią ze zdziwieniem.

– Narobić szumu, o to ci chodzi? – Pokręcił głową. – Mało prawdopodobne. Rozumiesz, musiałby mieć jakieś podstawy.

Pani Kettering nie odpowiedziała. Van Aldin spojrzał na nią ostro.

– No, Ruth, powiedz, o co chodzi. Coś cię gryzie, prawda?

– Nic, zupełnie nic.

Ale w jej głosie brakło przekonania.

– Obawiasz się rozgłosu, tak? Zostaw to mnie. Wszystko załatwię gładko, nie będzie żadnego gadania.

– Dobrze, tato, skoro naprawdę uważasz, że to najlepsze, co można zrobić.

– Nadal ci na nim zależy, Ruth? Tak?

– Nie.

Tym razem w jej głosie zabrzmiała pewność. Van Aldin wydawał się zadowolony. Poklepał córkę po ramieniu.

– Wszystko będzie dobrze, maleńka. Nic się nie martw. A teraz dajmy już temu spokój. Przywiozłem ci z Paryża prezent.

– Mnie? Coś ładnego?

– Mam nadzieję, że ci się spodoba – odparł Van Aldin z uśmiechem.

Wyciągnął paczkę z kieszeni płaszcza i wręczył córce. Odpakowała ją niecierpliwie i otwarła kasetkę. Z jej ust wyrwało się długie westchnienie. Ruth Kettering od dziecka uwielbiała kamienie szlachetne.

– Och, tato... Jakie piękne!

– Klasa sama dla siebie, prawda? – powiedział milioner z satysfakcją. – Więc ci się podobają?

– Czy podobają? Tato, są niezrównane! Jak je zdobyłeś?

Van Aldin uśmiechnął się.

– To mój mały sekret. Oczywiście musiałem je kupić w tajemnicy. Są dość znane. Widzisz ten duży kamień w środku? Może o nim słyszałaś, to sławne Serce Płomienia.

– Serce Płomienia! – powtórzyła pani Kettering.

Wyjęła naszyjnik z kasetki i przymierzyła. Milioner przyglądał się jej. Myślał o wielu kobietach, które go nosiły. Zazdrość, szaleństwa, złamane serca. Serce Płomienia, jak wszystkie słynne kamienie, zostawiało za sobą szlak przemocy i nieszczęść. W pewnych rękach Ruth Kettering wydawało się pozbawione złej mocy. Ta trzeźwa i zrównoważona kobieta Zachodu wydawała się zaprzeczeniem tragedii i zranionych serc. Ruth włożyła kamienie z powrotem do kasetki, potem podeszła do ojca i zarzuciła mu ręce na szyję.

– Dziękuję, dziękuję, dziękuję, tato! Są wspaniałe! Zawsze dajesz mi najpiękniejsze prezenty.

– Nic dziwnego – odpowiedział Van Aldin gładząc ją po ramieniu. – Jesteś wszystkim, co mam, Ruthie.

– Zostaniesz na obiedzie, prawda?

– Obawiam się, że nie. Zresztą chyba zamierzałaś wyjść.

– Tak, ale bez problemu mogę to przełożyć.

– Nie – zaprotestował Van Aldin. – Idź na spotkanie. Mam wiele spraw do załatwienia. Zobaczymy się jutro, kochanie. Może zadzwonię do ciebie i spotkalibyśmy się u Galbraitha?

Panowie Galbraith, Galbraith, Cuthbertson i Galbraith byli londyńskimi prawnikami Van Aldina.

– Doskonale. – Zawahała się. – Mam nadzieję, że to... nie przeszkodzi mi w wyjeździe na Riwierę?

– Kiedy miałaś jechać?

– Czternastego.

– To w porządku. Tego rodzaju sprawy długo się ciągną. *A propos*, Ruth, na twoim miejscu nie zabierałbym tych rubinów za granicę. Zostaw je w sejfie.

Pani Kettering skinęła głową.

– Nie chciałbym, żebyś została obrabowana i zamordowana z powodu Serca Płomienia – dodał żartobliwie Van Aldin.

– A sam je nosiłeś w kieszeni – odparła córka z uśmiechem.

– Tak...

Coś, lekkie wahanie w jego głosie zwróciło jej uwagę.

– Co się stało, tato?

– Nic – uśmiechnął się. – Przypomniała mi się przygoda, którą miałem w Paryżu.

– Przygoda?

– Tak. Tej nocy, kiedy to kupiłem – wskazał kasetkę z naszyjnikiem.

– Opowiedz, proszę.

– Nie ma co opowiadać, Ruthie. Zaczepiło mnie paru łobuzów, strzeliłem z pistoletu i uciekli. To wszystko.

Popatrzyła na niego z dumą.

– Prawdziwy mężczyzna z ciebie, tato.

– Żebyś wiedziała, Ruthie.

Ucałował ją serdecznie i wyszedł. Przybywszy do Savoyu rzucił Knightonowi krótki rozkaz:

– Sprowadź mi człowieka nazwiskiem Goby; znajdziesz jego adres w moim prywatnym notesie. Ma tu być jutro rano o pół do dziesiątej.

– Tak jest.

– I chcę się widzieć z Ketteringiem. Postaraj się gdzieś go dopaść. Spróbuj w klubie... wszystko jedno jak, skontaktuj się z nim. Niech przyjdzie jutro przed południem. Albo może trochę później, koło dwunastej. Ludzie jego pokroju nie należą do rannych ptaszków.

Sekretarz skinął na znak, że zrozumiał instrukcje. Van Aldin oddał się w ręce służącego. Gorąca kąpiel była już gotowa; rozkoszując się nią, powrócił myślami do rozmowy z córką. Właściwie był zadowolony. Już dawno pogodził się z faktem, że rozwód jest jedynym możliwym rozwiązaniem. Ruth opierała się o wiele słabiej, niż się spodziewał, lecz mimo to pozostał mu lekki niepokój. W jej zachowaniu wyczuł coś nienaturalnego. Skrzywił się.

– Może przesadzam – mruknął – ale założę się, że jest coś, o czym mi nie powiedziała.

się, żeby go przepuścić. Potem wszedł, zamykając za sobą drzwi.

– Dzień dobry. Jak słyszę, koniecznie chciał się pan ze mną widzieć.

Niedbały ton z nutką lekkiej ironii wzbudził u Van Aldina falę wspomnień. Młody człowiek miał wiele wdzięku – jak kiedyś.

Milioner spojrzał przenikliwie na zięcia. Derek Kettering miał trzydzieści cztery lata, był smukłej budowy, o wąskiej smagłej twarzy, która nawet teraz zachowała w sobie coś chłopięcego.

– Proszę wejść – powiedział Van Aldin cierpko. – Niech pan siada.

Kettering zagłębił się w fotelu. Przyglądał się teściowi z czymś w rodzaju pełnego wyrozumiałości rozbawienia.

– Dawno pana nie widziałem – zauważył uprzejmie. – Chyba ze dwa lata. Spotkał się pan już z Ruth?

– Byłem u niej wczoraj – odparł milioner.

– Nieźle wygląda, prawda? – lekko rzucił Kettering.

– Nie sądzę, żeby miał pan okazję to osądzić – stwierdził sucho milioner.

Derek Kettering uniósł brwi.

– Och, czasem spotykamy się w tym samym klubie – oznajmił beztrosko.

– Nie będę owijał w bawełnę – powiedział ostro Van Aldin. – Doradziłem Ruth, żeby wniosła sprawę o rozwód.

Kettering nie wydawał się poruszony.

– Aż tak? – mruknął. – Nie będzie panu przeszkadzało, jeśli zapalę? – Wydmuchnął kłąb dymu. – A co na to Ruth? – rzucił nonszalancko.

– Zamierza mnie posłuchać.

– Naprawdę?

– To wszystko, co pan ma do powiedzenia? – spytał Van Aldin ostro.

Kettering strząsnął popiół do kominka.

– Wie pan – powiedział obojętnie – sądzę, że popełnia wielki błąd.

– Z pańskiego punktu widzenia niewątpliwie – ponuro stwierdził milioner.

– Proszę – zaprotestował Kettering. – Tylko bez osobistych wycieczek. Naprawdę nie myślałem o sobie. Myślałem o Ruth. Wie pan, że stary nie pociągnie już długo; wszyscy doktorzy tak mówią. Gdyby Ruth trochę poczekała... Za parę lat ja będę lordem, a ona zostanie panią na Leconbury. Przecież po to za mnie wyszła.

– Nie zniosę pańskiej bezczelności ani chwili dłużej! – ryknął Van Aldin.

Derek Kettering uśmiechnął się do niego nieporuszony.

– Ma pan całkowitą rację. Doprawdy niemodny pomysł. W dzisiejszych czasach tytuł nic nie znaczy. Jednak tak czy inaczej, Leconbury to piękny stary majątek, a jesteśmy też jednym z najstarszych rodów w Anglii. Ruth będzie nieprzyjemnie, jeśli po rozwodzie z nią ożenię się powtórnie i będzie musiała patrzeć, jak jakaś inna kobieta króluje w Leconbury zamiast niej.

– Mówiłem poważnie, młody człowieku – powiedział Van Aldin.

– Ja również – odparł Kettering. – Jestem w fatalnej sytuacji finansowej; jeśli Ruth się ze mną rozwiedzie, pogrąży mnie całkowicie, a zresztą, skoro znosiła to przez dziesięć lat, dlaczego nie wytrwa jeszcze trochę? Daję panu słowo honoru, że staruszkowi zostało nie więcej niż półtora roku życia i, jak już mówiłem, szkoda, żeby Ruth nie dostała tego, dla czego mnie poślubiła.

– Sugeruje pan, że moja córka wyszła za pana dla tytułu i pozycji?

– Nie sądzi pan chyba, że było to małżeństwo z miłości?

– Pamiętam – wolno odparł Van Aldin – jak dziesięć lat temu w Paryżu mówił pan zupełnie co innego.

– Doprawdy? Bardzo możliwe. Ruth była bardzo piękna, wie pan, jak anioł albo święta, postać, która z niszy w kościele zstąpiła między śmiertelników. Pamiętam, miałem ambitne plany, by zacząć wszystko od nowa, ustatkować się i wieść uświęcone tradycją życie na wsi z piękną, kochającą żoną u boku. – Roześmiał się znowu; tym razem w jego głosie zabrzmiał fałszywy ton. – Nie wierzy mi pan, prawda? – spytał.

– Nie mam wątpliwości, że poślubił pan Ruth dla jej pieniędzy – stwierdził Van Aldin zimno.

– A ona wyszła za mnie z miłości? – z ironią spytał Kettering.

– Oczywiście – potwierdził Van Aldin.

Derek Kettering przyglądał mu się przez parę minut, potem skinął głową w zamyśleniu.

– Widzę, że jest pan o tym przekonany – powiedział. – Swego czasu ja też nie miałem wątpliwości. I mogę pana zapewnić, bardzo szybko zostałem wyprowadzony z błędu.

– Nie wiem, do czego pan zmierza – odparł Van Aldin – i nic mnie to nie obchodzi. Traktował pan Ruth bardzo źle.

– To prawda – zgodził się Kettering. – Ale wie pan, ona dużo zniesie. Pańska krew. Pod tymi białoróżowymi koronkami jest twarda jak granit. Zawsze mówiono, że panu nie brak charakteru, ale ona jest twardsza. Pan przynajmniej kocha jedną osobę bardziej niż siebie. Ruth nigdy nie kochała i nigdy nie pokocha nikogo.

– Dosyć tego – powiedział Van Aldin. – Wezwałem tu pana, by powiedzieć prosto z mostu, co o tym myślę. Mojej córce należy się w życiu trochę szczęścia i niech pan pamięta, w razie czego będzie pan miał ze mną do czynienia.

Kettering wstał i podszedł do kominka. Wyrzucił niedopałek. Kiedy się odezwał, jego głos był bardzo cichy.

– Ciekaw jestem, co pan przez to rozumie – powiedział.

– Że nie będzie pan robił trudności – odparł Van Aldin.

– Ach, więc to groźba? – zdziwił się Kettering.

– Może pan to nazywać, jak się panu podoba.

Kettering przysunął krzesło do stołu i usiadł naprzeciw milionera.

– A co będzie – zapytał niewinnie – jeśli, z czystej złośliwości, zacznę wszystko utrudniać?

Van Aldin wzruszył ramionami.

– Nie ma pan żadnych argumentów, głupcze. Proszę spytać swoich prawników. Cały Londyn mówi o pańskich wybrykach.

– Podejrzewam, że Ruth rozpowiadała o Mirelle. Bardzo nierozsądne z jej strony. Ja się nie wtrącam do jej znajomości.

– Co pan przez to rozumie? – spytał Van Aldin ostro.

Kettering roześmiał się.

– Jak widzę, nie wie pan o wielu rzeczach – powiedział. – Nic dziwnego, że jest pan uprzedzony. – Sięgnął po kapelusz i laskę i skierował się do drzwi. – Zwykle nie udzielam rad – rzucił od progu. – Ale w tym wypadku doradzałbym całkowitą szczerość między panem i pańską córką.

Szybko wyszedł z pokoju i zamknął za sobą drzwi w chwili, kiedy milioner zerwał się z miejsca.

– O co mu mogło chodzić, do diabła? – zastanawiał się Van Aldin siadając z powrotem w fotelu.

Jego niepokój powrócił ze zdwojoną siłą. Coś tu było nie do końca jasne. Telefon stał tuż przy jego łokciu; chwycił słuchawkę i kazał się połączyć z domem córki.

– Halo? Mayfair 81907? Zastałem panią Kettering? Ach, wyszła, tak? Rozumiem, na obiad. Mówiła, kiedy wróci? Nie wie pani? Doskonale; nie, żadnej wiadomości.

Ze złością rzucił słuchawkę na widełki. O drugiej niecierpliwie przechadzał się po pokoju, czekając na Goby'ego. Dziesięć minut później detektyw się zjawił.

– I co? – ostro zapytał milioner.

Pan Goby nie lubił, kiedy go ponaglano. Usiadł za stołem, wyjął bardzo zniszczony notes i zaczął czytać monotonnym głosem. Milioner słuchał uważnie, z rosnącym zadowoleniem. Goby doszedł do końca i spojrzał wyczekująco na kosz do papierów.

– Tak – powiedział Van Aldin. – Sprawa wydaje się jasna. Powinni się z tym uwinąć w mgnieniu oka. Rejestr hotelowy w porządku, mam nadzieję?

– Niepodważalny – przyświadczył Goby spoglądając z urazą na pozłacany fotel.

– I jest w fatalnej sytuacji finansowej. Mówi pan, że stara się o pożyczkę? Już wyciągnął ile się dało *a conto* spadku po ojcu. Kiedy się rozniesie wiadomość o rozwodzie, nie uda mu się wydusić ani centa, co więcej będzie można wykupić jego weksle i przycisnąć go od tej strony. Mamy go, Goby, już się nie wywinie. – Van Aldin uderzył pięścią w stół. Na jego twarzy malowały się tryumf i zawziętość.

– A więc jest pan zadowolony z informacji? – spytał Goby cienkim głosem.

– Muszę zaraz iść na Curzon Street – odparł milioner. – Jestem panu bardzo zobowiązany. Doskonała robota.

Blady uśmiech wdzięczności rozlał się na twarzy małego człowieczka.

– Dziękuję, panie Van Aldin. Staram się jak mogę.

Van Aldin nie skierował się prosto na Curzon Street. Najpierw pojechał do City, gdzie odbył dwa spotkania, po których jego zadowolenie jeszcze wzrosło. Z City udał się metrem na Downing Street. Kiedy szedł przez Curzon Street, z domu numer 160 wyszedł jakiś człowiek i ruszył w jego stronę, tak że minęli się na chodniku. Przez moment milionerowi wydawało się, że to Derek Kettering – mężczyzna przypominał go wzrostem i budową, ale gdy się zbliżył, Van Aldin przekonał się, że to ktoś obcy. Chociaż nie, niezupełnie obcy; twarz wywołała w umyśle milionera jakieś wspomnienie, związane z czymś bardzo nieprzyjemnym. Na próżno wysilał pamięć, próbując je pochwycić. Z irytacją pokręcił głową. Nie lubił, kiedy cokolwiek wymykało mu się spod kontroli.

Ruth najwyraźniej go oczekiwała. Podbiegła i pocałowała go.

– Jak leci, tato?

– Doskonale – odparł Van Aldin. – Muszę z tobą zamienić parę słów.

Wyczuł w jej zachowaniu niemal niedostrzegalną zmianę; poprzednią impulsywność zastąpiło skrywane wyczekiwanie. Usiadła w dużym fotelu.

– Słucham, tato. O co chodzi? – spytała.

– Dziś rano widziałem się z twoim mężem – powiedział Van Aldin.

– Widziałeś się z Derekiem?

– Tak. Gadał jak najęty, tupetu mu nie brakuje. Kiedy już wychodził, powiedział coś, czego nie zrozumiałem. Radził mi się upewnić, czy panuje między nami całkowita szczerość. O co mu mogło chodzić, Ruthie?

Pani Kettering poruszyła się lekko.

– Ja... nie wiem, tato. Skąd mam wiedzieć?

– Naturalnie, że wiesz – stwierdził Van Aldin. – Powiedział jeszcze coś: że zajmuje się własnymi przyjaciółmi i nie wtrąca w sprawy twoich. Co to miało znaczyć?

– Nie wiem – powtórzyła pani Kettering.

Van Aldin usiadł. Usta zacisnęły mu się w zdecydowaną linię.

– Słuchaj, Ruth. Nie mam zamiaru w to wchodzić z zawiązanymi oczyma. Wcale nie jestem pewien, czy ten twój mąż nie spróbuje narobić kłopotów. Nie uda mu się, to pewne. Mam sposoby, by go uciszyć, zamknąć mu usta na dobre, ale muszę wiedzieć, czy istnieje potrzeba uciekania się do nich. O co mu chodziło, kiedy mówił o twoich przyjaciołach?

Pani Kettering wzruszyła ramionami.

– Mam wielu przyjaciół – powiedziała niepewnie. – Nie wiem, o czym mówił, naprawdę.

– Wiesz. – Van Aldin mówił teraz tonem, jakim mógłby się zwracać do przeciwnika w interesach. – Zapytam więc wprost. Kto to jest?

– Kto?

– Ten mężczyzna. To właśnie sugerował Derek. Jakiś szczególny mężczyzna, z którym się przyjaźnisz. Nie bój się, maleńka. Jestem pewien, że nie ma w tym nic złego, ale muszę wiedzieć o wszystkim, co może wypłynąć na rozprawie. Rozumiesz, prawnicy potrafią nieźle zamotać te sprawy. Chcę wiedzieć, kim jest ten mężczyzna i jak daleko sięga wasza zażyłość.

Ruth nie odpowiedziała. Nerwowo zaciskała dłonie.

– No, kochanie – powtórzył Van Aldin łagodniej. – Nie bój się swego staruszka. Nigdy nie byłem zbyt surowy, prawda, nawet wtedy, w Paryżu... Do diabła! – Urwał niespodziewanie. – To był on – mruknął do siebie. – Wiedziałem, że znam skądś tę twarz.

– O czym mówisz, tato? Nie rozumiem.

Milioner podszedł do córki i złapał ją mocno za rękę.

– Słuchaj, Ruth, spotykałaś się znowu z tym człowiekiem?

– Z jakim człowiekiem?

– Tym, od którego wszystko się zaczęło parę lat temu. Wiesz, o kogo mi chodzi.

– Mówisz o... – zawahała się – mówisz o hrabim de la Roche?

– Hrabia de la Roche! – prychnął Van Aldin. – Już ci kiedyś tłumaczyłem, że to oszust. Dałaś się w to wciągnąć bardzo głęboko, ale wyrwałem cię z jego szponów.

– Tak, udało ci się – potwierdziła Ruth z goryczą. – I wyszłam za Dereka Ketteringa.

– Sama tego chciałaś – zaprotestował ostro.

Wzruszyła ramionami.

– A teraz – wolno powiedział Van Aldin – znowu zaczęłaś się z nim widywać... mimo tego wszystkiego, co ci mówiłem. Był tu dzisiaj u ciebie. Spotkałem go na ulicy, tylko nie mogłem sobie przypomnieć, skąd go znam.

Ruth Kettering zdążyła odzyskać zimną krew.

– Muszę ci coś powiedzieć, tato; mylisz się co do Armanda... to znaczy hrabiego de la Roche. Wiem, że w młodości był zamieszany w kilka godnych ubolewania incydentów, opowiadał mi o tym. Ale... no cóż, zawsze mu na mnie zależało. Bardzo cierpiał, kiedy nas rozdzieliłeś w Paryżu, i teraz...

Przerwało jej pełne oburzenia parsknięcie ojca.

– I ty dałaś się na to złapać! Ty, moja córka! Dobry Boże! – Złapał się za głowę. – Że też kobiety mogą być tak głupie!

VI

Mirelle

Derek Kettering wyszedł z apartamentu Van Aldina w takim pośpiechu, że zderzył się z jakąś kobietą idącą korytarzem. Przeprosił ją; przyjęła przeprosiny z uśmiechem i minęła go, pozostawiając po sobie wrażenie kojącego spokoju i pięknych szarych oczu.

Mimo całej nonszalancji spotkanie z teściem poruszyło Ketteringa bardziej, niż chciał przyznać. Zjadł samotnie obiad, a potem z ociąganiem skierował się do drogiego apartamentu zajmowanego przez tancerkę, znaną jako Mirelle. Schludna francuska pokojówka otwarła mu drzwi cała w uśmiechach.

– Proszę wejść, *monsieur*. Pani właśnie odpoczywa.

Został wprowadzony do długiego salonu, którego orientalny wystrój znał bardzo dobrze. Mirelle leżała na otomanie, wsparta o nieprawdopodobne mnóstwo poduszek w najróżniejszych odcieniach bursztynu, mających harmonizować z ochrową barwą jej skóry. Tancerka była pięknie zbudowaną kobietą i nawet jeśli jej twarz mimo grubej warstwy żółtawego pudru wydawała się nieco zmęczona, miała w sobie specyficzny wdzięk, a jej oranżowe usta na widok Dereka uśmiechnęły się zachęcająco.

Pocałował ją i opadł na krzesło.

– Co dzisiaj robiłaś? Właśnie wstałaś, jak sądzę?

Oranżowe usta rozciągnęły się w uśmiechu.

– Nie – odparła tancerka. – Pracowałam. – Smukłą, bladą dłonią wskazała fortepian, pokryty rozrzuconymi nieporządnie nutami. – Przyszedł Ambrose. Grał mi nową operę.

Kettering skinął bez większego zainteresowania. Claud Ambrose i przygotowywana przez niego inscenizacja *Peer Gynta* Ibsena były mu całkowicie obojętne. Podobnego zdania była zresztą Mirelle, uważając operę po prostu za doskonałą okazję, żeby się zaprezentować w roli Anitry.

– Piękne przedstawienie – mruknęła. – Włożę w nie całą namiętność dziecka pustyni. Będę tańczyć obwieszona klejnotami...à *propos, mon ami*, widziałam wczoraj na Bond Street perłę... czarną perłę...

Przerwała, patrząc na niego wyczekująco.

– Drogie dziecko – odparł Kettering. – Nie ma sensu napomykać przy mnie o czarnych perłach. W chwili obecnej nie mam złamanego grosza.

Usiadła, otwierając szeroko ogromne czarne oczy.

– O czym ty mówisz, Dereek? Co się stało?

– Mój szanowny teść zdecydował się pójść na całość.

– To znaczy?

– Innymi słowy chce, żeby Ruth się ze mną rozwiodła.

– Co za głupota! – wykrzyknęła Mirelle. – Dlaczego by się miała z tobą rozwieść?

Derek Kettering wyszczerzył zęby.

– Głównie z twojego powodu, *chérie* – odpowiedział.

Tancerka wzruszyła ramionami.

– To głupie – stwierdziła rzeczowo.

– Bardzo głupie – zgodził się Kettering.

– Co masz zamiar z tym zrobić?

– Drogie dziecko, a co mogę zrobić? Z jednej strony człowiek o niezmierzonych bogactwach, z drugiej człowiek o niezmierzonych długach. Nie ma wątpliwości, kto wygra.

– Zdumiewający są ci Amerykanie – podsumowała Mirelle. – Wygląda, jakby twojej żonie wcale na tobie nie zależało.

– Więc co z tym zrobimy? – spytał Kettering.

Spojrzała na niego pytająco. Podszedł i ujął jej ręce.

– Czy zechcesz ze mną zostać?

– O co ci chodzi? Po tym, jak...?

– Tak – odparł Kettering. – Po tym, jak wierzyciele rzucą się na mnie niczym sępy. Bardzo mi na tobie zależy, Mirelle. Zostaniesz ze mną?

Uwolniła dłonie z jego uchwytu.

– Wiesz, że cię uwielbiam, Dereek.

W jej głosie pochwycił fałszywą nutkę.

– Więc to tak! Kiedy statek tonie, szczury uciekają.

– Och, Dereek!

– Powiedz wprost! – rzucił gwałtownie. – Znajdziesz sobie innego, tak?

Wzruszyła ramionami.

– Bardzo cię lubię, *mon ami*; naprawdę bardzo. Jesteś taki czarujący... *un beau garçon**, ale *ce n'est pas practique***.

– Tylko bogaci mogą sobie na ciebie pozwolić? O to chodzi?

– Skoro chcesz to tak ująć. – Wyciągnęła się na poduszkach, odrzucając głowę do tyłu. – Ale w dalszym ciągu bardzo cię lubię, Dereek.

Podszedł do okna i stał przez dłuższą chwilę wyglądając na zewnątrz, zwrócony do niej plecami. Tancerka podniosła się na łokciu i spojrzała na niego ciekawie.

– O czym rozmyślasz, *mon ami*?

Uśmiechnął się do niej przez ramię; dziwny uśmiech, który wzbudził w niej niejasny niepokój.

– Tak się składa, że myślałem o kobiecie, moja droga.

– Ach tak?

Mirelle znalazła się na znajomym gruncie.

– O jakiejś innej kobiecie, o to ci chodzi?

– Och, nie musisz się niepokoić, to tylko wyobrażenie. „Kobieta o szarych oczach".

– Kiedy ją spotkałeś? – spytała Mirelle ostro.

---

* *fr.* taki czarujący

** *fr.* ale to niepraktyczne

Derek Kettering roześmiał się, w jego głosie zabrzmiał złośliwy, ironiczny ton.

– Wpadłem na nią na korytarzu w Savoyu.

– Aha! I co powiedziała?

– O ile dobrze pamiętam, przeprosiłem ją, a ona odpowiedziała: „Nie ma za co", czy coś w tym guście.

– A potem? – nalegała tancerka.

Kettering wzruszył ramionami.

– A potem... nic. To już wszystko.

– Nic z tego nie rozumiem – oznajmiła tancerka.

– „Portret damy o szarych oczach" – mruknął Kettering w zamyśleniu. – Pewnie jej już nigdy nie spotkam.

– Dlaczego?

– Pewnie przyniesie mi pecha. Jak to kobiety.

Mirelle cicho zsunęła się z otomany, podeszła do niego i objęła go za szyję smukłym, giętkim ramieniem.

– Co za głuptas z ciebie, Dereek – zamruczała. – Jesteś *beau garçon* i uwielbiam cię, ale nie zostałam stworzona, żeby żyć w biedzie... stanowczo nie po to zostałam stworzona. A teraz mnie posłuchaj; wszystko jest bardzo proste. Musisz się pogodzić z żoną.

– Przykro mi, ale w obecnej sytuacji to nie wchodzi w grę – odparł Kettering sucho.

– Jak powiedziałeś? Nie rozumiem.

– Pan Van Aldin, moja droga, nie pójdzie na to. To człowiek, który, skoro się raz na coś zdecyduje, trzyma się tego z uporem.

– Słyszałam o nim – przytaknęła tancerka. – Jest bardzo bogaty, prawda? Jeden z najbogatszych ludzi w Ameryce. Parę dni temu w Paryżu kupił największy rubin na świecie. Nazywa się Serce Płomienia.

Kettering nie odpowiedział. Tancerka mówiła dalej rozmarzonym tonem:

– Piękny kamień… kamień, który powinien należeć do kobiety takiej jak ja. Kocham klejnoty, Dereek; przemawiają do mnie. Ach! Jak by to było nosić rubin taki jak Serce Płomienia! – Westchnęła cichutko i po chwili wróciła do rzeczywistości. – Ty tego nie zrozumiesz, Dereek. Jesteś tylko mężczyzną. Pewnie Van Aldin podaruje kamienie córce. To jedynaczka?

– Tak.

– Więc po jego śmierci odziedziczy cały majątek. Będzie bogatą kobietą.

– Już jest bogata – powiedział Kettering sucho. – Dał jej w posagu kilka milionów.

– Kilka milionów! Ależ to mnóstwo pieniędzy! A gdyby nagle umarła? Dostałbyś to wszystko?

– Zgodnie z tym, jak się sprawy mają obecnie, tak – wolno odparł Kettering. – O ile wiem, nie spisała testamentu.

– *Mon Dieu!* – wykrzyknęła tancerka. – Jak wiele spraw by to uprościło, gdyby umarła!

Nastąpiła chwila ciszy, po czym Kettering wybuchnął serdecznym śmiechem.

– Uwielbiam twoje proste, praktyczne pomysły, Mirelle, ale obawiam się, że to życzenie się nie spełni. Moja żona jest osobą niezwykle silnego zdrowia.

– *Eh bien!* – zgodziła się Mirelle. – Ale przecież zdarzają się wypadki.

Spojrzał na nią surowo, nic nie mówiąc.

– Ale masz rację, *mon ami*, nie ma co gdybać. Sam rozumiesz, nie może być więcej mowy o rozwodzie. Twoja żona musi porzucić ten pomysł.

– A jeśli tego nie zrobi?

Oczy tancerki zwęziły się w szparki.

– Myślę, że zrobi, mój drogi. Należy do osób, które nie lubią rozgłosu. Znam jedną czy dwie historyjki na jej temat. Na pewno nie chce, by jej przyjaciele przeczytali o tym w gazetach.

– Co ty wygadujesz? – spytał Kettering ostro.

Mirelle roześmiała się odrzucając do tyłu głowę.

– *Parbleu!* Mówiłam o dżentelmenie, który każe się nazywać hrabią de la Roche. Wiem o nim wszystko. Jestem paryżanką, pamiętaj. Był jej kochankiem, zanim za ciebie wyszła, prawda?

Kettering złapał ją brutalnie za ramiona.

– To wstrętne kłamstwo – powiedział. – Nie zapominaj, że to mimo wszystko moja żona.

Mirelle spoważniała.

– Wy, Anglicy, jesteście zdumiewający – poskarżyła się. – Zresztą może i masz rację. Amerykanie są tacy zimni, nieprawdaż? Ale nie zaprzeczysz, *mon ami*, jeśli powiem, że była w nim zakochana, zanim za ciebie wyszła, jej ojciec się w to wmieszał i posłał hrabiego gdzie pieprz rośnie. A biedna *mademoiselle* płakała gorzkimi łzami. Ale usłuchała. I musisz wiedzieć równie dobrze jak ja, Dereek, że teraz to zupełnie co innego. Widują się prawie codziennie, a czternastego ona jedzie do Paryża, żeby się z nim spotkać.

– Skąd wiesz o tym wszystkim? – spytał surowo Kettering.

– Ja? Mam w Paryżu przyjaciół, którzy blisko znają hrabiego. Wszystko zostało zaplanowane. Pani Kettering mówi, że jedzie na Riwierę, ale naprawdę hrabia spotka się z nią w Paryżu i... kto wie! Tak, tak, możesz mi wierzyć, wszystko zostało ułożone!

Kettering stał bez ruchu.

– Widzisz – przymilała się tancerka – jeśli będziesz sprytny, masz ją w garści. Możesz jej narobić nieprzyjemności.

– Och, na miłość boską, bądź wreszcie cicho! – wykrzyknął Kettering. – Przestań już gadać!

Mirelle ze śmiechem rzuciła się na otomanę. Kettering chwycił płaszcz i kapelusz i wyszedł trzaskając głośno drzwiami. Tancerka siedziała na otomanie śmiejąc się cichutko. Była bardzo zadowolona ze swojego dzieła.

VII

Listy

Pani Samuelowa Harfield śpieszy złożyć gratulacje Pannie Katarzynie Grey, pragnąc przy tym podkreślić, że w zaistniałych okolicznościach Panna Grey może nie być świadoma faktu, iż…

Pani Harfield płynnie napisała powyższe, po czym utknęła, powstrzymana przez to, co okazało się nieprzezwyciężoną przeszkodą dla wielu już ludzi przed nią – a mianowicie kłopot z wyrażaniem się w trzeciej osobie.

Po minucie czy dwóch wahania podarła kartkę i zaczęła od nowa.

Droga panno Grey.

Doceniając w pełni sposób, w jaki wywiązała się Pani ze swoich obowiązków względem mojej kuzynki (której niedawna śmierć była dla nas wszystkich bolesnym ciosem), nie mogę się pozbyć wrażenia…

Pani Harfield przerwała po raz drugi. I znowu epistoła trafiła w końcu do kosza na papiery. Dopiero za piątym razem stworzyła list, który ją zadowolił. Został on starannie zaklejony i ofrankowany, a następnie zaadresowany do panny Katarzyny Grey, Little Compton, St Mary Mead w hrabstwie Kent. Następnego dnia w porze śniadania znajdował się już obok talerza rzeczonej damy wraz z innym pismem w długiej niebieskiej kopercie, wyglądającym bardzo urzędowo.

Katarzyna Grey otworzyła najpierw list od pani Harfield. Ostateczna wersja brzmiała następująco:

Droga panno Grey.

Mój mąż i ja pragniemy wyrazić Pani naszą wdzięczność za troskę, z jaką opiekowała się Pani naszą biedną kuzynką. Jej odejście było dla nas wszystkich dotkliwym ciosem, aczkolwiek byliśmy oczywiście świadomi, iż umysł kuzynki szwankuje od pewnego czasu. Rozumiem, że jej ostatnie dyspozycje dotyczące testamentu miały charakter w najwyższym stopniu dziwaczny i oczywiście nie mogą być uznane przez żaden sąd. Nie wątpię, iż z wrodzonym sobie zdrowym rozsądkiem zdaje sobie Pani z tego sprawę. Jak twierdzi mój mąż, tego rodzaju kwestie najlepiej załatwiać prywatnie. Z najwyższą chęcią zarekomendujemy Panią na inną podobną posadę, mamy również nadzieję, że nie odmówi Pani przyjęcia drobnego upominku. Ze szczerymi, serdecznymi pozdrowieniami

Mary Anne Harfield

Katarzyna Grey przeczytała list, uśmiechnęła się leciutko i przeczytała go jeszcze raz. Kiedy go odkładała, na jej twarzy malowało się wyraźne rozbawienie. Potem sięgnęła po drugi list. Szybko przebiegła go wzrokiem, położyła i siedziała patrząc wprost przed siebie. Tym razem się nie uśmiechała. Komuś, kto by ją obserwował w tej chwili, trudno byłoby powiedzieć, jakie uczucia kryją się za jej spokojnym, zamyślonym spojrzeniem.

Katarzyna Grey miała trzydzieści trzy lata. Pochodziła z dobrej rodziny, ale jej ojciec stracił majątek i od wczesnej młodości była zmuszona pracować na swoje utrzymanie. Kiedy została damą do towarzystwa starszej pani Harfield, miała zaledwie lat dwadzieścia trzy.

Panowała powszechna opinia, że pani Harfield jest „trudna". Damy do towarzystwa zmieniały się zdumiewająco często. Przybywały pełne nadziei i zwykle wyjeżdżały we łzach. Ale od dnia, gdy Katarzyna postawiła stopę w Little Crampton dziesięć lat temu, zapanował doskonały spokój. Nikt nie wie, jak to się stało. Jak to mówią, zaklinaczem wężów trzeba się urodzić. Katarzyna Grey przyszła na świat z umiejętnością poskramiania starszych pań, psów i małych chłopców i robiła to, zdawałoby się, bez najmniejszego wysiłku.

W wieku dwudziestu trzech lat była cichą dziewczyną o pięknych oczach. Dziesięć lat później pozostała cichą kobietą o tych samych szarych oczach, spoglądających na świat z czymś w rodzaju rozbawionego spokoju, którym nic nie mogło wstrząsnąć. Co więcej, miała wrodzone poczucie humoru i zachowała je aż do tej pory.

Kiedy siedziała tak przy stole, wpatrzona przed siebie, rozległ się dzwonek, a równocześnie ktoś energicznie zakołatał do drzwi. Chwilę później młodziutka pokojówka otworzyła drzwi i oznajmiła nieco zdyszanym głosem:

– Doktor Harrison.

Potężnie zbudowany mężczyzna w średnim wieku wpadł zaaferowany do pokoju z werwą i animuszem, które zapowiadał już szturm, jaki przypuścił na kołatkę.

– Dzień dobry, panno Grey.

– Dzień dobry, doktorze.

– Wpadłem tak wcześnie – zaczął lekarz – na wypadek, gdyby dostała pani wiadomość od jednej z tych kuzynek pani Harfield. Pani Samuelowa, jak siebie nazywa. Okropnie jadowita osoba.

Katarzyna bez słowa podniosła list ze stołu i wręczyła go doktorowi. Z uśmiechem obserwowała jego reakcję, gdy czytał: marszczenie krzaczastych brwi, prychnięcia i chrząknięcia żywej dezaprobaty. Rzucił list z powrotem na stół.

– Oburzające! – zagrzmiał. – Nie przejmuj się tym, moja droga. To kompletne bzdury. Pani Harfield nie brakuje sprytu. Nie mają najmniejszych praw i dobrze o tym wiedzą. Całe to gadanie o sądach to blef. Stąd próba, żeby załatwić wszystko po cichu. I pamiętaj, moja droga, nie daj się złapać na słodkie słówka. Nie pozwól sobie wmówić, że oddanie im pieniędzy to twój obowiązek, ani w żadne nonsensy o skrupułach.

– Chyba nawet nie przyszło mi do głowy, że mogłabym mieć skrupuły – odpowiedziała Katarzyna. – Ci wszyscy ludzie to dalecy krewni męża pani Harfield; za życia nigdy jej nawet nie odwiedzili.

– Rozsądna z ciebie osoba – powiedział doktor. – Nikt nie wie lepiej niż ja, że przez ostatnie dziesięć lat miałaś ciężkie życie. Masz prawo się rozerwać za oszczędności starszej pani, wszystko jedno, ile ich jest.

Katarzyna uśmiechnęła się w zamyśleniu.

– Ile ich jest – powtórzyła. – Nie wie pan, ile tego było, doktorze?

– No cóż… dość, żeby przynosić jakieś pięćset funtów rocznie, jak sądzę.

Katarzyna skinęła głową.

– Tak właśnie myślałam – odparła. – Proszę więc przeczytać to.

Podała mu list wyjęty z podłużnej błękitnej koperty. Doktor przeczytał i wydał okrzyk bezbrzeżnego zdumienia.

– To niewiarygodne – powiedział. – Niewiarygodne.

– Była jednym z członków-założycieli Mortaulda. Czterdzieści lat temu musiała mieć dochód rzędu ośmiu, dziesięciu tysięcy rocznie. Jestem pewna, że nigdy nie wydała przez rok więcej niż czterysta funtów. Była niezwykle ostrożna w sprawach pieniężnych. Sądziłam, że musi oszczędzać każdy grosz.

– I przez te wszystkie lata dochód się akumulował. Moja droga, zostaniesz bardzo bogatą kobietą.

Katarzyna skinęła głową.

– Tak – potwierdziła. – Zostanę. – Mówiła obojętnym, bezosobowym tonem, jakby cała sprawa dotyczyła kogoś innego.

– No cóż – powiedział doktor, zbierając się do odejścia – gratuluję. – Wskazał list od pani Samuelowej Harfield. – Nie przejmuj się tą kobietą i jej paskudnym listem.

– To naprawdę nie jest paskudny list – zaprzeczyła Katarzyna z wyrozumiałością. – Sądzę, że w tych okolicznościach jest zupełnie naturalny.

– Czasem mam co do ciebie poważne podejrzenia – powiedział doktor.

– Dlaczego?

– Z powodu rzeczy, które uważasz za naturalne.

Panna Grey roześmiała się.

Doktor Harrison przy obiedzie przekazał wielką nowinę żonie. Była nią bardzo poruszona.

– Kto by to pomyślał o starszej pani Harfield... tyle pieniędzy. Cieszę się, że zapisała je Katarzynie Grey. Ta dziewczyna to święta.

Doktor skrzywił się.

– Zawsze uważałem, że święci musieli mieć trudny charakter. Katarzyna jest zbyt ludzka jak na świętą.

– Jest świętą obdarzoną poczuciem humoru – stwierdziła jego żona mrugając. – I w dodatku bardzo piękną, chociaż wątpię, czyś to zauważył.

– Katarzyna Grey? – doktor wydawał się szczerze zdumiony. – Wiem, że ma ładne oczy.

– Ach, wy, mężczyźni! – wykrzyknęła pani Harrison.– Ślepi jak krety. Katarzyna ma wszystko, co czyni kobietę piękną. Jedyne, czego potrzebuje, to stroje.

– Stroje? A co jest nie tak z jej ubraniem? Wygląda bardzo ładnie.

Pani Harrison westchnęła z irytacją. Doktor wstał i zaczął się przygotowywać do wizyt.

– Mogłabyś do niej zajrzeć, Polly – zasugerował.

– Mam zamiar – pośpiesznie zgodziła się jego żona.

Odwiedziła Katarzynę około trzeciej.

– Moja kochana, tak się cieszę – powiedziała ciepło, ściskając rękę młodej kobiety. – Wszyscy w miasteczku też się ucieszą.

– To bardzo miło, że przyszła mi pani o tym powiedzieć – odrzekła Katarzyna. – Miałam nadzieję, że pani przyjdzie, bo chciałam spytać, jak się miewa Johnnie.

– Ach, Johnnie! No więc...

Johnnie był najmłodszym dzieckiem pani Harrison. Rozpoczęła się długa, szczegółowa opowieść, w której migdałki Johnnie'ego odgrywały niepoślednią rolę. Katarzyna potakiwała współczująco. Niełatwo się pozbyć starych przyzwyczajeń. Słuchanie było jej zadaniem przez ostatnich dziesięć lat. „Moja droga, czy opowiadałam ci już o balu marynarki wojennej w Portsmouth? Kiedy to lord Charles pochwalił moją suknię?". „Zdaje się, że tak, pani Harfield, ale wszystko zapomniałam. Może opowiedziałaby mi pani jeszcze raz?" – odpowiadała spokojnie i uprzejmie Katarzyna. I starsza pani zaczynała snuć historię pełną poprawek, pauz i przypomnianych na nowo szczegółów. Katarzyna słuchała jednym uchem, machinalnie wtrącając właściwe uwagi, kiedy starsza pani przerywała...

Teraz, z tym samym uczuciem dziwnego rozdwojenia, które tak dobrze znała, słuchała pani Harrison.

Po jakiejś półgodzinie ta nagle się zreflektowała.

– Cały czas mówię tylko o sobie – wykrzyknęła. – A przecież przyszłam porozmawiać o tobie i twoich planach.

– Nie jestem pewna, czy mam jakiekolwiek.

– Moja droga, chyba nie chcesz zostać tutaj?

Katarzyna uśmiechnęła się słysząc zgrozę w głosie gościa.

– Nie. Chyba chciałabym wyjechać w podróż. Wie pani, widziałam tak niewiele świata.

– Pewnie, że wiem. To musiało być dla ciebie okropne, tkwić tutaj przez te wszystkie lata.

– Sama nie wiem – odparła Katarzyna. – Miałam wiele swobody. – Pochwyciła spojrzenie pani Harrison i leciutko się zarumieniła. – Pewnie to zabrzmiało bardzo głupio… to, co powiedziałam. Oczywiście, nie miałam dużo swobody w fizycznym sensie.

– Ja myślę – sapnęła pani Harrison, przypominając sobie, jak rzadko Katarzyna miewała wychodne.

– Ale takie zewnętrzne zobowiązania dają bardzo dużo wolności w sensie psychicznym. Zawsze można myśleć, co się chce. Miałam wrażenie, że moje myśli należą tylko do mnie.

Pani Harrison pokręciła głową.

– Zupełnie tego nie rozumiem.

– Och! Zrozumiałaby pani, gdyby pani była na moim miejscu. Zresztą, tak czy inaczej, czuję, że potrzebna mi odmiana. Chciałabym… chciałabym, by coś się wydarzyło. Nie mnie, nie o to mi chodzi. Ale chciałabym być w centrum wydarzeń… ekscytujących wydarzeń… nawet jeśli tylko jako obserwator. Widzi pani, w St Mary Mead nic się nie dzieje.

– To prawda – żywo przyświadczyła pani Harrison.

– Najpierw pojadę do Londynu – powiedziała Katarzyna. – Zresztą i tak muszę się zobaczyć z adwokatem. A potem chyba pojadę za granicę.

– Bardzo ładnie.

– Ale oczywiście, przede wszystkim…

– Tak?

– Muszę kupić trochę ubrań.

– To samo mówiłam Arturowi dzisiaj rano – wykrzyknęła doktorowa. – Wiesz, Katarzyno, mogłabyś naprawdę uchodzić za piękność, gdybyś tylko zechciała.

Panna Grey roześmiała się szczerze.

– Nie sądzę, by udało się ze mnie zrobić piękność – powiedziała. – Ale z przyjemnością sprawię sobie parę naprawdę eleganckich strojów. Obawiam się, że strasznie dużo o sobie mówię.

Pani Harrison spojrzała na nią ukradkiem.

– To musi być dla ciebie zupełnie nowe doświadczenie – stwierdziła sucho.

Przed wyjazdem z miasteczka Katarzyna poszła pożegnać się z panną Viner. Panna Viner była o dwa lata starsza od pani Harfield i teraz myślała tylko o tym, jaki to sukces, że przeżyła przyjaciółkę.

– Nie pomyślałaby pani, że przetrwam dłużej niż Jane Harfield, prawda? – dopytywała się triumfalnie. – Razem chodziłyśmy do szkoły, ja i ona. I patrzcie tylko, ona odeszła, a ja zostałam. Kto by to pomyślał?

– Zawsze jada pani razowy chleb na kolację, prawda? – automatycznie mruknęła Katarzyna.

– Niezwykłe, że pani o tym pamięta, kochanie. Tak, gdyby Jane Harfield jadła wieczorem kromkę razowca i brała przy jedzeniu środki pobudzające, byłaby dzisiaj wśród nas. – Starsza pani przerwała, kiwając głową z przekonaniem, potem zaś dodała, nagle sobie przypomniawszy: – Dostałaś mnóstwo pieniędzy, jak słyszę? Pamiętaj, żebyś ich nie roztrwoniła. I wyjeżdżasz do Londynu, by się zabawić? Tylko sobie nie wyobrażaj, że wyjdziesz za mąż, moja droga, bo tak się nie stanie. Nie należysz do kobiet, które pociągają mężczyzn. A poza tym nie jesteś już taka młoda. Ile masz teraz lat?

– Trzydzieści trzy – odparła Katarzyna.

– No cóż – powiedziała panna Viner w zamyśleniu – to nie tak źle. Chociaż, oczywiście, straciłaś już dziewczęcą świeżość.

– Obawiam się, że tak – zgodziła się Katarzyna, kryjąc rozbawienie.

– Ale bardzo miła z ciebie dziewczyna – uprzejmie dodała panna Viner. – Jestem pewna, że wielu mężczyzn wyszłoby lepiej biorąc sobie za żonę ciebie niż jedną z tych dzisiejszych trzpiotek, które się teraz wszędzie kręcą, pokazując więcej nóg, niż Stwórca kiedykolwiek miał zamiar pozwolić. Do zobaczenia, moja droga, mam nadzieję, że miło spędzisz czas, chociaż na tym świecie rzeczy rzadko okazują się takie, jakimi się wydawały.

Katarzyna wyszła, podniesiona na duchu tymi proroctwami. Pół miasteczka wyległo na stację, by ją pożegnać, włączając w to małą pokojówkę do wszystkiego, Alice, która przyniosła bukiecik kwiatów sztywno obwiązany sznurkiem i płakała otwarcie, nie wstydząc się łez.

– Na palcach można policzyć takich jak ona – szlochała Alice, kiedy pociąg w końcu odjechał. – Pocieszała mnie, jak mnie Charlie zostawił dla tej dziewuchy z mleczarni, i chociaż strasznie była wymagająca co do klamek i kurzu, to zawsze potrafiła docenić, jak się człowiek postarał. Dałabym się dla niej posiekać na kawałeczki, tak, tak, naprawdę. Prawdziwa dama, tak mówię.

Tak wyglądał wyjazd Katarzyny z St Mary Mead.

VIII

Lady Tamplin pisze list

–No, no – powiedziała lady Tamplin.

Odłożyła kontynentalne wydanie „Daily Mail" i popatrzyła na błękitne wody Morza Śródziemnego. Gałązka złocistej mimozy zwieszająca się nad jej głową tworzyła efektowną ramę dla pięknego obrazu. Złotowłosa błękitnooka kobieta w bardzo twarzowym negliżu. Nie da się zaprzeczyć, że złociste włosy, podobnie jak różana cera, zawdzięczały co nieco kunsztowi kosmetycznemu, ale szafirowe oczy były dziełem natury. W wieku czterdziestu czterech lat lady Tamplin wciąż jeszcze mogła uchodzić za piękność.

Mimo czarującego wyglądu, o dziwo, nie myślała o sobie. To znaczy o swoim wyglądzie. Zaprzątały ją poważniejsze sprawy.

Lady Tamplin była na Riwierze dobrze znaną postacią, a jej przyjęcia w Villa Marguerite cieszyły się zasłużoną sławą. Miała ogromne doświadczenie i czterech mężów. Pierwsze małżeństwo okazało się zwykłym nieporozumieniem i lady Tamplin rzadko o nim wspominała. Mąż miał dość przyzwoitości, żeby opuścić ten świat z pośpiechem godnym pochwały; wdowa poślubiła bogatego producenta guzików. Również i on umarł po trzech latach pożycia małżeńskiego – jak mówiono, w następstwie pewnego szampańskiego wieczoru spędzonego z przyjaciółmi. Jego miejsce zajął wicehrabia Tamplin. Wyniósł on Rosalie na szczyty, na które zawsze pragnęła się wspiąć. Zachowała tytuł, kiedy wyszła za mąż po raz czwarty. Tym razem zrobiła to wyłącznie dla przyjemności. Pan Charles Evans, oszałamiająco przystojny mężczyzna w wieku dwudziestu siedmiu lat, obdarzony nienagannymi manierami, żywym zamiłowaniem do sportu i podziwem dla dóbr tego świata, w ogóle nie miał pieniędzy.

Lady Tamplin była na ogół bardzo zadowolona z życia, z wyjątkiem niewielkich kłopotów finansowych od czasu do czasu. Producent guzików zostawił jej sporą fortunę, ale – jak zwykła była mawiać lady Tamplin – „cóż można poradzić na to i owo" (mając na myśli spadek wartości akcji spowodowany przez wojnę i rozrzutność zmarłego lorda Tamplina). Mimo to nadal pozostała osobą dobrze sytuowaną. Jednak bycie osobą dobrze sytuowaną z trudem zaspokajało ambicje kogoś o temperamencie Rosalie Tamplin.

Tego więc styczniowego poranka przeczytawszy pewną wiadomość otwarła swe błękitne oczy szczególnie szeroko i wypowiedziała tajemnicze „no, no". Oprócz niej na balkonie znajdowała się tylko jej córka, Lenox Tamplin. Stanowiła ona dla lady Tamplin źródło niekończących się cierpień: była to dziewczyna pozbawiona taktu, wyglądała na więcej lat niż miała w rzeczywistości, a jej sardoniczny dowcip był, mówiąc łagodnie, krępujący.

– Kochanie – powiedziała lady Tamplin. – Czy to nie zdumiewające?

– Co?

Lady Tamplin podniosła gazetę, podała ją córce i podniecona wskazała akapit, który wzbudził jej zainteresowanie.

Lenox przeczytała go bez żadnych oznak zdziwienia. Oddała matce gazetę.

– I co z tego? – spytała. – Ciągle się to zdarza. Skąpe staruszki umierają w małych miasteczkach zapisując milionowe fortuny swoim skromnym damom do towarzystwa.

– Tak, kochanie, wiem – odparła jej matka – zresztą nie sądzę, żeby było tego tak dużo, jak piszą; gazety są takie nieścisłe. Ale nawet jeśli to podzielić przez dwa...

– No cóż – powiedziała Lenox – nie nam to zapisano.

– Niezupełnie, kochana – zaprotestowała lady Tamplin. – Ta dziewczyna, ta cała Katarzyna Grey, jest właściwie moją kuzynką. Z tych Greyów, którzy mieszkali w Worcestershire, w Edgeworth. Moja własna kuzynka! Zdumiewające!

– Ach tak – mruknęła Lenox.

– Właśnie się zastanawiałam... – zaczęła matka.

– Co możesz z tego wycisnąć dla siebie – dokończyła Lenox z krzywym uśmieszkiem, który jej matce zawsze trudno było zrozumieć.

– Ależ, kochanie... – zaprotestowała lady Tamplin tonem lekkiej nagany.

Nagana była bardzo lekka, ponieważ lady Tamplin przywykła do bezpośredniości córki i tego, co nazywała „krępującym sposobem wyrażania się".

– Zastanawiałam się – ciągnęła lady Tamplin, marszcząc artystycznie narysowane brwi – czy... dzień dobry, Chubby, skarbie! Idziesz zagrać w tenisa? Jak miło!

Chubby uśmiechnął się uprzejmie, rzucił niedbale:

– Wyglądasz fantastycznie w tym czymś pomarańczowym – minął je i zszedł na dół po schodach.

– Kochany – powiedziała lady Tamplin patrząc z uczuciem za mężem. – Zaraz, o czym to ja mówiłam? Aha! – Znowu skupiła się na interesach. – Zastanawiałam się...

– Och, na miłość boską, skończ wreszcie! Trzeci raz zaczynasz!

– No więc, moja droga – powiedziała lady Tamplin – myślałam, że byłoby bardzo miło, gdybym napisała do kochanej Katarzyny i zasugerowała jej, aby złożyła nam tutaj małą wizytę. Naturalnie nie bywała do tej pory w towarzystwie. Będzie jej przyjemnie, jeśli zostanie wprowadzona przez kogoś znajomego. Korzyść dla niej i dla nas równocześnie.

– Jak sądzisz, ile uda ci się z niej wydusić? – spytała Lenox.

Matka spojrzała na nią karcąco.

– Oczywiście powinnyśmy dojść do porozumienia, jeśli chodzi o pieniądze. Cóż robić z tym i owym... wojna i twój biedny ojciec...

– A teraz Chubby – dodała Lenox. – Bardzo kosztowna zabawka.

– Pamiętam, że była bardzo miłą dziewczyną – mruknęła lady Tamplin podążając za biegiem własnych myśli. – Cicha, niezbyt ładna, nigdy się nie pchała do przodu ani nie uganiała za mężczyznami.

– Więc zostawi Chubby'ego w spokoju, tak? – spytała Lenox.

Lady Tamplin spojrzała na nią z oburzeniem.

– Chubby nigdy by... – zaczęła.

– Masz rację – przytaknęła Lenox. – Nie wierzę, żeby to zrobił; dobrze wie, z której strony jest chleb posmarowany.

– Kochanie – powiedziała lady Tamplin – wyrażasz się w taki niedelikatny sposób.

– Przykro mi – odparła Lenox.

Lady Tamplin zebrała fałdy swojego negliżu, gazetę, kosmetyczkę i różne listy.

– Napiszę do kochanej Katarzyny od razu – powiedziała. – Przypomnę jej dawne dobre czasy w Edgeworth.

Weszła do domu z oczyma błyszczącymi zdecydowaniem.

W przeciwieństwie do pani Samuelowej Harfield nie miała żadnych kłopotów z wypowiadaniem się na piśmie. Bez namysłu, bez najmniejszego wysiłku zapisała cztery kartki, a po ponownym przeczytaniu nie zmieniła ani słowa.

Katarzyna otrzymała list w dniu swojego przybycia do Londynu. Czy zrozumiała to, co kryło się między wierszami, to już inna sprawa. Włożyła pismo do torebki i wyszła pośpiesznie, nie chcąc się spóźnić na spotkanie z prawnikami pani Harfield.

Była to stara, szacowna firma w Lincoln's Inn Fields; po paru minutach oczekiwania Katarzynę przedstawiono jednemu ze wspólników, uprzejmemu starszemu jegomościowi o przenikliwych niebieskich oczach i ojcowskich manierach.

Przez jakieś dwadzieścia minut dyskutowali o testamencie pani Harfield i różnych kwestiach prawnych, po czym Katarzyna pokazała prawnikowi list od pani Samuelowej.

– Chyba będzie lepiej, jeśli się pan o tym dowie – powiedziała. – Chociaż cała sprawa wydaje mi się dość zabawna.

Przeczytał go z dyskretnym uśmiechem.

– Bardzo prymitywna próba, panno Grey. Nie muszę pani tłumaczyć, że ci ludzie nie mają żadnych praw do spadku, a jeśli zdecydują się zaskarżyć testament, żaden sąd ich nie poprze.

– Tak właśnie myślałam.

– Mądrość nie leży w ludzkiej naturze. Na miejscu pani Samuelowej Harfield zaapelowałbym do pani hojności.

– To jedna ze spraw, o których pragnęłam z panem porozmawiać. Chciałabym, żeby tym ludziom została przekazana pewna suma.

– Nie ma przeszkód.

– Wiem o tym.

– Ale nie sądzę, by właściwie odczytali pani intencje. Prawdopodobnie uznają to za próbę przekupstwa, chociaż z pewnością nie odmówią jej przyjęcia z tego powodu.

– Wiem, nic na to nie poradzę.

– Doradzałbym pani, panno Grey, aby porzuciła pani ten pomysł.

Katarzyna pokręciła głową.

– Zgadzam się z panem, ale zrobię to tak czy inaczej.

– Wezmą pieniądze i tym bardziej będą panią oczerniać.

– Cóż, skoro sprawia im to przyjemność – odparła Katarzyna. – Mają prawo wyrażać zadowolenie na swój sposób. W końcu byli rodziną pani Harfield i chociaż pogardzali nią jako ubogą krewną i nie pamiętali o niej za życia, wydaje mi się niesprawiedliwe, żeby zostali bez niczego.

Przeprowadziła swoją wolę, mimo że prawnik wciąż był temu niechętny, i wyszła na ulice Londynu z miłym przekonaniem, że może swobodnie dysponować pieniędzmi i wprowadzić w życie swoje plany. Przede wszystkim skierowała się do pracowni znanej krawcowej.

Przyjęła ją szczupła, niemłoda już Francuzka o wyglądzie zadumanej księżnej.

– Chciałabym, jeśli to możliwe, zdać się całkowicie na panią – zaczęła Katarzyna z prostotą. – Przez całe życie byłam biedna i nic nie wiem o strojach, ale ostatnio odziedziczyłam nieco pieniędzy i chciałabym naprawdę dobrze się ubrać.

Francuzka była oczarowana. Miała duszę artystki; wcześniej tego ranka zepsuła jej humor argentyńska królowa wołowiny, która zażądała dla siebie modeli najmniej stosownych do swojego typu urody. Uważnie przyjrzała się Katarzynie bystrymi, inteligentnymi oczyma.

– Tak... tak, z przyjemnością. *Mademoiselle* ma bardzo dobrą figurę; prosty krój będzie najlepszy. Jest też bardzo angielska. Niektórzy ludzie obraziliby się na takie słowa, ale nie *mademoiselle. Une belle Anglaise*, nie ma piękniejszego stylu. – Rozmarzenie nagle gdzieś zniknęło. Krawcowa zaczęła wykrzykiwać dyspozycje modelkom: – Clothilde, Virginie, szybko, moje kochane, jasnoszary kostium i suknia wieczorowa *soupir d'automme**. Marcelle, dziecino, tamten złocisty kostium z krepdeszynu.

---

* *fr.* powiew jesieni

Był to uroczy poranek. Marcelle, Clothilde i Virginie, znudzone i pogardliwe, przechadzały się wolno, wyginając się i krygując w uświęcony tradycją sposób. Krawcowa stała obok Katarzyny, robiąc notatki w małym zeszyciku.

– Doskonały wybór, *mademoiselle*. *Mademoiselle* ma znakomity gust. Naprawdę. *Mademoiselle* nie mogła wybrać lepiej; te kostiumy doskonale wypadną na Riwierze, gdzie, jak sądzę, wybiera się pani tej zimy.

– Chciałabym obejrzeć jeszcze raz tę wieczorową suknię – powiedziała Katarzyna – tę jasnopurpurową.

Pojawiła się Virginie, wolno obracając dokoła.

– Ta jest najładniejsza – orzekła Katarzyna, przyglądając się draperiom z purpurowego, szarego i błękitnego materiału. – Jak się nazywa?

– *Soupir d'automme*... tak, to suknia w sam raz dla *mademoiselle*.

Było w tych słowach coś, co powróciło do Katarzyny wywołując delikatne uczucie smutku, kiedy już opuściła pracownię.

„*Soupir d'automme*; w sam raz dla *mademoiselle*". Jesień, tak, pozostała jej tylko jesień. Jej, która nigdy nie poznała wiosny ani lata i nigdy już ich nie pozna. Tego, co straciła, nie odzyska nigdy. Tych lat służby w St Mary Mead, kiedy życie przepływało obok.

– Jestem głupia – powiedziała sobie Katarzyna. – Głupia. Czego właściwie chcę? Miesiąc temu byłam szczęśliwsza niż teraz.

Wyjęła z torebki list, który otrzymała tego ranka od lady Tamplin. Katarzyna nie była naiwna. Zrozumiała aluzje zawarte w liście; nie umknął jej uwagi nagły przypływ uczuć do dawno zapomnianej kuzynki ze strony lady Tamplin. To dla korzyści finansowych, a nie dla przyjemności tak bardzo zabiegała o towarzystwo „drogiej Katarzyny". Czemu nie? Zyskiwały na tym obie strony.

– Pojadę – postanowiła Katarzyna.

Szła właśnie Piccadilly, więc skręciła do biura Cooka, żeby załatwić wszystko od razu. Musiała zaczekać parę minut. Mężczyzna, którego właśnie obsługiwano, również wyjeżdżał na Riwierę. Katarzyna miała wrażenie, że wszyscy się tam udają. Cóż, pierwszy raz w życiu ona też zrobi to, co „wszyscy".

Pan stojący przed nią wyszedł z kolejki, zajęła jego miejsce. Złożyła zamówienie urzędnikowi, ale jej umysł zaprzątało co innego. Twarz tamtego mężczyzny… wydawała się jakby znajoma. Gdzie go wcześniej widziała? Nagle sobie przypomniała. Było to tego ranka w Savoyu, przy drzwiach do jej pokoju. Wpadła na niego w korytarzu. Raczej dziwny zbieg okoliczności – zderzyć się z kimś dwa razy tego samego dnia. Spojrzała przez ramię lekko zaniepokojona, sama nie wiedząc dlaczego. Mężczyzna stał w drzwiach patrząc na nią. Katarzynę przebiegł zimny dreszcz; nawiedziło ją przeczucie tragedii, dopełniającego się losu…

Otrząsnęła się z wrażenia z typową dla siebie pogodą i zwróciła całą uwagę na to, co mówił urzędnik.

IX

Odrzucona oferta

Derek Kettering rzadko pozwalał, żeby temperament brał nad nim górę. Niefrasobliwa obojętność stanowiła jego charakterystyczną cechę; ratowała go z niejednej opresji. Nawet teraz ochłonął, gdy tylko opuścił mieszkanie Mirelle. Potrzebował spokoju. Jego sytuacja była trudniejsza niż kiedykolwiek przedtem, pojawiły się nieoczekiwane czynniki; na razie nie wiedział, jak sobie z nimi poradzić.

Szedł przed siebie pogrążony w myślach. Zmarszczył brwi. Nic nie zostało z wesołego, beztroskiego zachowania, z którym było mu tak do twarzy. Analizował w myślach różne rozwiązania. Derek Kettering miał więcej rozumu, niż by się mogło wydawać. Widział przed sobą kilka dróg – zwłaszcza jedna wydawała się pociągająca. Jeśli wzdragał się przed jej obraniem, było to tylko chwilowe wahanie. Rozpaczliwe sytuacje wymagają rozpaczliwych środków. Właściwie oceniał swojego teścia. Wojna pomiędzy Derekiem Ketteringiem i Rufusem Van Aldinem mogła się skończyć tylko w jeden sposób. W duchu gorzko przeklinał potęgę, jaką dają pieniądze. Przeszedł St James Street, skręcił w Piccadilly i ruszył w stronę Piccadilly Circus. Zwolnił mijając biura firmy Thomas Cook i Synowie, ale się nie zatrzymał, wciąż analizując sprawę w myślach. Na koniec zdecydowanie skinął głową, odwrócił się – tak niespodziewanie, że wpadł na idącego za nim przechodnia – i ruszył w przeciwnym kierunku. Tym razem nie minął biur Cooka, ale wszedł do środka. Było tu prawie pusto i od razu został obsłużony.

– W przyszłym tygodniu wybieram się do Nicei. Czy byłby pan łaskaw podać mi połączenia?

– Którego pan wyjeżdża?

– Czternastego. Jaki jest najlepszy pociąg?

– Najlepszy? Oczywiście Błękitny Ekspres. Uniknie pan nużącej odprawy celnej w Calais.

Derek skinął głową. Znał ten problem jak mało kto.

– Czternastego – powtórzył urzędnik. – To niedługo. W Błękitnym Ekspresie zwykle wszystkie miejsca są zarezerwowane.

– Proszę sprawdzić, czy zostało jakieś w wagonie sypialnym – polecił Kettering. – Jeśli nie... – urwał z dziwnym uśmiechem na twarzy.

Urzędnik wyszedł na chwilę.

– Wszystko w porządku, proszę pana, zostały jeszcze trzy miejsca. Zarezerwuję panu jedno z nich. Na jakie nazwisko?

– Pavett – powiedział Kettering. Podał adres swojego mieszkania na Jermyn Street.

Urzędnik skinął głową, skończył zapisywać adres i zwrócił się do następnego klienta.

– Chciałabym wyjechać do Nicei... Czternastego. Zdaje się, że jest pociąg, Błękitny Ekspres...

Kettering szybko się obejrzał.

Zbieg okoliczności – dziwny zbieg okoliczności. Przypomniał sobie swoje na pół żartobliwe słowa w rozmowie z Mirelle. „Portret damy o szarych oczach. Nie sądzę, żebym ją jeszcze kiedyś spotkał". A jednak spotkał ją i, co więcej, wybierała się na Riwierę tego samego dnia co on.

Nagle mróz przebiegł mu po plecach. Na swój sposób był przesądny. Powiedział w żartach, że ta kobieta przyniesie mu pecha. A jeśli okaże się to prawdą? Odwrócił się w progu; stała rozmawiając z urzędnikiem. Raz przynajmniej nie zawiodła go pamięć. Dama – dama w każdym calu. Niezbyt młoda, nie bardzo piękna. Ale mająca w sobie coś... szare oczy, które być może potrafią dostrzec zbyt wiele. Wyszedł wciąż czując lekką obawę przed nieznajomą. Miał wrażenie, jakby dopełniał się los.

Wrócił do mieszkania na Jermyn Street i przywołał służącego.

– Weź ten czek, Pavett, i idź do Cooka na Piccadilly. Będą tam mieli bilety zarezerwowane na twoje nazwisko; zapłać za nie i wracaj.

– Jak pan sobie życzy.

Pavett wyszedł.

Kettering podszedł do małego stolika i podniósł garść listów. Należały do dobrze – zbyt dobrze – znanego rodzaju. Rachunki, małe i duże, wszystkie czekające na zapłacenie. Ich ton był ciągle jeszcze uprzejmy. Kettering wiedział, jak szybko ten uprzejmy ton by się zmienił, gdyby pewne fakty dostały się do wiadomości publicznej.

Zły, usiadł w głębokim skórzanym fotelu. Przeklęta matnia! Tak się zaplątać! I nie wyglądało na to, by miał się z niej łatwo wydostać.

Pojawił się Pavett z dyskretnym kaszlnięciem.

– Jakiś dżentelmen do pana. Major Knighton.

– Knighton, tak? – Kettering wyprostował się i zmarszczył brwi, nagle zaniepokojony. – Knighton... Ciekawe, skąd wieje wiatr... – powiedział ciszej, niemal do siebie.

– Czy... czy mam go poprosić?

Kettering skinął głową. Kiedy Knighton wszedł do pokoju, zastał czekającego na niego gościnnego, czarującego gospodarza.

– Jak to miło, że zechciał mnie pan odwiedzić – powitał go Kettering.

Knighton poruszył się niespokojnie.

Nie umknęło to bystrym oczom Ketteringa. Sprawa, z którą przyszedł sekretarz, najwyraźniej była dla niego bardzo nieprzyjemna. Niemal machinalnie odpowiadał na uprzejme pytania Ketteringa. Odmówił, kiedy ten zaproponował mu drinka, a jego zachowanie stało się jeszcze sztywniejsze niż dotychczas. W końcu Kettering udał, że to zauważył.

– A więc – zaczął pogodnie – czego chce ode mnie mój szacowny teść? Przybył pan w interesach, jak mniemam?

Knighton pozostał poważny.

– Tak – potwierdził ostrożnie. – Żałuję, że pan Van Aldin nie wybrał kogoś innego.

Kettering uniósł brwi w kpiącym zdumieniu.

– Aż tak źle? Zapewniam pana, Knighton, że nie jestem aż tak wrażliwy.

– Być może – zgodził się sekretarz. – Ale to...

Urwał.

Kettering przyglądał mu się przenikliwie.

– Słucham, niech pan wreszcie powie, o co chodzi – ponaglił uprzejmie. – Wiem doskonale, że zlecenia drogiego teścia nie zawsze należą do przyjemnych.

Knighton odchrząknął. W końcu przemówił oficjalnym tonem, starając się ukryć skrępowanie.

– Pan Van Aldin polecił mi złożyć panu pewną ofertę.

– Ofertę? – przez moment Kettering nie zdołał ukryć zdumienia. Słowa sekretarza były zupełnie inne, niż się spodziewał. Poczęstował Knightona papierosem, sam zapalił drugiego i zagłębił się z powrotem w fotelu, mrucząc ironicznie:

– Oferta? To brzmi bardzo interesująco.

– Mogę mówić dalej?

– Proszę. Musi mi pan wybaczyć zdumienie, ale zdaje się, że mój drogi teść nieco spuścił z tonu od czasu naszej porannej pogawędki. A nie jest to coś, czego się człowiek spodziewa po wielkich tego świata, Napoleonach finansjery i tak dalej. Wygląda na to... wygląda, jakby się przekonał, że jego pozycja jest słabsza, niż sądził.

Knighton uprzejmie słuchał lekkiego, nieco drwiącego tonu, ale sam nie przejawiał żadnych uczuć. Zaczekał, aż Derek skończy, po czym powiedział cicho:

– Postaram się przedstawić propozycję najkrócej jak to możliwe.

– Słucham.

Sekretarz nie patrzył na Ketteringa. Jego głos był oschły i rzeczowy.

– Otóż, jak panu wiadomo, pani Kettering ma zamiar wnieść sprawę o rozwód. Jeśli rzecz zostanie załatwiona polubownie, otrzyma pan sto tysięcy w dniu, w którym wyrok się uprawomocni.

Kettering, zajęty zapalaniem papierosa, zamarł w bezruchu.

– Sto tysięcy! – wykrzyknął. – Dolarów?

– Funtów.

Przez prawie dwie minuty panowała martwa cisza. Kettering siedział zamyślony, ze zmarszczonymi brwiami. Sto tysięcy funtów. Oznaczało to Mirelle i dalsze przyjemne, beztroskie życie. Oznaczało, że Van Aldin o czymś wie. Milioner nie płacił bez powodu. Kettering wstał i podszedł do kominka.

– A jeśli odmówię przyjęcia tej korzystnej oferty? – spytał z chłodną, ironiczną uprzejmością.

Knighton poruszył się nerwowo.

– Zapewniam pana, Kettering – powiedział gorąco – że z największą niechęcią zgodziłem się pośredniczyć w tej sprawie.

– Rozumiem – powiedział Kettering. – Proszę się nie niepokoić; wiem, że to nie pańska wina. Chciałbym jednak usłyszeć odpowiedź na moje pytanie.

Knighton podniósł się również.

– W razie gdyby odmówił pan przyjęcia propozycji – powiedział z większym jeszcze ociąganiem niż przed chwilą – pan Van Aldin kazał panu przekazać, że pana zniszczy. Tylko tyle.

Kettering uniósł brwi, ale nie zmienił swojej nonszalanckiej pozy.

– Patrzcie państwo! Nie wątpię, że potrafiłby to zrobić – stwierdził. – Cóż mógłbym poradzić w walce z najbogatszym człowiekiem Ameryki. Sto tysięcy! Jak już przekupywać, to raz a dobrze. A gdybym panu powiedział, że życzę sobie dwustu tysięcy, to co wtedy?

– Przekazałbym wiadomość panu Van Aldinowi – odparł Knighton obojętnie. – Czy tak brzmi pańska odpowiedź?

– Nie – zaprzeczył Kettering. – Nie, co najzabawniejsze. Proszę powiedzieć mojemu teściowi, żeby poszedł do diabła razem ze swoimi łapówkami. Jasne?

– Najzupełniej – powiedział Knighton. Wstał, zawahał się, zarumienił. – Ja... pozwolę sobie powiedzieć, panie Kettering, że bardzo mi się podoba pańska odpowiedź.

Kettering nie odezwał się. Po wyjściu gościa siedział przez parę minut pogrążony w myślach. Dziwny uśmiech wykrzywił mu wargi.

– A więc to tak – powiedział cicho.

X

Błękitny Ekspres

–Tato! – Pani Kettering drgnęła gwałtownie. Tego ranka niezupełnie panowała nad swoimi nerwami. Ubrana w bardzo eleganckie futro z norek i mały lakierowany czerwony kapelusik, przechadzała się po zatłoczonym peronie Victoria Station głęboko pogrążona w myślach. Nagłe pojawienie się ojca i jego serdeczne powitanie wywołały zgoła nieoczekiwany efekt.

– Spokojnie, Ruth, to tylko ja!

– Po prostu nie spodziewałam się ciebie zobaczyć. Pożegnałeś się ze mną wczoraj. Mówiłeś, że masz konferencję dzisiaj rano.

– I to prawda – powiedział Van Aldin – ale znaczysz dla mnie więcej niż diabli wiedzą ile konferencji. Chciałem cię zobaczyć po raz ostatni, bo nie będę cię widywał przez jakiś czas.

– Jesteś kochany. Szkoda, że nie możesz ze mną jechać.

– A gdybym zmienił plany?

Był to jedynie żart, więc Van Aldina bardzo zdumiał nagły rumieniec, jaki wypłynął na policzki Ruth. Przez chwilę wydawało mu się niemal, że dostrzega w jej oczach błysk przestrachu. Roześmiała się nerwowo, niepewnie.

– Przez moment zdawało mi się, że mówisz poważnie – powiedziała.

– Nie sprawiłoby ci to przyjemności?

– Ależ tak – potwierdziła z przesadnym entuzjazmem.

– No, dobrze.

– To naprawdę nie potrwa długo, tato – ciągnęła Ruth. – I tak przyjeżdżasz w przyszłym miesiącu.

– Tak – potwierdził Van Aldin obojętnie. – Czasem sobie myślę, czy by się nie wybrać do jednego z tych ważniaków z Harley Street i nie zmusić go, by mi powiedział, że koniecznie potrzebuję słońca i zmiany powietrza.

– Nie bądź taki leniwy! – wykrzyknęła Ruth. – W przyszłym miesiącu będzie tam o wiele przyjemniej. Poza tym jest tu mnóstwo spraw, których nie możesz tak po prostu zostawić.

– Pewnie masz rację – zgodził się Van Aldin wzdychając. – Lepiej wsiądź już do pociągu, Ruth. Gdzie masz miejsce?

Ruth Kettering rozejrzała się niezdecydowanie wzdłuż pociągu. W drzwiach jednego z pulmanowskich wagonów stała wysoka, chuda kobieta w czerni – jej służąca. Odsunęła się na bok, kiedy Ruth weszła na stopnie.

– Włożyłam neseser pod siedzenie, na wypadek gdyby go pani potrzebowała. Mam zabrać pledy, czy życzy sobie pani, żeby zostawić jeden?

– Nie, nie będę go potrzebować. A teraz lepiej idź poszukać swojego miejsca, Mason.

– Dobrze, proszę pani.

Służąca odeszła.

Van Aldin wszedł do wagonu za Ruth. Pani Kettering odszukała swoje miejsce, Van Aldin położył na stoliku przed nią stos gazet i magazynów. Miejsce naprzeciw było już zajęte; Amerykanin rzucił przelotne spojrzenie na osobę, która je zajmowała. Zostało mu wrażenie interesujących szarych oczu i eleganckiego kostiumu. Wymienił z Ruth kilka dalszych chaotycznych uwag, jak zwykle ludzie odprowadzający kogoś na pociąg.

Zerknął na zegarek w chwili, gdy odezwały się gwizdki.

– Czas na mnie. Do zobaczenia, moja kochana. I nie martw się, zajmę się wszystkim.

– Och, tato!

Odwrócił się szybko. W głosie Ruth było coś tak niezwykłego, że aż się przeraził. Zabrzmiał niemal jak okrzyk rozpaczy. Impulsywnie rzuciła się w jego stronę, ale już po chwili odzyskała władzę nad sobą.

– Do zobaczenia za miesiąc – powiedziała opanowanym tonem.

Dwie minuty później pociąg ruszył.

Ruth siedziała bardzo spokojnie, zagryzając dolną wargę i starając się powstrzymać napływające do oczu łzy. Nagle poczuła się zupełnie opuszczona. Narastało w niej szalone pragnienie, żeby wyskoczyć z pociągu i wrócić, nim będzie za późno. Ona, tak spokojna, tak pewna siebie, pierwszy raz w życiu poczuła się jak miotany wiatrem liść. Gdyby ojciec wiedział... jak by zareagował?

To szaleństwo! Tak, czyste szaleństwo! Pierwszy raz w życiu dała się ponieść uczuciom i zdecydowała na czyn, który sama uważała za wyjątkowo głupi i nieodpowiedzialny. Była córką Van Aldina w dostatecznym stopniu, by zdawać sobie sprawę, iż popełnia błąd, i zachowała na tyle zdrowego rozsądku, aby potępiać własne postępowanie. Ale była jego córką również pod innym względem. Odznaczała się taką samą żelazną determinacją w realizowaniu własnych pragnień i – skoro raz podjęła decyzję – nic nie mogło jej zawrócić z obranej drogi. Od dziecka była uparta, a warunki, w jakich się wychowywała, jeszcze wzmocniły jej upór. Poddała mu się teraz bez reszty. Cóż, kości zostały rzucone. Nie może się już wycofać.

Podniosła wzrok i napotkała spojrzenie kobiety siedzącej naprzeciw. Nagle doznała wrażenia, że w jakiś sposób tamta czyta jej w myślach. Dojrzała w jej oczach zrozumienie i – tak, współczucie.

Trwało to tylko chwilę. Twarze obu kobiet przybrały wyraz uprzejmej obojętności. Pani Kettering sięgnęła po magazyn, a Katarzyna Grey patrzyła przez okno na ciągnące się bez końca szeregi ponurych ulic i przedmiejskich domków.

Ruth z coraz większym trudem przychodziło się skupić na zadrukowanej stronie, którą miała przed oczyma. Nękały ją tysiące obaw. Jakże była głupia! Jak wszyscy opanowani i dzielni ludzie, kiedy raz straciła samokontrolę, straciła ją na dobre. Za późno... Za późno? Och, gdyby tylko mogła z kimś porozmawiać, poradzić się. Nigdy przedtem nie czuła takiego pragnienia; nigdy nie dopuszczała do siebie myśli, że mogłaby polegać na sądach innych niż własne, ale teraz – co się z nią dzieje? Panika. Tak, to najlepsze określenie. Ona, Ruth Kettering, całkowicie i absolutnie uległa panice.

Spojrzała ukradkiem na swą współpasażerkę. Gdyby tylko znała kogoś takiego; jakąś miłą, spokojną, sympatyczną osobę. Z kimś takim mogłaby porozmawiać. Ale, oczywiście, nie wypada zwierzać się obcym. Ruth uśmiechnęła się leciutko na samą myśl. Znowu podniosła magazyn. Doprawdy musi wziąć się w garść. Ostatecznie wszystko przemyślała. Sama się zdecydowała. Co miała z życia do tej pory? Ciągle od nowa zadawała sobie pytanie: dlaczego nie jestem szczęśliwa? I nie potrafiła znaleźć odpowiedzi.

Zdawało się, że ledwie pociąg ruszył, znaleźli się w Dover. Ruth dobrze się czuła na statkach. Nie lubiła zimna i z zadowoleniem schroniła się w prywatnej kabinie, którą zarezerwowała telegraficznie. Chociaż nigdy by się do tego nie przyznała, była przesądna w niektórych sprawach. Należała do ludzi, na których zbieg okoliczności robi duże wrażenie. W Calais zeszły z promu i rozgościły się wraz ze służącą w podwójnym przedziale Błękitnego Ekspresu, a potem Ruth udała się do wagonu restauracyjnego. Z wielkim zaskoczeniem przyjęła fakt, że posadzono ją przy stoliku naprzeciw tej samej pani, która była jej *vis-à-vis* w pulmanie. Nieśmiałe uśmiechy pojawiły się na ustach obu kobiet.

– Co za zbieg okoliczności – odezwała się pani Kettering.

– Prawda? – zgodziła się Katarzyna. – Dziwne, jak to się czasem składa.

Kelner ruszył w ich stronę z ową niewiarygodną szybkością, tak bardzo typową dla Compagnie Internationale des Wagons-Lits i postawił przed nimi dwa talerze zupy. Kiedy po zupie podano omlet, obie panie gawędziły już ze sobą przyjacielsko.

– Cudownie będzie znowu zobaczyć słońce – westchnęła Ruth.

– Jestem pewna, że to wspaniałe uczucie.

– Dobrze zna pani Riwierę?

– Nie, wybieram się pierwszy raz.

– Zdumiewające.

– Pani jeździ co roku, prawda?

– Właściwie tak. Styczeń i luty w Londynie są okropne.

– Zawsze mieszkałam na wsi. Nawet tam nie są to najmilsze miesiące. Mnóstwo błota.

– Dlaczego postanowiła pani nagle wyjechać?

– Pieniądze – odpowiedziała Katarzyna. – Przez dziesięć lat byłam damą do towarzystwa z pensją wystarczającą zaledwie, żeby kupić sobie parę mocnych butów do wędrowania po okolicy; niedawno odziedziczyłam sumę, która wydaje mi się fortuną, chociaż, jak sądzę, pani byłaby innego zdania.

– Dlaczego uznała pani, że mnie ta suma wydałaby się skromna?

Katarzyna roześmiała się.

– Sama nie wiem. Po prostu uznałam panią za bardzo bogatą osobę. To tylko wrażenie. Pewnie się mylę.

– Nie – powiedziała Ruth. – Nie myli się pani. – Nagle zrobiła się bardzo poważna. – Chciałabym się dowiedzieć, co jeszcze przyszło pani do głowy na mój widok.

– Ja…

Ruth ciągnęła dalej, nie zważając na zmieszanie swojej rozmówczyni:

– Och, proszę, niech pani nie będzie taka konwencjonalna. Chcę to wiedzieć. Kiedy pociąg odjeżdżał z Victoria Station, patrzyłam na panią i wydawało mi się, że… że pani rozumie, co się dzieje w moich myślach.

– Zapewniam panią, że nie czytam w myślach – odparła Katarzyna z uśmiechem.

– Wiem. Proszę, niech mi pani powie, co pani sobie o mnie pomyślała. – Ruth mówiła z taką żarliwością, że dopięła celu.

– Powiem, skoro pani nalega, ale proszę, niech mnie pani nie weźmie za impertynentkę. Przyszło mi do głowy, że z jakiegoś powodu jest pani bardzo wzburzona, i zrobiło mi się pani żal.

– Ma pani rację. Ma pani całkowitą rację. Jestem w ogromnym kłopocie. Ja… ja chciałabym o tym porozmawiać, jeśli nie ma pani nic przeciwko temu.

Dobry Boże, pomyślała Katarzyna, świat jest wszędzie taki sam. W St Mary Mead wszyscy mi się zwierzali i tutaj jest tak samo, chociaż mam już naprawdę dość słuchania o cudzych kłopotach.

Ale odpowiedziała uprzejmie:

– Proszę bardzo.

Właśnie skończyły obiad. Ruth dopiła kawę i podniosła się z miejsca, nie zauważając, że Katarzyna nawet nie zaczęła swojej.

– Chodźmy do mojego przedziału – powiedziała.

Były to dwa osobne pomieszczenia połączone drzwiami. W drugim pomieszczeniu chuda służąca, którą Katarzyna zauważyła na dworcu, siedziała sztywno na krześle ściskając dużą czerwoną kasetkę z wytłaczanej skóry z literami R. V. K. na wieczku. Pani Kettering zamknęła łączące drzwi i usiadła. Katarzyna zajęła miejsce obok niej.

– Mam problem i nie wiem co zrobić. Jest pewien mężczyzna, na którym mi zależy... naprawdę bardzo mi zależy. W młodości byliśmy sobie bardzo bliscy, ale nas rozdzielono, brutalnie i niesprawiedliwie. Teraz spotkaliśmy się znowu.

– Mhm.

– Jadę... właśnie jadę się z nim spotkać. Z pewnością uważa pani, że to bardzo źle, ale nie zna pani okoliczności. Mój mąż jest okropny. Bardzo źle mnie traktuje.

– Mhm – powtórzyła Katarzyna.

– A czuję się tak okropnie dlatego, że oszukałam swojego ojca. To on mnie dzisiaj odprowadzał na dworzec. Chce, żebym się rozwiodła z mężem, i oczywiście nie wie, że... że mam zamiar się spotkać z tym drugim mężczyzną. Uznałby to za bardzo głupie.

– Nie sądzi pani, że miałby rację?

– Chyba... chyba tak.

Ruth Kettering spojrzała na swoje dłonie. Drżały gwałtownie.

– Ale nie mogę się już wycofać.

– Dlaczego?

– Wszystko już ułożone, a poza tym to by mu złamało serce.

– Niech pani nie wierzy w takie rzeczy – stwierdziła Katarzyna surowo. – Serca nie są aż takie delikatne.

– Uzna to za brak odwagi, siły w dążeniu do celu.

– Wydaje mi się, że chce pani popełnić straszne głupstwo – powiedziała Katarzyna. – Chyba sama zdaje pani sobie z tego sprawę.

Ruth Kettering ukryła twarz w dłoniach.

– Nie wiem... nie wiem. Odkąd pociąg ruszył z Victoria Station mam okropne przeczucie, że coś mnie spotka... coś, przed czym nie zdołam uciec. – Kurczowo chwyciła Katarzynę za rękę. – Pomyśli pani, że oszalałam, skoro wygaduję takie rzeczy, ale mówię pani: ja wiem, zdarzy się coś strasznego.

– Proszę o tym nie myśleć – odparła Katarzyna. – Niech się pani weźmie w garść. Może pani przecież zatelegrafować do ojca z Paryża, na pewno przyjechałby od razu.

Ruth rozpromieniła się.

– Tak, chyba tak zrobię. Kochany tato. To dziwne: aż do dzisiaj nie zdawałam sobie sprawy, jak bardzo go kocham. – Wyprostowała się i otarła oczy chusteczką. – Byłam głupia. Dziękuję, że zgodziła się pani mnie wysłuchać. Nie mam pojęcia, dlaczego wpadłam w taką histerię. – Wstała. – Już wszystko w porządku. Chyba po prostu potrzebowałam kogoś, z kim mogłabym porozmawiać. Nie rozumiem, czemu zrobiłam z siebie taką idiotkę.

Katarzyna podniosła się również.

– Cieszę się, że mogłam pani pomóc – powiedziała, starając się, by zabrzmiało to jak najbardziej konwencjonalnie. Doskonale wiedziała, że po zwierzeniach następuje moment zawstydzenia. – Muszę wracać do swojego przedziału – dodała taktownie.

Wyszła na korytarz w tym samym momencie co służąca, która wynurzyła się właśnie z drugich drzwi. Ujrzała kogoś za plecami Katarzyny i na jej twarzy odmalowało się ogromne zdumienie. Katarzyna odwróciła się również, ale do tego czasu osoba, której pojawienie się tak bardzo zdumiało służącą, weszła już do przedziału i korytarz był pusty. Katarzyna ruszyła do następnego wagonu, gdzie znajdowało się jej miejsce. Kiedy mijała ostatni przedział, drzwi otwarły się i wyjrzała przez nie jakaś kobieta, po czym zatrzasnęła je z powrotem. Miała twarz, którą niełatwo zapomnieć i którą Katarzyna rozpoznała, kiedy ją zobaczyła znowu. Piękna, owalna, o smagłej cerze i mocnym, dziwacznym makijażu. Katarzyna miała wrażenie, że gdzieś ją już widziała.

Dotarła do swojego przedziału bez dalszych przygód i przez jakiś czas siedziała zastanawiając się nad tym, co usłyszała przed chwilą. Na próżno próbowała odgadnąć, kim jest kobieta w futrze z norek i jaki będzie koniec całej historii.

Jeśli udało mi się ją powstrzymać przed zrobieniem z siebie idiotki, mogę być z siebie dumna, pomyślała. Chociaż kto wie? To jedna z tych trzeźwych, samolubnych kobiet; może byłoby dla niej lepiej, gdyby dla odmiany spróbowała czegoś innego. A zresztą, pewnie i tak nie zobaczę jej nigdy więcej. Ona na pewno nie będzie się chciała ze mną spotkać. To właśnie najgorsze, kiedy się wysłuchuje czyichś zwierzeń. Potem nie chcą cię znać.

Miała nadzieję, że przy kolacji dostanie inny stolik. Pomyślała nie bez humoru, jak bardzo byłoby to krępujące dla nich obu. Odchyliła się do tyłu i oparła na poduszce czując zmęczenie i dziwny smutek. Pociąg wjechał do Paryża; powolna jazda przez centrum, z niezliczonymi przystankami i postojami, była bardzo męcząca. Kiedy dojechali do Gare de Lyon, z przyjemnością wyszła, żeby się przespacerować po peronie. Zimne ostre powietrze wydało się jej orzeźwiające po ogrzewanym wnętrzu wagonu. Zauważyła z uśmiechem, że jej znajoma w futrze z norek rozwiązała problem krępującego spotkania przy kolacji na swój własny sposób. Służąca odbierała przez okno przedziału kosz z jedzeniem.

Kiedy pociąg ruszył i hałaśliwe dzwonki oznajmiły kolację, Katarzyna z ulgą udała się do wagonu restauracyjnego. Tego wieczoru jej *vis-à-vis* było zupełnie inne towarzystwo niż ostatnio: niski mężczyzna, z pewnością cudzoziemiec, o sztywno wypomadowanych wąsach i jajowatej głowie, którą zwykł przechylać na jedną stronę. Katarzyna przyniosła ze sobą książkę. Zauważyła, że mały człowieczek zerknął na nią pobłażliwie.

– Widzę, że czyta pani *roman policier**, *madame*. Lubi pani tego rodzaju rzeczy?

---

* *fr.* powieść kryminalna

– Bawią mnie – przyznała Katarzyna.

Człowieczek przytaknął z całkowitym zrozumieniem.

– Słyszałem, że się dobrze sprzedają. Dlaczego tak jest, *mademoiselle*? Pytam panią jako badacz natury ludzkiej. Jak to wytłumaczyć?

Katarzyna bawiła się coraz lepiej.

– Być może dają ludziom złudzenie, że wiodą ciekawe życie – zasugerowała.

Nieznajomy poważnie skinął głową.

– Tak, coś w tym jest.

– Oczywiście, wszyscy wiedzą, że takie rzeczy nigdy się nie zdarzają naprawdę – ciągnęła Katarzyna, ale człowieczek przerwał jej gwałtownie.

– Czasem się zdarzają, *mademoiselle*! Czasem się zdarzają. Ja sam, siedzący tu przed panią, je przeżyłem.

Rzuciła mu szybkie, zaintrygowane spojrzenie.

– Pewnego dnia, być może, pani znajdzie się w gąszczu wydarzeń – mówił dalej. – Wszystkim rządzi przypadek.

– Myślę, że to mało prawdopodobne – powiedziała Katarzyna. – Takie rzeczy nigdy mi się nie przytrafiają.

Nieznajomy pochylił się do przodu.

– A chciałaby pani?

Pytanie ją zaskoczyło, szybko wciągnęła powietrze.

– Może to tylko moja wyobraźnia – powiedział mały człowieczek, gorliwie polerując widelec – ale wydaje mi się,że pragnie pani przeżyć coś interesującego. *Eh bien, mademoiselle*, życie przekonało mnie o jednym: każdy dostaje to, co sobie wymarzył. Kto wie? – Jego twarz skrzywiła się komicznie. – A nuż otrzyma pani więcej niż się spodziewała?

– Czy to przepowiednia? – spytała Katarzyna wstając od stołu.

Mężczyzna pokręcił głową.

– Ja nie wygłaszam przepowiedni – oświadczył dumnie. – To prawda; zawsze mam rację, ale się tym nie przechwalam. Życzę dobrej nocy, *mademoiselle*.

Katarzyna wracała do swojego wagonu w miłym nastroju. Mijając otwarte drzwi przedziału kobiety, którą poznała rankiem, zobaczyła mężczyznę z obsługi ścielącego łóżko. Dama w futrze z norek stała przy oknie wyglądając na zewnątrz. Katarzyna zauważyła, że drugie pomieszczenie jest puste, na siedzeniu piętrzyły się pledy i walizy. Służącej nie było.

Przekonała się, że jej łóżko również zostało pościelone, i, ponieważ była zmęczona, położyła się i zgasiła światło około pół do dziesiątej.

Obudziła się z nagłym przestrachem, nie wiedząc, jak długo spała. Spojrzała na zegarek i stwierdziła, że stanął. Ogarnął ją dziwny niepokój; rósł z każdą chwilą. W końcu wstała, narzuciła szlafrok na ramiona i wyszła na korytarz. Cały pociąg wydawał się uśpiony. Katarzyna otwarła okno i siedziała przy nim parę minut, wdychając chłodne nocne powietrze i na próżno próbując uspokoić rozdygotane nerwy. Ostatecznie postanowiła przejść do końca wagonu i zapytać konduktora o godzinę, by nastawić zegarek. Przekonała się jednak, że jego krzesełko jest puste. Po chwili wahania przeszła do następnego wagonu. Spojrzała w długi, słabo oświetlony korytarz i ku swemu zdumieniu zobaczyła jakiegoś mężczyznę stojącego z dłonią na klamce przedziału, który zajmowała dama w futrze z norek. Ściślej, wydawało się jej, że to ten przedział. Prawdopodobnie się myliła. Stał przez chwilę tyłem do niej; sprawiał wrażenie, jakby był niepewny albo się wahał. Potem odwrócił się wolno. Z uczuciem dziwnej nieuchronności Katarzyna rozpoznała w nim mężczyznę, którego spotkała już dwukrotnie: raz na korytarzu Savoyu i drugi, w biurze Cooka. Otworzył drzwi przedziału i zniknął w środku, zamykając je za sobą.

Nagła myśl przemknęła Katarzynie przez głowę. Czy to możliwe, by o nim mówiła tamta kobieta – że to on jest mężczyzną, z którym się miała spotkać?

Katarzyna wytłumaczyła sobie, że najwyraźniej puszcza wodze fantazji. Najpewniej po prostu pomyliła przedziały.

Wróciła do swojego wagonu. Po chwili pociąg zwolnił. Rozległ się długi żałosny pisk hamulców i parę minut później wjechali do Lyonu.

XI

Morderstwo

Następnego ranka Katarzynę obudził jasny blask słońca. Wcześnie poszła na śniadanie, ale nie spotkała żadnej z poznanych poprzedniego dnia osób. Kiedy wróciła do przedziału, właśnie został przywrócony do dziennego wyglądu przez konduktora, smagłego mężczyznę o obwisłych wąsach i melancholijnym wyrazie twarzy.

– Ma pani szczęście – powiedział – że zobaczyła pani słońce. Pasażerowie są zawsze bardzo rozczarowani, jeśli niebo jest zachmurzone w dniu ich przyjazdu.

– Z całą pewnością też by mnie to rozczarowało – powiedziała Katarzyna.

Konduktor zbierał się do wyjścia.

– Mamy niewielkie spóźnienie, *madame* – powiedział. – Dam pani znać, kiedy zbliżymy się do Nicei.

Katarzyna skinęła głową. Usiadła przy oknie oczarowana widokiem rozciągającym się przed nią w słonecznym blasku. Palmy, głęboki błękit morza, jasnożółte mimozy – wszystko to stanowiło ogromną atrakcję dla kogoś, kto przez czternaście lat widywał jedynie ponure zimy Anglii.

W Cannes wyszła się przejść po peronie. Ciekawiła ją kobieta w futrze z norek; Katarzyna spojrzała na okna jej przedziału. Zasłony były nadal zaciągnięte – jedyne w całym pociągu. Nieco ją to zdziwiło; już w pociągu, idąc korytarzem zauważyła, że oba pomieszczenia są w dalszym ciągu zamknięte. Kobieta w futrze z całą pewnością nie była rannym ptaszkiem.

Przyszedł konduktor z wiadomością, że zbliżają się do Nicei. Katarzyna wręczyła mu napiwek; podziękował, ale nadal zwlekał z odejściem. Zachowywał się jakoś dziwnie. Katarzyna, która pomyślała w pierwszej chwili, że być może napiwek był zbyt mały, doszła do wniosku, iż musi chodzić o coś znacznie poważniejszego. Twarz mężczyzny pokrywała chorobliwa bladość, cały się trząsł i wyglądał, jakby odchodził od zmysłów z przerażenia. Przyglądał się jej dziwnie.

– Przepraszam, ale czy w Nicei ktoś będzie pani oczekiwał? – spytał znienacka.

– Prawdopodobnie – odparła Katarzyna. – Czemu pan pyta?

Ale konduktor pokręcił tylko głową, wymamrotał coś, czego nie zrozumiała, i wyszedł. Dopiero kiedy pociąg zatrzymał się na stacji, pojawił się znowu, żeby jej podać bagaże przez okno.

Katarzyna stała przez chwilę na peronie czując się trochę zagubiona, póki nie podszedł do niej przystojny młody człowiek.

– Panna Grey, prawda? – zapytał.

Katarzyna potwierdziła; mężczyzna rozpromienił się anielsko i wymamrotał:

– Jestem Chubby, wie pani, mąż lady Tamplin. Pewnie o mnie wspominała, chyba że jej wyleciało z głowy. Ma pani *billet de bagages*? Ja swój zgubiłem, kiedy tu przyjechałem w tym roku; nie uwierzy pani, jakiego narobili rabanu. Francuska biurokracja!

Wyjęła kwit i właśnie zbierała się do odejścia, kiedy jakiś głos, bardzo uprzejmy i podstępny, wyszeptał jej do ucha:

– Jedną chwileczkę, *madame,* jeśli pani pozwoli.

Katarzyna odwróciła się gwałtownie i stanęła twarzą w twarz z komiczną osobistością, która niedostatki postury nadrabiała wielką ilością złotego galonu i imponującym mundurem.

– Należy dopełnić pewnych formalności – wyjaśnił urzędnik. – *Madame* będzie łaskawa udać się ze mną. Przepisy policji... – rozłożył ręce. – Absurd, bez wątpienia, ale cóż można na to poradzić...

Pan Evans przysłuchiwał się temu, rozumiejąc piąte przez dziesiąte, jako że jego znajomość francuskiego pozostawiała wiele do życzenia.

– Francuzi – mruknął. Należał do tych gorliwych brytyjskich patriotów, którzy, uznawszy za własną część obcego kraju, odnoszą się z żywą niechęcią do jego rdzennych mieszkańców. – Zawsze gotowi zrobić jakiś szwindel. Chociaż muszę przyznać, nigdy nie widziałem, żeby zaczepiali ludzi na stacji. To coś zupełnie nowego. Chyba musi pani iść.

Katarzyna ruszyła za swoim przewodnikiem. Stwierdziła z lekkim zdumieniem, że zmierzają w stronę bocznicy, na którą odstawiono jeden z wagonów Błękitnego Ekspresu. Urzędnik poprosił, by wsiadła, po czym poprowadził ją korytarzem i otworzył drzwi przedziału. W środku znajdowali się: pełen godności przedstawiciel prawa i trudna do zapamiętania postać; jak się okazało, urzędnik kolejowy. Policjant uprzejmie podniósł się z miejsca, lekko skłonił Katarzynie i powiedział:

– Wybaczy mi pani, musimy przeprowadzić pewne formalności. *Madame* włada francuskim, jak tuszę?

– Sądzę, że w dostatecznym stopniu – odparła Katarzyna w tym języku.

– Doskonale. Proszę, niech pani siada. Jestem Caux, komisarz policji. – Wypiął dumnie pierś; Katarzyna starała się sprawiać wrażenie dostatecznie przejętej tym faktem.

– Chce pan obejrzeć mój paszport? – spytała. – Proszę.

Komisarz spojrzał na nią przenikliwie i odchrząknął.

– Dziękuję, *madame* – powiedział biorąc dokumenty. Chrząknął znowu. – Przede wszystkim pragnąłbym otrzymać pewne informacje.

– Informacje?

Komisarz wolno pokiwał głową.

– O damie, która towarzyszyła pani w podróży. Wczoraj jadła z nią pani obiad.

– Obawiam się, że niewiele mogę panu o niej powiedzieć. Rozmawiałyśmy przy posiłku, ale poza tym jest mi zupełnie obca. Nigdy wcześniej jej nie spotkałam.

– A jednak wróciła z nią pani potem do jej przedziału i rozmawiała przez pewien czas? – ostro spytał komisarz.

– Tak – przyznała Katarzyna. – To prawda.

Wydawało się, iż komisarz oczekuje, że Katarzyna powie coś więcej. Spojrzał na nią zachęcająco.

– I, *madame*?

– Tak, *monsieur*?

– Czy mogłaby mi pani podać więcej szczegółów dotyczących owej konwersacji?

– Mogłabym – odparła Katarzyna – ale w obecnej chwili nie widzę powodu, żeby to zrobić.

Poczuła się bardzo po brytyjsku urażona. Obcokrajowiec wydał się jej niezwykle impertynencki.

– Nie ma powodu? – wykrzyknął komisarz. – Ależ zapewniam panią, że jest!

– Więc może byłby pan łaskaw mi go podać.

Komisarz umilkł na dłuższą chwilę, w zamyśleniu pocierając podbródek.

– *Madame* – powiedział na koniec. – Powód jest bardzo prosty. Dama, o której mowa, została znaleziona martwa w swoim przedziale dzisiejszego ranka.

– Martwa! – wyjąkała Katarzyna. – Co to było... atak serca?

– Nie – odpowiedział komisarz z namysłem. – Nie. Została zamordowana.

– Zamordowana! – wykrzyknęła Katarzyna.

– Rozumie więc pani, dlaczego tak bardzo nam zależy na wszelkich informacjach.

– Ale na pewno jej pokojówka...

– Pokojówka zniknęła.

– Och! – Katarzyna przerwała, by zebrać myśli.

– Ponieważ konduktor widział, jak pani z nią rozmawiała, zupełnie naturalne, że wspomniał o tym policji; dlatego pozwoliliśmy sobie panią tu wezwać w nadziei uzyskania dodatkowych informacji.

– Bardzo mi przykro – powiedziała Katarzyna. – Nie znam nawet jej nazwiska.

– Nazywała się Kettering. Wiemy to z jej paszportu i nalepek na bagażach. Gdybyśmy... – Rozległo się pukanie do drzwi. Pan Caux zmarszczył brwi. Uchylił drzwi na jakieś piętnaście centymetrów. – O co chodzi? – zapytał surowo. – Jestem zajęty.

W szparze ukazała się jajowata głowa człowieczka, który towarzyszył Katarzynie przy kolacji. Malował się na niej promienny uśmiech.

– Nazywam się Herkules Poirot – powiedział.

– Niemożliwe! – wyjąkał komisarz. – Chyba nie ten Herkules Poirot?

– Ten sam! – potwierdził Poirot. – Spotkaliśmy się kiedyś w Sûreté w Paryżu, Caux, chociaż pan mnie już z pewnością nie pamięta.

– Ależ pamiętam, *monsieur*, pamiętam! – zaprotestował gorąco komisarz. – Proszę wejść. Wie pan o tym...?

– Tak, wiem – odparł Poirot. – Chciałem zobaczyć, czy mógłbym się może na coś przydać?

– Bylibyśmy zaszczyceni – pośpiesznie zgodził się komisarz. – Pozwoli pan, że mu przedstawię – zajrzał do paszportu, który nadal trzymał w ręce – *madame*... eee... *mademoiselle* Grey.

Poirot uśmiechnął się do Katarzyny.

– Dziwne, nieprawdaż? – powiedział – że moje słowa tak szybko się sprawdziły.

– *Mademoiselle*, niestety, może nam bardzo mało powiedzieć – odezwał się komisarz.

– Właśnie wyjaśniałam – dodała Katarzyna – że zupełnie nie znałam tej biednej kobiety.

Poirot skinął.

– Ale rozmawiała z nią pani, prawda? – zapytał łagodnie. – Wywarła na pani wrażenie, nieprawdaż?

– Tak – potwierdziła Katarzyna. – Chyba tak.

– I było to wrażenie...

– Właśnie, *mademoiselle* – komisarz pochylił się do przodu. – Proszę nam przede wszystkim opowiedzieć o swoich wrażeniach.

Katarzyna siedziała, analizując w myślach całe zdarzenie. Czuła, że w pewien sposób zdradza zaufanie, ale wciąż mając w uszach przerażające słowo: „morderstwo", nie ośmieliła się niczego zataić. Zbyt wiele mogło od tego zależeć. Więc, najdokładniej jak umiała, powtórzyła rozmowę, którą odbyła ze zmarłą.

– Interesujące – stwierdził komisarz, zerkając na Poirota. – Prawda, panie Poirot? Czy ma to jakiś związek z przestępstwem... – pozostawił zdanie nie dokończone.

– To chyba nie mogło być samobójstwo... – zaczęła Katarzyna dość niepewnie.

– Nie – powiedział komisarz. – Nie mogło. Została uduszona kawałkiem sznura.

– Och! – Katarzyna zadrżała. Pan Caux przepraszająco rozłożył ręce.

– To nie jest przyjemne. Myślę, że rabusie kolejowi są u nas bardziej brutalni niż w pani kraju.

– Straszne.

– Tak, tak – mówił uspokajająco, przepraszającym tonem. – Ale pani jest bardzo dzielna, *mademoiselle*. Od pierwszej chwili, kiedy panią zobaczyłem, powiedziałem sobie: „*Mademoiselle* jest bardzo dzielna". I dlatego chciałbym panią prosić o coś jeszcze... bardzo nieprzyjemną rzecz, ale konieczną, zapewniam panią.

Katarzyna spojrzała na niego wyczekująco.

Znowu bezradnie rozłożył ręce.

– Chcę panią prosić, żeby była pani tak dobra i towarzyszyła mi do sąsiedniego przedziału.

– Czy to konieczne? – spytała Katarzyna cicho.

– Ktoś ją musi zidentyfikować – powiedział komisarz – a ponieważ służąca zniknęła... – odkaszlnął znacząco – jest pani osobą, która miała z nią najwięcej do czynienia, odkąd wsiadła do pociągu.

– Dobrze – zgodziła się Katarzyna. – Skoro to niezbędne...

Wstała. Poirot skinął jej głową z aprobatą.

– *Mademoiselle* jest bardzo rozsądną osobą – powiedział. – Czy mogę państwu towarzyszyć, panie Caux?

– Będę oczarowany, drogi Poirot.

Wyszli na korytarz i komisarz otworzył kluczem drzwi do przedziału, który zajmowała zmarła. Zasłony były podniesione do połowy, żeby wpuścić nieco światła. Kobieta leżała na łóżku po lewej stronie, w tak naturalnej pozie, że wydawało się, jakby spała. Okryta kołdrą, leżała z twarzą zwróconą do ściany; widać było jedynie kasztanowate włosy. Pan Caux bardzo delikatnie położył jej rękę na ramieniu i obrócił ciało, aż ukazała się twarz. Katarzyna drgnęła i wbiła paznokcie w dłonie. Potężne uderzenie zniekształciło rysy kobiety tak, że trudno ją było rozpoznać. Poirot wydał okrzyk zdumienia.

– Kiedy to się stało? – zapytał ostro. – Przed śmiercią czy po?

– Lekarz twierdzi, że po – odparł Caux.

– Dziwne – powiedział Poirot ściągając brwi. Zwrócił się do Katarzyny. – Śmiało, *mademoiselle*, niech się jej pani dobrze przyjrzy. Jest pani pewna, że rozmawiała pani wczoraj z tą kobietą?

Katarzyna miała mocne nerwy. Wzięła się w garść i długo i uważnie przyglądała leżącej postaci. Potem pochyliła się i ujęła dłoń zamordowanej.

– Jestem zupełnie pewna – odpowiedziała w końcu. – Twarz jest zbyt zniekształcona, by ją poznać, ale budowa i kolor włosów się zgadzają, a poza tym, kiedy z nią rozmawiałam, zauważyłam to – wskazała niewielkie znamię na nadgarstku kobiety.

– *Bon* – pochwalił Poirot. – Jest pani doskonałym świadkiem, *mademoiselle*. Tak więc mamy pewność co do jej tożsamości. Mimo wszystko, to bardzo dziwne. – Spojrzał z zastanowieniem na ciało.

Pan Caux wzruszył ramionami.

– Niewątpliwie było to morderstwo w afekcie – stwierdził.

– Rozumiem, gdyby została zabita jakimś ciężkim narzędziem – zastanawiał się Poirot. – Ale ten, kto ją udusił, wślizgnął się do przedziału niepostrzeżenie, zanim się zdążyła zorientować. Zduszony okrzyk, charkot, to wszystko, co można by usłyszeć, a potem ten potężny cios w głowę. Dlaczego? Czy morderca miał nadzieję, że jeśli zmasakruje twarz, nie da się ustalić jej tożsamości? A może tak bardzo jej nienawidził, że zadał jeszcze ten cios, choć była już martwa?

Katarzyna zadrżała; od razu odwrócił się do niej.

– Bardzo panią przepraszam – powiedział. – Dla pani to wszystko jest nowe i przerażające. Dla mnie, niestety, aż za dobrze znane. Jeszcze tylko jedną chwileczkę.

Stali przy drzwiach patrząc, jak Poirot szybko obchodzi przedział dokoła. Obejrzał ubranie zamordowanej, porządnie złożone na drugim końcu łóżka, futro zawieszone na haczyku i mały lakierowany kapelusik rzucony na półkę. Potem przeszedł do drugiego pomieszczenia, tego, w którym Katarzyna widziała służącą. Tutaj łóżko nie było posłane. Trzy czy cztery niedbale rzucone pledy piętrzyły się na siedzeniu obok pudła na kapelusze i kilku walizek. Poirot zwrócił się do Katarzyny:

– Była tu pani wczoraj – powiedział. – Czy cokolwiek się zmieniło, a może czegoś brakuje?

Katarzyna rozejrzała się uważnie po obu pomieszczeniach.

– Tak – potwierdziła. – Brakuje czerwonej kasetki z wytłaczanej skóry. Na wierzchu miała litery „R. V. K.". To mogła być mała kosmetyczka albo duża kasetka na biżuterię. Widziałam, że trzymała ją służąca.

– Ach! – wykrzyknął Poirot.

– Ale, oczywiście... – zaczęła Katarzyna – to znaczy ja nic nie wiem o takich sprawach, ale chyba wszystko jest jasne, skoro brakuje kasetki, a służąca uciekła.

– Sugeruje pani, że to służąca ukradła kasetkę? Nie, *mademoiselle*, przemawia przeciw temu jeden fakt – wyjaśnił komisarz..

– Jaki?

– Służącej kazano zostać w Paryżu. – Zwrócił się do Poirota. – Chciałbym, żeby pan osobiście wysłuchał opowieści konduktora – mruknął konfidencjonalnie. – Niezwykle przekonująca.

– Niewątpliwie *mademoiselle* również chciałaby ją usłyszeć. Nie ma pan nic przeciwko temu, panie komisarzu?

– Ależ skąd – zaprzeczył komisarz, który wyraźnie miał wiele przeciwko temu. – Skoro pan sobie tego życzy, Poirot. Skończył pan już tutaj?

– Chyba tak. Chwileczkę. – Poirot przeglądał koce, właśnie wziął jeden do okna i zdjął coś z niego.

– Co to? – spytał ostro Caux.

– Cztery rudawe włosy. – Poirot pochylił się nad ciałem. – Tak, należą do *madame*.

– I co z tego? Czy ma to pana zdaniem jakieś znaczenie? Poirot opuścił pled na siedzenie.

– Co ma znaczenie? Co go nie ma? Za wcześnie, by to stwierdzić. Musimy zwrócić uwagę na każdy fakt.

Wrócili do pierwszego przedziału. Po minucie czy dwóch zjawił się konduktor, gotów odpowiadać na pytania.

– Nazywa się pan Pierre Michel? – zapytał komisarz.

– Tak, panie komisarzu.

– Chciałbym, żeby pan powtórzył temu dżentelmenowi – wskazał Poirota – co się zdarzyło w Paryżu.

– Dobrze, panie komisarzu. Kiedy ruszyliśmy z Gare de Lyon, przyszedłem posłać łóżka; myślałem, że *madame* będzie na kolacji, ale kazała sobie przynieść kosz z jedzeniem do przedziału. Powiedziała, że musiała zostawić służącą w Paryżu, więc mam rozłożyć pościel tylko na jednym łóżku. Potem dodała, żebym jej nie budził rano, bo lubi sobie dłużej pospać. Powiedziałem, że doskonale ją rozumiem, i wyszedłem.

– Nie wchodził pan do drugiego pomieszczenia?

– Nie, *monsieur*.

– Więc nie widział pan, czy między bagażami była czerwona kasetka z wytłaczanej skóry?

– Nie, *monsieur*, nie widziałem.

– Czy jest możliwe, żeby ktoś się ukrył w drugim pomieszczeniu?

Konduktor zastanowił się.

– Drzwi były uchylone – powiedział. – Gdyby ktoś stał za drzwiami, nie dostrzegłbym go, ale *madame* oczywiście by go zobaczyła, gdyby tam weszła.

– Z pewnością – zgodził się Poirot. – Czy chciałby nam pan coś jeszcze powiedzieć?

– To chyba wszystko, *monsieur*. Nic więcej nie pamiętam.

– A dzisiaj rano? – ponaglił Poirot.

– Tak jak sobie życzyła *madame*, nie przeszkadzałem jej. Dopiero tuż przed Cannes odważyłem się zapukać. Nie było odpowiedzi, więc wszedłem do środka. Pani leżała w łóżku i wydawało się, że śpi. Wziąłem ją za ramię, żeby obudzić, i wtedy...

– I wtedy zobaczył pan, co się stało – dokończył Poirot. – *Tres bien**. Chyba dowiedziałem się wszystkiego, czego chciałem.

– Mam nadzieję, że nie jestem winien żadnego zaniedbania, panie komisarzu? – spytał konduktor z niepokojem. – Taka rzecz w Błękitnym Ekspresie! To straszne!

– Może pan być spokojny – powiedział komisarz. – Zrobimy wszystko, co w naszej mocy, żeby całą sprawę utrzymać w tajemnicy, choćby w interesie sprawiedliwości. Nie sądzę, żeby popełnił pan jakiekolwiek zaniedbanie.

– I ma pan zamiar tak napisać w sprawozdaniu do Kompanii?

– Oczywiście, że tak – niecierpliwie potwierdził komisarz. – Nie jest już pan potrzebny.

Konduktor wyszedł.

– Zgodnie z tym, co wykazała obdukcja, kobieta była martwa, zanim pociąg dotarł do Lyonu – powiedział komisarz. – Kim był morderca? Z tego, co powiedziała panna Grey, wynika, że zmarła miała się spotkać z mężczyzną, o którym wspominała, gdzieś na trasie podróży. To, iż postarała się usunąć służącą, wydaje się bardzo znaczące. Czy ten mężczyzna dosiadł się w Paryżu i ukrywał w drugim pomieszczeniu? Jeśli tak, niewykluczone, że się pokłócili i zabił ją w przypływie gniewu. To jedna możliwość. Druga, moim zdaniem, o wiele bardziej prawdopodobna, to że napastnikiem był rabuś kolejowy; przekradł się korytarzem

---

* *fr.* świetnie

niezauważony przez konduktora, zabił ją i wyszedł, unosząc skórzaną kasetkę, która niewątpliwie zawierała biżuterię znacznej wartości. Najprawdopodobniej opuścił pociąg w Lyonie, więc już zatelegrafowałem na tamtejszą stację po pełny opis wszystkich, którzy tam wysiedli z pociągu.

– Mógł też przyjechać do Nicei – zasugerował Poirot.

– Niewątpliwie – zgodził się komisarz – ale to byłoby bardzo śmiałe posunięcie.

Poirot milczał przez dłuższą chwilę, po czym powiedział:

– Więc ostatecznie uważa pan, że morderca był zwykłym rabusiem kolejowym?

Komisarz wzruszył ramionami.

– To zależy. Musimy złapać służącą. Być może to ona ma ze sobą kasetkę. Jeśli tak, mężczyzna, o którym mówiła panna Grey, może być zamieszany w sprawę i mamy do czynienia z morderstwem w afekcie. Ja osobiście sądzę, że morderstwo na tle rabunkowym jest bardziej prawdopodobne. Ci bandyci bardzo się ostatnio rozzuchwalili.

Poirot przeniósł naraz wzrok na Katarzynę.

– A pani? – spytał. – Nic pani nie widziała ani nie słyszała w nocy?

– Nie.

Poirot zwrócił się do komisarza.

– Chyba nie powinniśmy zatrzymywać dłużej *mademoiselle* – zasugerował.

Caux skinął głową.

– Zostawi nam pani swój adres?

Katarzyna podała mu nazwę willi lady Tamplin. Poirot skłonił się lekko.

– Nie będzie miała pani nic przeciwko temu, jeśli ją odwiedzę, *mademoiselle*? – zapytał. – Czy też ma pani tak wielu przyjaciół, że będzie zbyt zajęta?

– Wręcz przeciwnie – odparła Katarzyna. – Będę miała mnóstwo wolnego czasu i z wielką przyjemnością się z panem spotkam.

– Doskonale – powiedział Poirot, żegnając ją przyjaznym skinieniem głowy. – To będzie *roman policier à nous*. Wspólnie rozwiążemy tę sprawę.

XII

Villa Marguerite

– Więc byłaś w samym centrum tego wszystkiego, moja droga! – wykrzyknęła z zazdrością lady Tamplin. – Jakie to podniecające! – Bardzo szeroko otwarła oczy koloru chińskiej porcelany i westchnęła cicho.

– Prawdziwe morderstwo – powiedział pan Evans, pożerając Katarzynę wzrokiem.

– Chubby'emu nie przyszło oczywiście do głowy, że o to chodziło – ciągnęła lady Tamplin. – Nie miał pojęcia, dlaczego policja chciała z tobą rozmawiać. Cóż za doskonała sposobność, moja droga! Chyba sama rozumiesz... tak, na pewno uda się to jakoś wykorzystać. – Wyrachowany błysk kłócił się z niewinnym wyrazem błękitnych oczu.

Katarzyna czuła się trochę nieswojo. Właśnie kończyli obiad; przebiegła wzrokiem siedzące przy stole postaci. Lady Tamplin, pełna praktycznych pomysłów, pan Evans, promieniejący naiwnym zachwytem, i Lenox z dziwnym, krzywym uśmieszkiem na smagłej twarzy.

– Niesamowity traf – mruknął Chubby. – Szkoda, że nie mogłem iść z panią i zobaczyć wszystkich... eksponatów. – Jego głos przepełniała dziecinna tęsknota.

Katarzyna nie odpowiedziała. Nie proszono jej o zachowanie sprawy w tajemnicy, a zatajenie faktów lub ukrycie ich przed lady Tamplin było po prostu niemożliwe. Katarzyna bardzo tego żałowała.

– Tak – rzekła lady Tamplin, otrząsnąwszy się nagle z rozmarzenia. – Wiem, co możemy zrobić. Krótka, błyskotliwie napisana relacja naocznego świadka, z domieszką kobiecego wdzięku: „Gawędząc z zamordowaną, nie podejrzewałam nawet…". Rozumiecie, coś w tym stylu.

– Okropne – stwierdziła Lenox.

– Nie masz pojęcia – zaczęła lady Tamplin rozmarzonym, tęsknym tonem – ile gazety są gotowe zapłacić za takie ploteczki. Oczywiście, jeśli pochodzą spod pióra kogoś o nienagannej opinii. Obawiam się, że sama nie mogłabyś tego zrobić, droga Katarzyno, ale podaj mi tylko suche fakty, a ja już nadam im odpowiednią oprawę. Pan de Haviland jest moim szczególnie bliskim przyjacielem. Doskonale się rozumiemy. Zachwycający człowiek, nie ma w sobie nic z reportera. No, jak ci się podoba ten pomysł, Katarzyno?

– Wolałabym tego nie robić – otwarcie przyznała Katarzyna.

Lady Tamplin zbiła nieco z tropu taka bezkompromisowa odpowiedź. Westchnęła i powróciła do wyjaśniania dalszych szczegółów.

– Zwracająca uwagę kobieta, mówiłaś? Ciekawe, kto to mógł być. Nie słyszałaś, jak się nazywała?

– Była o tym mowa – przyznała Katarzyna – ale zapomniałam. Bardzo mnie to wszystko przygnębiło.

– Ja myślę – wtrącił się pan Evans. – To musiał być potężny szok.

Należy wątpić, czy gdyby nawet Katarzyna pamiętała nazwisko zamordowanej, przyznałaby się do tego. Bezlitosna dociekliwość lady Tamplin budziła w niej opór. Lenox, która na swój sposób była bystrą obserwatorką, zauważyła to i zaproponowała Katarzynie, że odprowadzi ją na górę do pokoju. Zostawiła ją samą, rzucając na odchodnym:

– Nie przejmuj się mamą; gdyby mogła zarobić parę pensów na śmierci własnej matki, nie zawahałaby się tego zrobić.

Potem wróciła na dół, by się przekonać, że matka i przybrany ojciec właśnie obmawiają gościa.

– Jest całkiem do przyjęcia – mówiła lady Tamplin. – Rzeczy ma w dobrym gatunku. Ten szary kostium to ten sam model, który nosiła Gladys Cooper w *Palmach Egiptu*.

– A widziałaś jej oczy? Co? – dodał pan Evans.

– Mniejsza o oczy, Chubby – kwaśno odparła lady Tamplin. – Rozmawiamy o poważnych sprawach.

– Och, doprawdy? – powiedział pan Evans, wycofując się do swojej skorupy.

– Nie wydaje mi się zbyt... uległa – powiedziała lady Tamplin, wahając się z doborem właściwego określenia.

– Ma, jak to piszą w książkach, maniery prawdziwej damy – dodała Lenox, szczerząc zęby.

– I ciasne poglądy – mruknęła lady Tamplin. – Obawiam się, że to nieuniknione w takich okolicznościach.

– Nie wątpię, że chętnie jej pomożesz je rozszerzyć – wtrąciła Lenox złośliwie. – Żebyś się tylko nie rozczarowała. Sama widziałaś przed chwilą; nie ustąpiła ani o krok.

– Tak czy inaczej wydaje się dość skromna – stwierdziła z nadzieją lady Tamplin. – Niektórzy ludzie dochodząc do fortuny przywiązują do niej nadmierne znaczenie.

– Och, niewątpliwie da się naciągnąć na co tylko zechcesz – zgodziła się Lenox – a przecież jedynie o to chodzi, prawda? Po to ją tu ściągnęłaś.

– Jest moją kuzynką – odparła lady Tamplin z godnością.

– Kuzynka, tak? – ożywił się znowu pan Evans. – To chyba mogę jej mówić po imieniu?

– To, jak się będziesz do niej zwracał, nie ma najmniejszego znaczenia, Chubby – powiedziała lady Tamplin.

– Świetnie, w takim razie będę. Jak myślicie, umie grać w tenisa? – dorzucił pełen nadziei.

– Oczywiście, że nie – odparła lady Tamplin. – Była damą do towarzystwa, mówiłam ci. Damy do towarzystwa nie grają w tenisa... ani w golfa. Być może grywają w krykieta, chociaż zawsze mi się wydawało, że spędzają czas na zwijaniu włóczki i kąpaniu psów.

– Mój Boże! – wykrzyknął pan Evans. – Naprawdę?

Lenox powędrowała znowu na górę do pokoju Katarzyny.

– Nie przeszkadzam? – spytała wyraźnie *pro forma*.

Na zaprzeczenie Katarzyny przysiadła na brzegu łóżka i przyjrzała się gościowi z namysłem.

– Dlaczego przyjechałaś? – spytała w końcu. – To znaczy, do nas. Nie należysz do naszej sfery.

– Och, chciałabym wejść do towarzystwa.

– Przestań udawać – powiedziała szybko Lenox, dostrzegając żartobliwe iskierki w oczach Katarzyny. – Dobrze wiesz, o co mi chodzi. Wcale nie jesteś taka, jak myślałam. I wiesz, naprawdę masz niezłe ubrania. – Westchnęła. – Mnie tam nic po strojach. Zawsze byłam niezgrabna. Szkoda, bo tak bardzo je lubię.

– Ja też – przyznała Katarzyna. – Ale do tej pory mogłam sobie tylko pomarzyć. Podoba ci się ta sukienka?

Wspólnie z Lenox omówiły z artystycznym zapałem kilka modeli.

– Lubię cię – powiedziała nagle Lenox. – Przyszłam cię ostrzec, żebyś się nie dała podejść mamie, ale chyba niepotrzebnie. Jesteś strasznie szczera i uczciwa, i tak dalej, ale nie jesteś głupia. O, do diabła, a to co?

Z dołu dobiegł melancholijny głos lady Tamplin:

– Lenox, właśnie dzwonił Derek. Pyta, czy może przyjść na kolację. Co ty na to? Nie mamy dzisiaj przepiórek ani nic takiego, co trudno jeść w elegancki sposób, prawda?

Lenox zapewniła ją, że nie, i wróciła do Katarzyny. Jej twarz wydawała się weselsza, nie tak ponura jak zwykle.

– Cieszę się, że Derek przychodzi – powiedziała. – Polubisz go.

– Kto to jest Derek?

– Syn lorda Leconbury, ożeniony z bogatą Amerykanką. Kobiety za nim szaleją.

– Czemu?

– Jak to zwykle bywa: bo jest okropnie przystojny i zepsuty. Tracą dla niego głowę.

– A ty?

– Ja czasem też – odparła dziewczyna. – A czasem myślę, że chętnie bym wyszła za jakiegoś miłego pastora i hodowała kwiatki w szklarni. – Zamyśliła się na chwilę. – Najlepszy byłby irlandzki pastor. Mogłabym jeździć na polowania.

Po chwili wróciła do poprzedniego tematu.

– W Dereku jest coś dziwnego. Cała rodzina była trochę zwariowana. Sami hazardziści, rozumiesz. W dawnych czasach przepuszczali swoje zamki i żony, i robili najbardziej szalone rzeczy, bo tak im się podobało. Z Dereka byłby doskonały rozbójnik: dobrze wychowany i wesoły; pasowałby w sam raz. – Odwróciła się już w drzwiach. – Zejdź na dół, jak będziesz miała ochotę.

Pozostawiona samej sobie, Katarzyna pogrążyła się w myślach. Ostatnimi czasy czuła się bardzo nieswojo, nie na miejscu w nowym otoczeniu. Szok, jaki przeżyła w pociągu, i późniejsza reakcja przyjaciół na wiadomość o morderstwie głęboko raniły jej uczucia. Długo i poważnie rozmyślała o zamordowanej kobiecie. Żal jej było Ruth, ale nie mogłaby uczciwie powiedzieć, że ją lubiła. Aż za dobrze poznała odstręczający bezwzględny egoizm, który stanowił dominującą cechę charakteru pani Kettering.

Poczuła rozbawienie, ale i lekką urazę, kiedy Ruth pożegnała ją chłodno, po tym jak Katarzyna odegrała swoją rolę. Było zupełnie jasne, że podjęła jakąś decyzję; Katarzyna zastanawiała się teraz, co to była za decyzja. Zresztą, bez względu na to, na scenę wstąpiła śmierć, unieważniając wszystkie poprzednie wybory. Dziwne, że zakończeniem podróży okazała się brutalna zbrodnia. Nagle Katarzyna przypomniała sobie drobny fakt, o którym powinna była – być może – wspomnieć policji; fakt, który umknął jej pamięci. Czy miał jakiekolwiek znaczenie? Na pewno tylko się jej wydawało, że widziała mężczyznę wchodzącego to tego właśnie przedziału; zdawała sobie sprawę, jak łatwo o pomyłkę. Mógł to być sąsiedni przedział, a mężczyzna w żadnym razie nie przypominał kolejowego złodzieja. Pamiętała go doskonale z dwóch poprzednich spotkań: raz w Savoyu i potem w biurze podróży Cooka. Nie, musiała się pomylić. Na pewno nie wszedł do przedziału zamordowanej; lepiej się stało, że nie powiedziała o niczym policji. Mogłaby skrzywdzić niewinnego człowieka.

Postanowiła się przyłączyć do towarzystwa zebranego na tarasie. Poprzez gałązki mimozy spojrzała na błękitne Morze Śródziemne i słuchając nieuważnie paplaniny lady Tamplin pomyślała, jak to dobrze, że przyjechała. O ileż piękniej tu było niż w St Mary Mead.

Tego wieczora włożyła różowopurpurową wieczorową suknię i, uśmiechnąwszy się do swego odbicia, zeszła na dół, pierwszy raz w życiu czując leciutkie onieśmielenie.

Większość gości już przybyła i panował ogłuszający hałas; stanowił on charakterystyczną cechę przyjęć lady Tamplin. Chubby rzucił się na spotkanie Katarzyny, wcisnął jej koktajl i wziął pod swoje skrzydła.

– Jesteś nareszcie, Derek! – wykrzyknęła lady Tamplin, kiedy drzwi otwarły się wpuszczając ostatniego gościa. – No to możemy siadać do stołu. Umieram z głodu.

Katarzyna spojrzała na drugi koniec sali i drgnęła. A więc to jest Derek, pomyślała uświadamiając sobie, że nie czuje zdumienia. Zawsze przeczuwała, że spotka jeszcze tego mężczyznę, którego widziała już trzy razy w wyniku niezwykłego splotu okoliczności. On też ją poznał, była prawie pewna. Przerwał w pół słowa rozmowę z lady Tamplin, a potem mówił dalej jakby z wysiłkiem. Wszyscy ruszyli na kolację; Katarzyna przekonała się, że posadzono ich obok siebie. Zwrócił się do niej od razu z ożywionym uśmiechem.

– Wiedziałem, że wkrótce panią spotkam – zauważył – ale nigdy nie sądziłem, że nastąpi to tutaj. To się musiało zdarzyć, rozumie pani. Raz w Savoyu, raz w biurze podróży... do trzech razy sztuka. Tylko proszę nie mówić, że mnie pani nie zauważyła albo sobie nie przypomina. Niech pani przynajmniej udaje, że mnie pamięta.

– Pamiętam pana – odparła Katarzyna – ale to nie jest nasze trzecie spotkanie, tylko czwarte. Widziałam pana w Błękitnym Ekspresie.

– W Błękitnym Ekspresie! – W jego zachowaniu nastąpiła ledwo uchwytna zmiana; Katarzyna nie potrafiłaby powiedzieć, na czym polegała. Jak gdyby otrzymał nagle ostrzeżenie. Powiedział niedbale: – Co to było za zamieszanie dzisiaj rano? Ktoś umarł, tak?

– Tak – potwierdziła Katarzyna. – Ktoś umarł.

– Nie powinno się umierać w pociągu – powiedział Derek lekko. – Na pewno powoduje to mnóstwo komplikacji prawnych, a poza tym dostarcza pretekstu, żeby pociągi spóźniały się jeszcze bardziej niż zwykle.

– Panie Kettering? – Tęga Amerykanka, siedząca naprzeciwko, pochyliła się nad stołem, mówiąc z pełną namaszczenia intonacją, typową dla przybyszy zza oceanu. – Panie Kettering, z pewnością pan mnie zapomniał, a uważałam pana za tak uroczego dżentelmena.

Derek pochylił się również i wdał w pogawędkę. Katarzyna siedziała oszołomiona.

Kettering! Tak brzmiało tamto nazwisko! Przypomniała sobie nareszcie – w jakże dziwnej, groteskowej sytuacji! Oto mężczyzna, którego widziała wchodzącego do przedziału żony ubiegłej nocy, który zostawił ją żywą i w dobrym zdrowiu, siedzi teraz przy kolacji, nieświadomy losu, jaki ją spotkał. Co do tego nie miała wątpliwości. Nie wiedział.

Służący wręczył Derekowi jakąś kartkę, schylił się i powiedział coś półgłosem. Kettering przeprosił lady Tamplin i otworzył list. W miarę jak czytał, na jego twarzy malował się wyraz coraz większego zdumienia. Spojrzał na gospodynię.

– Zdumiewające. Obawiam się, Rosalie, że będę zmuszony cię opuścić. Prefekt policji chce się ze mną natychmiast widzieć. Nie mam pojęcia, o co mu chodzi.

– Wyszły na jaw twoje ciemne sprawki – zauważyła Lenox.

– Niewątpliwie – zgodził się Derek. – Pewnie jakaś kompletna bzdura, ale chyba muszę się stawić w prefekturze. Jak on śmie odrywać mnie od kolacji? Mam nadzieję, że to coś śmiertelnie poważnego, inaczej mu nie daruję. – Roześmiał się, odsunął krzesło i opuścił przyjęcie.

XIII

Van Aldin odbiera telegram

Piętnastego lutego po południu gęsta żółta mgła opadła na Londyn. Rufus Van Aldin w swoim apartamencie w Savoyu wykorzystywał pogodę najlepiej jak umiał, pracując dwa razy dłużej. Knighton nie posiadał się z radości. Ostatnio trudno było skłonić milionera, by zajął się bieżącymi sprawami. Kiedy odważył się ponaglić Van Aldina w kwestii pewnych posunięć, ten zbył go cierpko. Teraz jednak rzucił się w wir pracy ze zdwojoną energią i sekretarz starał się to wykorzystać. Zawsze taktowny, kierował Van Aldinem tak dyskretnie, że ten niczego nie podejrzewał.

Jednak nawet w nawale interesów jedna myśl nie opuszczała milionera ani na chwilę. Dała jej początek przypadkowa uwaga sekretarza, rzucona zupełnie nieświadomie. Stopniowo wnikała coraz głębiej w świadomość Van Aldina, aż w końcu, wbrew własnej woli, dał się jej całkiem pochłonąć.

Słuchał tego, co mówił Knighton, ze zwykłym wyrazem żywego zainteresowania, ale w rzeczywistości nie słyszał ani słowa. Skinął machinalnie głową i sekretarz wrócił do przeglądania jakichś papierów. Po chwili Van Aldin odezwał się:

– Czy mógłby pan wszystko powtórzyć, Knighton?

Przez chwilę sekretarz nie wiedział, o co chodzi.

– Ma pan na myśli to? – podniósł ukończony przed chwilą raport kompanii.

– Nie, nie – zaprzeczył Van Aldin. – To, co pan mówił wcześniej; że widział pan pokojówkę Ruth w Paryżu wczoraj wieczorem. Nic z tego nie rozumiem. Musiał się pan pomylić.

– To niemożliwe, proszę pana, rozmawiałem z nią.

– No dobrze, proszę opowiedzieć wszystko jeszcze raz.

Knighton spełnił prośbę.

– Załatwiłem sprawę z Bartheimerem – wyjaśnił – i wróciłem do Ritza. Chciałem zabrać bagaże przed kolacją, żeby potem złapać pociąg o dziewiątej z Gare du Nord. Koło recepcji zobaczyłem kobietę. Byłem pewien, że to pokojówka pani Kettering. Podszedłem do niej i spytałem, czy pani Kettering zatrzymała się w hotelu.

– Tak, tak – powiedział Van Aldin. – Oczywiście. Naturalnie. A ona ci powiedziała, że Ruth pojechała na Riwierę, a jej kazała się zatrzymać w Ritzu i tam czekać na dalsze polecenia?

– Właśnie tak, proszę pana.

– Bardzo dziwne – powiedział Van Aldin. – Bardzo dziwne, doprawdy, chyba że ta kobieta była wyjątkowo zuchwała albo coś w tym rodzaju.

– Ale w takim wypadku pani Kettering zapłaciłaby jej chyba i kazała wracać do Anglii? Raczej nie posłałaby jej do Ritza.

– Nie – zgodził się milioner. – Ma pan rację.

Miał powiedzieć coś jeszcze, ale się pohamował. Lubił Knightona i ufał mu, ale nie mógł przecież dyskutować z sekretarzem o prywatnym życiu swojej córki. Brak otwartości ze strony Ruth głęboko go ranił, a ta przypadkowa informacja jeszcze pogłębiła jego podejrzenia.

Dlaczego Ruth pozbyła się służącej w Paryżu? Kto albo co ją do tego skłoniło?

Przez parę chwil zastanawiał się nad dziwnym zbiegiem okoliczności. Skąd Ruth mogłaby się spodziewać, choćby w najśmielszych rozważaniach, że pierwszą osobą, na którą jej pokojówka wpadnie w Paryżu, będzie sekretarz ojca? A jednak to właśnie się zdarzyło. I w ten sposób wszystko wyszło na jaw.

Milioner skrzywił się na ostatnie określenie, które zupełnie naturalnie pojawiło się w jego umyśle. Czyżby więc istniały sprawy, mogące „wyjść na jaw"? Postawił sobie to pytanie z wielką niechęcią; nie miał najmniejszych wątpliwości co do odpowiedzi. Odpowiedź – był tego pewien – brzmiała: Armand de la Roche.

Van Aldina wielką goryczą napawał fakt, że jego córka dała się wystrychnąć na dudka takiemu człowiekowi, musiał jednak przyznać, że znalazła się w dobranym towarzystwie – wiele innych inteligentnych i wykształconych kobiet równie łatwo uległo urokom hrabiego. Mężczyźni, w przeciwieństwie do kobiet, potrafili go przejrzeć w lot.

Szukał w myślach wyrażenia, które uśpiłoby wszelkie podejrzenia sekretarza, na wypadek gdyby ten jakieś żywił.

– Ruth zawsze zmienia decyzje pod wpływem chwili – zauważył, a potem dodał pozornie niedbałym tonem: – Służąca nic nie mówiła o powodach tej... hm, zmiany planów?

Knighton postarał się, aby jego głos brzmiał całkowicie naturalnie.

– Mówiła, że pani Kettering niespodziewanie spotkała kogoś znajomego – odparł.

– Doprawdy?

Wyćwiczone ucho sekretarza złowiło nutkę napięcia w na pozór obojętnym głosie milionera.

– Aha. Mężczyznę czy kobietę?

– Chyba mężczyznę.

Van Aldin skinął głową. Spełniły się jego najgorsze obawy. Wstał i zaczął się przechadzać po pokoju, jak zwykle, kiedy był poruszony. W końcu wybuchnął, niezdolny dłużej tłumić swoje uczucia.

– Istnieje jedna rzecz, której nie udało się dokonać żadnemu mężczyźnie: zmusić kobietę, by posłuchała głosu rozsądku. Nie wiem, jak to się dzieje, ale sprawiają wrażenie, że nie mają za grosz rozumu. Tyle się mówi o kobiecej intuicji... i rzeczywiście, wszyscy doskonale wiedzą, że ciągną za każdym przeklętym oszustem. Jedna na dziesięć pozna łajdaka, kiedy go spotka; dają się zwieść każdemu przystojnemu typowi, byle umiał prawić słodkie słówka. Gdybym mógł...

Przerwało mu wejście gońca z telegramem. Van Aldin rozdarł kopertę i jego twarz zrobiła się nagle biała jak kreda. Chwycił się oparcia krzesła, żeby nie stracić równowagi, i gestem odprawił posłańca.

– Co się stało, proszę pana?

– Ruth! – ochryple wyszeptał milioner.

– Pani Kettering?

– Nie żyje!

– Wypadek kolejowy?

Van Aldin pokręcił głową.

– Nie. Wydaje się, że ją obrabowano. Nie piszą tego wprost, Knighton, ale została zamordowana!

– O, mój Boże!

Van Aldin wskazał telegram.

– Policja z Nicei. Muszę tam jechać pierwszym pociągiem.

Knighton okazał się sprawny jak zawsze. Spojrzał na zegar.

– Najbliższy odchodzi o piątej z Victoria Station.

– W porządku. Pojedzie pan ze mną. Proszę zawiadomić mojego służącego Archera i niech pan sam też się spakuje. Proszę się tu wszystkim zająć. Ja muszę jeszcze iść na Curzon Street.

Rozległ się ostry dzwonek telefonu, sekretarz podniósł słuchawkę.

– Tak, słucham?… Pan Goby, proszę pana – zwrócił się do milionera.

– Goby? Nie mogę się z nim teraz zobaczyć. Zaraz, niech pan czeka, mamy mnóstwo czasu. Niech go przyślą na górę.

Van Aldin był człowiekiem o silnym charakterze. Zdążył już odzyskać swój kamienny spokój. Po sposobie, w jaki powitał pana Goby'ego, trudno byłoby poznać, że coś się wydarzyło.

– Śpieszę się, Goby. Ma pan dla mnie coś ważnego?

Pan Goby odchrząknął.

– Posunięcia pana Ketteringa, proszę pana. Życzył pan sobie, żebym z nich zdał relację.

– Tak. Słucham.

– Pan Kettering, proszę pana, wczoraj rano wyjechał na Riwierę.

– Co?

Coś w głosie Van Aldina musiało przestraszyć pana Goby'ego. Zacny ten dżentelmen porzucił swój zwyczaj niepatrzenia na osobę, z którą rozmawia i spojrzał ukradkiem na milionera.

– Którym pociągiem pojechał? – spytał ostro Van Aldin.

– Błękitnym Ekspresem, proszę pana. – Pan Goby odchrząknął znowu i przemówił do zegara stojącego na gzymsie kominka: – Panna Mirelle, tancerka z Parthenonu, wyjechała tym samym pociągiem.

XIV

Opowieść Ady Mason

–Brak mi słów, *monsieur*, by wyrazić przerażenie, niepokój i głębokie współczucie, jakie żywimy dla pana.

W taki oto sposób pan Carrège, sędzia śledczy, zwrócił się do Van Aldina. Komisarz Caux chrząknął współczująco. Van Aldin jednym gestem odsunął od siebie przerażenie, niepokój i współczucie. Scena rozgrywała się w pokoju przesłuchań sądu miejskiego w Nicei. Oprócz pana Carrège'a, komisarza i Van Aldina w pomieszczeniu znajdował się jeszcze jeden człowiek. I to on teraz przemówił.

– Pan Van Aldin – powiedział – oczekuje działania. Szybkiego działania.

– Ach! – wykrzyknął komisarz. – Nie przedstawiłem panów. Panie Van Aldin, oto *monsieur* Herkules Poirot, niewątpliwie słyszał pan o nim. Aczkolwiek parę lat temu przeszedł na emeryturę, nadal pozostaje jednym z największych żyjących detektywów.

– Miło mi pana poznać – powiedział milioner, machinalnie wracając do sposobu mówienia, który zarzucił przed kilkoma laty. – Zrezygnował pan z uprawiania zawodu?

– Tak, *monsieur*. Cieszę się życiem. – Mały człowieczek wykonał napuszony gest.

– Tak się składa, że pan Poirot podróżował Błękitnym Ekspresem – wyjaśnił komisarz – i wspaniałomyślnie zgodził się wesprzeć nas swoim ogromnym doświadczeniem.

Milioner spojrzał bystro na detektywa. Potem powiedział nieoczekiwanie:

– Jestem bardzo bogatym człowiekiem, panie Poirot. Mówi się zwykle, że bogacze żyją w przekonaniu, iż mogą kupić wszystko i każdego. To nieprawda. Na swój sposób jestem wielkim człowiekiem, a jeden wielki człowiek może poprosić drugiego o przysługę.

Poirot skinął głową.

– Doskonale powiedziane, panie Van Aldin. Oddaję się całkowicie do pańskiej dyspozycji.

– Dziękuję – odparł milioner. – Mogę obiecać tylko jedno: jeśli kiedykolwiek zwróci się pan do mnie, może pan liczyć na moją wdzięczność. A teraz, panowie, do pracy.

– Proponuję, żeby przesłuchać służącą, Adę Mason – powiedział pan Carrège. – Jak rozumiem, jest tutaj?

– Tak – potwierdził Van Aldin. – Odnaleźliśmy ją w Paryżu. Bardzo ją zmartwiła wiadomość o śmierci pracodawczyni, ale dość składnie opowiedziała swoją historię.

– A więc wezwijmy ją tutaj – powiedział pan Carrège.

Nacisnął guzik na biurku i po chwili do pokoju weszła Ada Mason.

Była ubrana na czarno, koniuszek nosa miała czerwony. Szare podróżne rękawiczki zmieniła na inne, z czarnego zamszu. Omiotła niespokojnym spojrzeniem pokój przesłuchań; zdawało się, że na widok ojca swojej pani poczuła ulgę. Sędzia śledczy szczycił się bardzo swoimi łagodnymi manierami i robił wszystko, co w jego mocy, by ją ośmielić. Pomagał mu w tym Poirot, pełniący obowiązki tłumacza. Jego przyjazne zachowanie podnosiło Angielkę na duchu.

– Nazywasz się Ada Mason, nieprawdaż?

– Na chrzcie dano mi na imię Ada Beatrice, proszę pana – sprostowała służąca.

– No właśnie. Rozumiemy, Mason, że to wszystko było dla ciebie bardzo ciężkie.

– Och, to prawda, proszę pana. Służyłam u wielu pań i wszystkie były ze mnie zadowolone. Nigdy nie myślałam, że coś takiego może mi się przydarzyć na posadzie.

– Naturalnie – zgodził się pan Carrège.

– Oczywiście, czytałam o takich historiach w dodatku niedzielnym. I zawsze mówiłam, że te zagraniczne pociągi... – pohamowała potok wymowy uświadamiając sobie nagle, że dżentelmeni, którzy z nią rozmawiają, są tej samej narodowości, co pociągi.

– Powtórzmy jeszcze raz, co się wydarzyło – powiedział pan Carrège. – Jak rozumiem, kiedy wyruszałyście z Londynu, nie było mowy o tym, że pani zostawi cię w Paryżu?

– Nie, proszę pana. Miałyśmy jechać prosto do Nicei.

– Czy kiedykolwiek byłaś już ze swoją panią za granicą?

– Nie, proszę pana. Widzi pan, służyłam u niej dopiero dwa miesiące.

– Czy na początku podróży zauważyłaś coś niezwykłego w jej zachowaniu?

– Wydawała się zmartwiona, jakby się czymś gryzła. Bardzo kaprysiła, trudno jej było dogodzić.

Pan Carrège pokiwał głową.

– A teraz, Mason, kiedy po raz pierwszy usłyszałaś, że masz czekać w Paryżu?

– To było na tej stacji, którą nazywają Gare de Lyon, proszę pana. Moja pani chciała rozprostować kości na peronie. Wychodziła na korytarz, kiedy nagle coś zawołała i wróciła do przedziału, a z nią jakiś dżentelmen. Zamknęła drzwi między swoją częścią i moją, więc nic nie widziałam ani nie słyszałam. Potem otworzyła drzwi i powiedziała, że zmieniła plany. Dała mi trochę pieniędzy i kazała wysiąść z pociągu, i iść do Ritza. Powiedziała, że dobrze ją tam znają i że dostanę pokój. Miałam czekać, póki mi nie da znać, co mam robić dalej. Ledwo zdążyłam pozbierać bagaże i wyskoczyć, zanim pociąg ruszył.

– Gdzie był ten dżentelmen, kiedy pani Kettering to mówiła?

– W drugim pomieszczeniu, proszę pana, wyglądał przez okno.

– Potrafisz opisać, jak wyglądał?

– To znaczy, proszę pana, trudno powiedzieć, że go widziałam. Prawie cały czas stał odwrócony plecami. Wiem tyle, że był wysoki i miał ciemne włosy. Ubrany był w granatowy płaszcz i szary kapelusz.

– Pasażer?

– Nie wydaje mi się, proszę pana. Myślę raczej, że przyszedł na dworzec zobaczyć się z panią Kettering. Chociaż, oczywiście, mógł jechać tym pociągiem. Nie przyszło mi to do głowy.

Mason wydawała się trochę zbita z tropu taką możliwością.

Pan Carrège zręcznie zmienił temat.

– Twoja pani prosiła konduktora, żeby jej nie budził wcześnie rano. Czy zawsze wstawała późno?

– O tak, proszę pana. Pani nigdy nie jadała śniadania, a w nocy zwykle źle sypiała, więc lubiła sobie dłużej pospać rano.

Pan Carrège znowu zmienił temat.

– Wśród bagaży znajdowała się czerwona kasetka z marokinu. Twoja pani trzymała w niej kosztowności, prawda? – zapytał.

– Tak, proszę pana.

– Zabrałaś ją ze sobą do Ritza?

– Zabrać biżuterię pani! Ależ skąd, proszę pana – Mason wydawała się wstrząśnięta.

– Zostawiłaś ją w przedziale?

– Tak, proszę pana.

– Wiesz może, czy twoja pani zabrała ze sobą dużo biżuterii?

– Dość dużo, proszę pana. Niepokoiłam się trochę z tego powodu, wie pan, w związku z tym wszystkim, co opowiadają o kradzieżach za granicą. Były ubezpieczone, wiem, ale i tak pani się narażała na okropne ryzyko. Pani mówiła, że same rubiny są warte kilkaset tysięcy funtów.

– Rubiny! Jakie rubiny? – spytał niespodziewanie Van Aldin.

Mason odwróciła się do niego.

– Wydaje mi się, że to od pana je niedawno dostała.

– Mój Boże! – wykrzyknął milioner. – Nie powiesz chyba, że zabrała je ze sobą! Miała je zostawić w banku!

Mason odkaszlnęła dyskretnie, co najwyraźniej uważała za zachowanie właściwe dla służącej wielkiej damy. Tym razem wyrażało ono bardzo wiele. Mówiło, znacznie wyraźniej niż słowa, że pani należała do osób upartych i zdecydowanych, które kierują się własnymi kaprysami nie pytając nikogo o zdanie.

– Ruth musiała być szalona – mruknął Van Aldin. – Co ją opętało, na Boga?

Teraz z kolei zakasłał pan Carrège i również było to kaszlnięcie znaczące. Ściągnął w ten sposób na siebie uwagę milionera.

– Na razie to chyba wszystko – powiedział sędzia zwracając się do Mason. – Przejdź teraz do drugiego pokoju, przeczytają ci tam pytania i odpowiedzi, i podpiszesz swoje zeznania.

Ledwie Mason wyszła, eskortowana przez urzędnika, Van Aldin spytał sędziego:

– O co chodzi?

Pan Carrège otworzył szufladę, wyjął z niej jakiś list i wręczył go milionerowi.

– Znaleźliśmy to w torebce *madame.*

Droga Przyjaciółko – zaczynał się list. – *Posłucham Twojej rady; będę rozważny i dyskretny, choć przed tym właśnie serce kochanka wzdraga się najbardziej. Wyjazd do Paryża byłby, jak sądzę, nierozsądnym pomysłem; Isles d'Or leżą na uboczu, więc możesz być spokojna o nasze bezpieczeństwo. Jakie to do Ciebie podobne, że interesujesz się postępami pracy na temat słynnych klejnotów, którą właśnie piszę. Będzie dla mnie niezwykłym przywilejem móc zobaczyć i dotknąć tych słynnych rubinów. Mam zamiar poświęcić Sercu Płomienia osobny rozdział. Najdroższa! Wkrótce wynagrodzę Ci te wszystkie smutne lata naszej rozłąki.*

Twój na zawsze – Armand.

XV

Hrabia de la Roche

Van Aldin przeczytał list w milczeniu. Twarz pociemniała mu z gniewu. Obserwujący go mężczyźni zobaczyli, jak żyły występują mu na czole, a wielkie dłonie zaciskają się nieświadomie w pięści. Oddał list bez słowa. Pan Carrège wpatrywał się uważnie w blat stołu, pan Caux utkwił wzrok w suficie, a pan Herkules Poirot był zajęty zdejmowaniem jakiegoś pyłka z rękawa surduta. Taktownie nie patrzyli na Van Aldina.

Wreszcie pan Carre`ge, świadom swej pozycji i obowiązków, odważył się poruszyć nieprzyjemny temat.

– Czy wie pan może, kto jest autorem tego listu? – zapytał półgłosem.

– Tak, wiem – odparł ciężko milioner.

– Tak? – ponaglił sędzia.

– Łajdak, który każe się tytułować hrabią de la Roche.

Zapadło milczenie. Poirot nachylił się do przodu, przesunął linijkę leżącą na biurku sędziego i zwrócił się wprost do milionera:

– Panie Van Aldin, jesteśmy wszyscy w najwyższym stopniu świadomi bólu, jaki musi panu sprawiać mówienie o tych sprawach, ale proszę mi wierzyć, *monsieur*, nie czas teraz na dyskrecję. Jeśli sprawiedliwość ma zatryumfować, musimy wiedzieć o wszystkim. Proszę się nad tym zastanowić przez chwilę, a jestem pewien, że przyzna mi pan rację.

Van Aldin milczał przez jakiś czas, po czym niemal niechętnie skinął głową na znak zgody.

– Ma pan całkowitą rację, Poirot – powiedział. – Bez względu na to, jak bolesna to sprawa, nie mam prawa nic przemilczać.

Komisarz odetchnął z ulgą, a sędzia śledczy odchylił się na krześle i poprawił binokle na swoim długim cienkim nosie.

– Może opowie pan własnymi słowami, co wie o tym dżentelmenie – zaproponował.

– Wszystko zaczęło się jedenaście czy dwanaście lat temu w Paryżu. Moja córka była wtedy podlotkiem, pełnym naiwnych, romantycznych marzeń. Bez mojej wiedzy nawiązała znajomość z hrabią de la Roche. Zapewne panowie o nim słyszeli?

Komisarz i Poirot skinęli głowami na znak zgody.

– Każe się tytułować hrabią, ale wątpię czy ma do tego jakiekolwiek prawo.

– Nie znalazłby pan jego nazwiska w Almanachu Gothajskim – zgodził się komisarz.

– Tak, wiem. Przystojny, obłudny łajdak, wzbudzający w kobietach zgubną fascynację. Ruth dała mu się zwieść, ale ja szybko uciąłem całą sprawę. Ten człowiek był niczym więcej niż zwykłym, pospolitym oszustem.

– Zgadzam się z panem w zupełności – powiedział komisarz. – Hrabia de la Roche jest nam dobrze znany. Gdyby to było możliwe, już dawno wsadzilibyśmy go za kratki, ale, *ma foi*, jest szczwany jak lis i zawsze jego ofiarą padały kobiety z wyższych sfer. Jeśli wyłudza od nich pieniądze pod fałszywym pretekstem albo w drodze szantażu, sprawa oczywiście nie trafia do sądu. Ośmieszyć się w oczach świata? Nie, tego się nie robi, a on ma nad kobietami niezwykłą władzę.

– To prawda – potwierdził milioner ponuro. – No więc, jak już mówiłem, przerwałem romans dość zdecydowanie.

Wyjaśniłem Ruth, kim jest ten człowiek; była zmuszona mi uwierzyć. Mniej więcej rok później poznała Ketteringa i wyszła za niego. O ile mi wiadomo, taki był koniec tamtej historii, ale zaledwie tydzień temu odkryłem ze zdumieniem, że moja córka odnowiła znajomość z hrabią de la Roche. Spotykała się z nim często w Londynie i w Paryżu. Robiłem jej z tego powodu wymówki, wyrzucając lekkomyślność, bo muszą panowie wiedzieć, że na moje nalegania zgodziła się wnieść sprawę o rozwód.

– Interesujące – mruknął Poirot z wzrokiem wbitym w sufit.

Van Aldin spojrzał na niego z naganą i mówił dalej:

– Zwróciłem jej uwagę, że dalsze widywanie się z hrabią w tych okolicznościach świadczy o braku ostrożności. Myślałem, że przyznała mi rację.

Sędzia śledczy odkaszlnął cicho.

– A wracając do listu… – zaczął.

Usta milionera zacisnęły się w surową linię.

– Wiem. Nie ma co owijać w bawełnę. Trzeba stawić czoło faktom, bez względu na to, jak są nieprzyjemne. Wydaje się oczywiste, że Ruth zaaranżowała wyjazd do Paryża, by się z nim spotkać. Jednak po moich ostrzeżeniach musiała napisać do hrabiego proponując zmianę miejsca spotkania.

– Isles d'Or – powiedział komisarz w zamyśleniu – leżą naprzeciw Hyères. Bardzo malownicze i odludne miejsce.

Van Aldin pokiwał głową.

– Mój Boże! Jak Ruth mogła być taka naiwna! – wykrzyknął gorzko. – Całe to gadanie, że pisze książkę o kamieniach szlachetnych! Od początku chodziło mu tylko o rubiny.

– Słyszałem o pewnych rubinach – powiedział Poirot – które należały do klejnotów korony rosyjskiej. Są unikatowe, a ich wartość jest wprost legendarna. Ostatnio pojawiły się plotki, że jakiś Amerykanin wszedł w ich posiadanie. Czy mamy rację sądząc, że to pan był nabywcą, *monsieur*?

– Tak – odparł Van Aldin. – Kupiłem je w Paryżu jakieś dziesięć dni temu.

– Wybaczy pan pytanie, ale jak długo negocjował pan cenę?

– Nieco ponad dwa miesiące. Dlaczego pan pyta?

– Takie rzeczy się rozchodzą – odparł detektyw. – Za klejnotami takiej wartości rzuca się w pościg cały tłum.

Twarz milionera wykrzywił grymas.

– Pamiętam – powiedział łamiącym się głosem – jak żartowałem, dając jej rubiny w prezencie. Powiedziałem, by nie zabierała ich do Paryża, bo nie chcę, żeby z ich powodu została zabita i obrabowana. Mój Boże! Co to człowiek czasem wygaduje, nie podejrzewając nawet, że może się to stać prawdą.

Zapadła pełna współczucia cisza. Przerwał ją dopiero Poirot.

– Uporządkujmy fakty, dokładnie i w kolejności – powiedział rzeczowo. – Zgodnie z naszą obecną teorią wyglądają one następująco: hrabia de la Roche wie o pańskiej transakcji. Za pomocą prostego wybiegu sprawia, że pani Kettering zabiera ze sobą rubiny. On jest więc tym mężczyzną, którego Mason widziała w Paryżu.

Pozostali trzej potaknęli.

– *Madame* jest zaskoczona jego widokiem, ale szybko się opanowuje. Mason zostaje odesłana, pani Kettering zamawia kolację do przedziału. Wiemy od konduktora, że pościelił łóżko w pierwszym pomieszczeniu, ale nie wchodził do drugiego, więc mężczyzna łatwo mógł się przed nim ukryć. Jak do tej pory, z punktu widzenia hrabiego, wszystko doskonale się składa. Nikt poza *madame* nie wie o jego obecności w pociągu, zadbał, by służąca nie zobaczyła jego twarzy. Jedyne, co może ona powiedzieć, to że mężczyzna, którego widziała, był wysoki i ciemnowłosy. Taki opis pasuje niemal do każdego. Są sami, pociąg mknie przez noc. Wszystko odbywa się bez walki, cicho, pani Kettering ma przecież do czynienia z kochankiem. – Poirot zwrócił się do milionera. – Śmierć musiała nastąpić niemal natychmiast. Nie będziemy się nad tym rozwodzić. Hrabia zabiera kasetkę z biżuterią. Wkrótce potem pociąg wjeżdża na dworzec w Lyonie.

Pan Carrège skinął z uznaniem.

– Właśnie tak. Konduktor wychodzi na peron. Zabójca bez trudu wymyka się niezauważony. Szybko łapie pociąg do Paryża czy gdziekolwiek indziej. A zbrodnia zostaje przedstawiona jako zwykły rabunek. Gdyby nie list znaleziony w torebce *madame*, nikt by go nie podejrzewał.

– To, że nie przeszukał torebki, było z jego strony poważnym przeoczeniem – stwierdził komisarz.

– Najwyraźniej sądził, że pani Kettering zniszczyła list. Zatrzymując go, wybaczy pan, popełniła ogromną niedyskrecję.

– A jednak – mruknął Poirot – tę niedyskrecję hrabia mógł przewidzieć.

– Sugeruje pan...?

– Wszyscy zgodziliśmy się co do jednego, a mianowicie, że hrabia de la Roche jest wielkim znawcą kobiecych charakterów. Jak to możliwe, by znając kobiety tak dobrze nie przewidział, że *madame* zachowa jego list?

– No taak... – powiedział sędzia bez przekonania. – Jest coś w tym, co pan mówi. Ale w podobnych sytuacjach, sam pan rozumie, człowiek nie jest w pełni sobą. Nie rozumuje na zimno. *Mon Dieu!* – dodał z uczuciem. – Gdyby nasi przestępcy nie tracili głowy, nigdy nie udawałoby się nam ich złapać!

Poirot uśmiechnął się pod wąsem.

– Wydaje mi się, że sprawa jest prosta – mówił dalej sędzia – tylko trudna do udowodnienia. Hrabia to chytra sztuka i jeśli służąca nie zdoła go zidentyfikować...

– ...co jest bardzo prawdopodobne – wtrącił Poirot.

– Prawda – zgodził się sędzia śledczy i potarł podbródek. – To nie będzie łatwe.

– Jeśli rzeczywiście popełnił zbrodnię... – zaczął Poirot.

– Jeśli? Powiedział pan „jeśli"? – przerwał mu pan Caux.

– Tak, panie komisarzu, powiedziałem „jeśli".

Komisarz popatrzył na niego surowo.

– Ma pan rację – przyznał po chwili. – To nie takie proste. Niewykluczone, że hrabia przygotował sobie alibi. Wyszlibyśmy wtedy na głupców.

– Może mieć alibi – odparł Poirot. – To nie ma większego znaczenia. Człowiek o doświadczeniu hrabiego nie zaniedbuje podjęcia środków ostrożności. Nie, powiedziałem „jeśli" z bardzo prostego powodu: ponieważ istnieje jeszcze jedna przeszkoda.

– To znaczy?

Poirot podniósł palec.

– Psychologia – powiedział z naciskiem.

– Co? – spytał komisarz.

– Brak uzasadnienia psychologicznego. Prawda, hrabia to łajdak. Jest oszustem, zgadza się. Wykorzystuje kobiety; jak najbardziej. Zamierza ukraść klejnoty *madame*, i znowu racja. Czy człowiek tego pokroju posunąłby się do morderstwa? Jestem przekonany, że nie! Człowiek w rodzaju hrabiego jest zawsze tchórzem, unika ryzyka, nie stawia wszystkiego na jedną kartę. – Pokręcił głową z dezaprobatą.

Sędzia śledczy, jak się wydawało, nie był skłonny się z nim zgodzić.

– Wcześniej czy później nadchodzi dzień, kiedy ktoś taki traci głowę i posuwa się zbyt daleko – zauważył. – Niewątpliwie tak było w tym wypadku. Nie chciałbym się z panem spierać, Poirot, ale...

– Wyraziłem tylko swoje przekonanie – pospiesznie wyjaśnił detektyw. – Oczywiście, to pan kieruje całą sprawą i zrobi pan, co uważa za stosowne.

– Osobiście jestem przekonany, że powinniśmy aresztować hrabiego de la Roche – powiedział pan Carrège. – Zgadza się pan ze mną, komisarzu?

– Całkowicie.

– A pan, panie Van Aldin?

– Tak – odparł milioner. – Tak. Ten człowiek to łotr najgorszego gatunku, nie ma co do tego najmniejszych wątpliwości.

– Obawiam się, że trudno go będzie dopaść – powiedział sędzia – ale zrobimy, co w naszej mocy. Zaraz roześlę instrukcje.

– Chyba mógłbym panom pomóc – wtrącił się Poirot. – I oszczędzić kłopotu.

Pozostali spojrzeli na niego. W odpowiedzi mały człowieczek uśmiechnął się promiennie.

– Wiedzieć o różnych rzeczach to mój zawód – wyjaśnił. – Hrabia jest człowiekiem inteligentnym. Obecnie przebywa w Antibes, w Villa Marina, którą wynajmuje.

XVI

Poirot dyskutuje o sprawie

Zebrani spojrzeli z szacunkiem na detektywa. Pozycja małego człowieczka wyraźnie wzrosła. Komisarz roześmiał się z lekkim przymusem.

– Powinniśmy się od pana uczyć! – wykrzyknął. – Pan Poirot wie więcej niż policja.

Poirot był wyraźnie zadowolony, ale spojrzał w sufit przyjmując pozę fałszywej skromności.

– Ale co też pan... To moja prywatna pasja – odparł półgłosem. – Oczywiście mam mnóstwo czasu, żeby się jej oddawać. Nie jestem przytłoczony nadmiarem spraw.

Komisarz pokręcił głową z zazdrością.

– Co do mnie, to... – wykonał teatralny gest, mający wskazywać, jak wielka odpowiedzialność spoczywa na jego barkach.

Poirot zwrócił się nagle do Van Aldina.

– Zgadza się pan, *monsieur*, z tym punktem widzenia? Jest pan przekonany, że hrabia de la Roche to morderca?

– No cóż, zdaje się że tak... tak, z pewnością.

Sędzia śledczy spojrzał uważnie na milionera, słysząc w jego głosie lekkie wahanie. Wydawało się, że Van Aldin zdaje sobie z tego sprawę, bo poruszył się niespokojnie, jakby chciał strząsnąć z siebie wątpliwości.

– A co z moim zięciem? – spytał. – Zawiadomili go już panowie? Słyszałem, że przebywa w Nicei?

– Oczywiście, *monsieur*. – Komisarz zawahał się, po czym zapytał bardzo ostrożnie: – Wie pan niewątpliwie, że pan Kettering również był pasażerem Błękitnego Ekspresu tamtej nocy?

Milioner skinął głową.

– Dowiedziałem się tuż przed wyjazdem z Londynu – poinformował lakonicznie.

– Pan Kettering twierdzi – ciągnął komisarz – że nie wiedział, iż jego żona jedzie tym samym pociągiem.

– Założę się, że mówi prawdę – ponuro przyświadczył Van Aldin. – Gdyby ją spotkał, musiałoby to być dla niego niemiłe zaskoczenie.

Pozostali spojrzeli na niego pytająco.

– Nie ma co owijać w bawełnę. Bóg jeden wie, ile musiała wycierpieć moja biedna córka. Derek Kettering nie podróżował sam. Był w towarzystwie kobiety – wyjaśnił milioner ze złością.

– Ach tak?

– Niejakiej Mirelle, tancerki.

Pan Carrège i komisarz popatrzyli na siebie i skinęli głowami, jakby potwierdzając wcześniejsze przypuszczenia. Pan Carrège odchylił się na krześle, splótł dłonie i utkwił wzrok w suficie.

– Ach tak – powtórzył. – Mówiono o tym... – odkaszlnął. – Krążyły plotki...

– To bardzo znana pani – powiedział pan Caux.

– I bardzo kosztowna – dodał Poirot cicho.

Van Aldin poczerwieniał. Uderzył pięścią w stół.

– Sami widzicie – wykrzyknął – że mój zięć to przeklęty łajdak! – Gniewnym spojrzeniem przebiegł po twarzach zgromadzonych. – Tak, wiem – ciągnął. – Jest przystojny i miły w obejściu. Sam dałem się na to nabrać w przeszłości. Pewnie udawał, że mu serce pęka, kiedy usłyszał wiadomość... oczywiście, jeśli nie dowiedział się wcześniej.

– Był zaskoczony... i przygnębiony.

– Przeklęty hipokryta – powiedział Van Aldin. – Udawał wielki ból, prawda?

– N-nie – odparł komisarz ostrożnie. – Tego bym nie powiedział... Panie Carrège?

Sędzia zetknął dłonie koniuszkami palców i przymknął oczy.

– Zdumienie, zaskoczenie, smutek... tak – oświadczył. – Wielki ból? Nie, nie wydaje mi się.

Raz jeszcze odezwał się Poirot.

– Pozwoli pan, że zapytam, *monsieur* Van Aldin, czy pan Kettering zyskuje coś na śmierci żony?

– Zyskuje i to ładnych parę milionów – odparł Val Aldin.

– Dolarów?

– Funtów. Złożyłem tę sumę do wyłącznej dyspozycji Ruth z okazji ślubu. Nie spisała testamentu i nie miała dzieci, więc pieniądze przejdą na jej męża.

– Z którym właśnie miała się rozwieść – uzupełnił Poirot. – Doskonale.

Komisarz spojrzał na niego surowo.

– Sugeruje pan...?

– Nie – odparł Poirot. – Porządkuję fakty, to wszystko.

Van Aldin popatrzył na detektywa z rozbudzonym na nowo zainteresowaniem.

Mały człowieczek wstał z miejsca.

– Nie będę panom zabierał więcej czasu – powiedział uprzejmie, kłaniając się panu Carrège. – Byłbym bardzo zobowiązany, gdyby zechciał mnie pan informować o dalszych postępach śledztwa.

– Ależ oczywiście, oczywiście.

Van Aldin wstał również.

– Jestem jeszcze panom potrzebny?

– Nie, dziękujemy *monsieur*, uzyskaliśmy wszystkie informacje, o które nam chodziło.

– W takim razie przejdę się trochę z panem Poirot. Oczywiście, o ile nie ma nic przeciwko temu.

– Absolutnie, *monsieur* – odparł detektyw z ukłonem.

Milioner zapalił grube cygaro, poczęstował również detektywa. Poirot podziękował i zamiast tego wyciągnął jednego ze swoich cienkich papierosów. Van Aldin, człowiek o wielkiej sile charakteru, zachowywał się jak zawsze, jakby nic się nie stało. Przez pewien czas szli w milczeniu, po czym Van Aldin odezwał się:

– Rozumiem, panie Poirot, że nie praktykuje już pan w swoim zawodzie?

– To prawda. Korzystam z życia.

– A jednak pomaga pan policji w tej sprawie?

– Proszę pana, jeśli lekarz idąc ulicą jest świadkiem wypadku, to czy powie: „Jestem na emeryturze, nie będę przerywał spaceru", gdy ofiara wykrwawia się u jego stóp na śmierć? Gdybym był w Nicei i policja zwróciła się do mnie, odmówiłbym. Ale tę sprawę powierzył mi sam dobry Bóg.

– Był pan na miejscu – powiedział Van Aldin w zamyśleniu. – Widział pan przedział, prawda?

Poirot skinął głową.

– Mam nadzieję, że rozumie pan, do czego zmierzam? – spytał milioner. – Wina hrabiego de la Roche wydaje mi się oczywista, ale nie jestem głupcem. Obserwowałem pana przez ostatnią godzinę i doszedłem do przekonania, że z jakiegoś powodu, znanego tylko panu, nie zgadza się pan z tą teorią.

Poirot wzruszył ramionami.

– Mogę się mylić.

– I tu dochodzimy do przysługi, o którą chciałem pana prosić. Czy zgodziłby się pan występować w tej sprawie w moim imieniu?

– Pana osobiście?

– To właśnie miałem na myśli.

Poirot milczał przez jakiś czas. Potem powiedział:

– Zdaje pan sobie sprawę, o co pan prosi?

– Sądzę, że tak – odparł milioner.

– Doskonale – powiedział detektyw. – Zgadzam się. Ale w takim razie musi mi pan szczerze odpowiedzieć na parę pytań.

– Oczywiście. Rozumie się.

Zachowanie detektywa nagle uległo zmianie. Stał się szorstki i rzeczowy.

– Jeśli chodzi o rozwód… To pan doradził córce wnieść sprawę do sądu?

– Tak.

– Kiedy?

– Jakieś dziesięć dni temu. Dostałem od niej list, w którym skarżyła się na męża, i przekonałem ją, że rozwód jest jedynym rozwiązaniem.

– Na co się uskarżała?

– Widywano go z osobą o bardzo wątpliwej reputacji… tą, o której rozmawialiśmy, Mirelle.

– Tancerką… I *madame* Kettering wyraziła sprzeciw? Czy bardzo kochała męża?

– Tak bym tego nie ujął. – Van Aldin zawahał się lekko.

– Ucierpiało nie tyle jej serce, ile duma, tak?

– Tak, chyba można tak powiedzieć.

– Rozumiem, że od początku nie było to szczęśliwe małżeństwo?

– Derek Kettering jest zepsuty do szpiku kości – powiedział Van Aldin. – Nie potrafiłby dać szczęścia żadnej kobiecie.

– Doskonale. Doradza pan córce wnieść sprawę o rozwód, ona wyraża zgodę; konsultuje się pan z prawnikiem. Kiedy pan Kettering dowiedział się, na co się zanosi?

– Sam po niego posłałem i powiadomiłem go, jakie kroki zamierzam podjąć.

– Jak na to zareagował? – spytał cicho Poirot.

Twarz Van Aldina pociemniała na wspomnienie.

– Był diabelnie zuchwały.

– Wybaczy pan pytanie, ale czy wspominał hrabiego de la Roche?

– Nie z nazwiska – burknął milioner niechętnie – ale dał do zrozumienia, że wie o jego istnieniu.

– Jeśli można spytać, jaka była sytuacja finansowa pana Ketteringa w tym czasie?

– Dlaczego zakłada pan, że mi coś o tym wiadomo? – spytał Van Aldin po bardzo krótkim wahaniu.

– Prawdopodobnie zasięgnął pan wiadomości na ten temat.

– Taak... ma pan zupełną rację, zrobiłem tak. Odkryłem, że Kettering nie ma złamanego grosza.

– A teraz odziedziczył dwa miliony funtów! Życie jest dziwne, nieprawdaż?

Van Aldin spojrzał na niego ostro.

– Co pan sugeruje?

– Moralizuję – odparł Poirot. – Zastanawiam się, snuję filozoficzne rozważania. Ale wróćmy do naszej rozmowy. Niewątpliwie pan Kettering nie bez oporu zgodził się na to, by go rozdzielono z żoną.

Van Aldin milczał przez chwilę, po czym powiedział:

– Nie wiem dokładnie, jakie były jego zamiary.

– Czy potem komunikował się pan z nim?

I znowu po krótkiej pauzie milioner odpowiedział:

– Nie.

Poirot stanął jak wryty, uchylił kapelusza i wyciągnął rękę.

– Muszę pana pożegnać, *monsieur*. Niestety nic dla pana nie mogę zrobić.

– Co się stało? – spytał Van Aldin ze złością.

– Nie mogę nic zrobić, jeśli nie poznam prawdy.

– Nie rozumiem, o co panu chodzi.

– Sądzę, że pan rozumie. Zapewniam pana, potrafię być dyskretny.

– Dobrze więc – powiedział milioner. – Przyznaję, nie powiedziałem wszystkiego. Kontaktowałem się z moim zięciem.

– Tak?

– Ściślej, wysłałem sekretarza, majora Knightona, żeby się z nim zobaczył. Poleciłem wypłacić panu Ketteringowi sto tysięcy funtów w gotówce, jeśli odstąpi od bronienia sprawy.

– Ładna sumka – zauważył Poirot z uznaniem. – Jak brzmiała odpowiedź pańskiego zięcia?

– Kazał mi się wynosić do diabła – odparł milioner. Poirot nie przejawiał żadnych emocji. Właśnie w tym momencie metodycznie porządkował fakty.

– *Monsieur* Kettering zeznał na policji, że nie widział się ani nie rozmawiał z żoną w czasie podróży z Anglii. Czy skłonny jest pan uwierzyć w jego oświadczenie?

– Tak – odparł Van Aldin. – Powiedziałbym nawet, że zrobiłby wszystko, by go nie zobaczyła.

– Dlaczego?

– Bo był w towarzystwie innej kobiety.

– Mirelle?

– Tak.

– W jaki sposób dowiedział się pan o tym?

– Mój człowiek, któremu kazałem śledzić pana Ketteringa, doniósł mi, że oboje mają zamiar jechać tym pociągiem.

– Rozumiem – powiedział Poirot. – W takiej sytuacji, jak sam pan zauważył przed chwilą, mało prawdopodobne, żeby próbował się zobaczyć z panią Kettering.

Mały człowieczek pogrążył się w myślach. Van Aldin nie przerywał jego medytacji.

XVII

Dżentelmen z wyższych sfer

– Czy byłeś już kiedyś na Riwierze, Georges? – spytał Poirot swojego służącego następnego ranka.

George był bardzo angielską osobistością o nieco drewnianym wyrazie twarzy.

– Tak, proszę pana. Dwa lata temu, kiedy służyłem u lorda Edwarda Framptona.

– A dzisiaj – mruknął jego pracodawca – jesteś tutaj z Herkulesem Poirot. Awansujesz, mój chłopcze.

Służący nie odpowiedział na tę uwagę. Po odpowiednio długiej chwili zapytał:

– Brązowy garnitur, proszę pana? Wiatr dzisiaj wydaje się dość chłodny.

– Na kamizelce jest tłusta plama – zaoponował Poirot. – Spadł mi na nią kawałek *filet de sole à la Jeanette*, kiedy jadłem obiad u Ritza w ubiegły wtorek.

– Teraz plamy już nie ma – powiedział George z lekką urazą. – Wywabiłem ją.

– *Tres bien!* – wykrzyknął Poirot. – Jestem z ciebie bardzo zadowolony, Georges.

– Dziękuję panu.

Zapadła cisza. Po chwili Poirot mruknął w zamyśleniu:

– Załóżmy, Georges, że pochodzisz z tej samej sfery społecznej co twój poprzedni pracodawca, lord Edward Frampton. Jesteś bez grosza, ale poślubiłeś niezwykle bogatą kobietę. I gdyby nagle ta kobieta, z bardzo uzasadnionych powodów, postanowiła się z tobą rozwieść, co byś zrobił?

– Spróbowałbym ją przekonać, żeby zmieniła zamiar, proszę pana – odparł służący.

– Za pomocą perswazji czy siły?

George wyglądał na zaskoczonego.

– Za przeproszeniem – powiedział – ale dżentelmen, prawdziwy arystokrata, nie zachowuje się jak straganiarz z Whitechapel. Nie zniżyłby się do podłości.

– Czy aby naprawdę, Georges? Właśnie się zastanawiam. No cóż, może i masz rację.

Zapukano do drzwi. George podszedł i dyskretnie uchylił je na jakieś dwa cale. Nastąpiła cicha wymiana zdań, po czym służący zwrócił się do Poirota.

– Wiadomość do pana.

Poirot wziął kartkę. Pochodziła od pana Caux, komisarza policji.

Zamierzamy przesłuchać hrabiego de la Roche. Sędzia śledczy bardzo nalega, żeby był pan przy tym obecny.

– Szybko, Georges, mój surdut! Muszę się pospieszyć!

Kwadrans później, w nienagannym brązowym garniturze, Poirot wchodził do pokoju sędziego śledczego. Pan Caux czekał już na miejscu; obaj wraz z panem Carrège powitali detektywa bardzo uprzejmie.

– Zdaje się, że wszystko na nic – powiedział pan Caux półgłosem. – Hrabia przyjechał do Nicei na dzień przed zabójstwem.

– Jeśli to prawda, nie ma się czym przejmować – odparł Poirot.

Pan Carrège odchrząknął.

– Nie możemy przyjąć tego alibi bez bardzo szczegółowego zbadania – oświadczył. Nacisnął dzwonek stojący na biurku.

W następnej minucie do pokoju wszedł wysoki smagły mężczyzna. Był elegancko ubrany, zachowywał się z pewną wyniosłością. Wyglądał niezwykle arystokratycznie. Twierdzenie, iż jego ojciec był handlarzem zboża z Nantes – co, nawiasem mówiąc, było prawdą – wydawało się czystą herezją. Patrząc na niego można by przysiąc, że liczne zastępy jego przodków zginęły na gilotynie podczas rewolucji francuskiej.

– Oto jestem, panowie – oświadczył dumnie hrabia. – Czy mógłbym się dowiedzieć, w jakim celu zostałem wezwany?

– Proszę siadać, panie hrabio – powiedział uprzejmie sędzia śledczy. – Chodzi o sprawę śmierci pani Kettering, którą się obecnie zajmujemy.

– Śmierci pani Kettering? Nie rozumiem.

– O ile mi wiadomo był pan... ehem!... znajomym tej damy.

– Oczywiście, że byłem jej znajomym. Co to ma do rzeczy?

Włożył monokl i obrzucił gabinet chłodnym spojrzeniem. Jego wzrok zatrzymał się na dłużej na Poirocie, który przypatrywał mu się z czymś w rodzaju naiwnego podziwu, co mile połechtało próżność hrabiego. Pan Carrège odchylił się na krześle i odchrząknął.

– Nie wie pan zapewne, panie hrabio – zawiesił głos – że pani Kettering została zamordowana.

– Zamordowana? *Mon Dieu*, to przerażające!

Zaskoczenie i współczucie zostały doskonale odegrane – tak doskonale, że wydawały się niemal prawdziwe.

– *Madame* Kettering została uduszona na trasie między Paryżem i Lyonem – ciągnął pan Carrège – a jej biżuterię skradziono.

– To niedopuszczalne! – gorąco wykrzyknął hrabia. – Policja powinna coś zrobić z tymi kolejowymi bandytami! Nikt nie jest bezpieczny w dzisiejszych czasach.

– W torebce *madame* – ciągnął sędzia – znaleźliśmy list od pana do niej. Zdaje się, że miała się z panem spotkać?

Hrabia wzruszył ramionami i rozłożył ręce.

– Nie ma sensu tego ukrywać – powiedział wprost. – Wszyscy jesteśmy tylko ludźmi. Prywatnie, między nami, przyznaję, że miałem z nią romans.

– Spotkał się z nią pan w Paryżu i dalej jechaliście razem, prawda? – spytał pan Carrège.

– Tak planowaliśmy na początku, ale potem *madame* zmieniła zdanie. Miałem się z nią spotkać w Hyères.

– Nie czekał pan na nią na peronie na Gare de Lyon czternastego wieczorem?

– Wręcz przeciwnie, przyjechałem do Nicei rankiem tego dnia, więc to, co pan sugeruje, jest niemożliwe.

– Ma pan całkowitą rację – zgodził się pan Carrège. – A tak na marginesie, czy mógłby nam pan opowiedzieć po kolei, co pan robił wieczorem i w nocy tego dnia?

Hrabia zastanawiał się przez chwilę.

– Kolację jadłem w Café de Paris w Monte Carlo. Potem poszedłem do Le Sporting. Wygrałem kilka tysięcy franków – wzruszył ramionami. – Wróciłem do domu około pierwszej.

– Wybaczy pan pytanie, *monsieur*. W jaki sposób pan wrócił?

– Własnym samochodem.

– Był pan sam?

– Sam.

– Czy potrafiłby pan znaleźć świadków na potwierdzenie tego, co pan powiedział?

– Niewątpliwie wielu moich przyjaciół widziało mnie w restauracji.

– Otworzył panu służący?

– Mam własny klucz.

– Aha! – mruknął sędzia.

Znowu nacisnął dzwonek. Drzwi się otwarły, pojawił się w nich woźny.

– Proszę wprowadzić pokojówkę Adę Mason – polecił pan Carrège.

– Tak jest, panie sędzio.

Przyprowadzono służącą.

– Przyjrzyj się temu dżentelmenowi. Czy twoim zdaniem to on wszedł do przedziału twojej pani w Paryżu?

Kobieta długo i uważnie przyglądała się hrabiemu, który, jak się wydawało panu Poirot, czuł się pod jej spojrzeniem raczej nieswojo.

– Nie powiem, żebym była pewna, proszę pana – odezwała się w końcu Mason. – Może to on, a może nie. Tak jak go widziałam, tylko od tyłu, to trudno powiedzieć. Wydaje mi się, że to chyba on.

– Ale nie jesteś pewna?

– Nie-e – powiedziała Mason niechętnie. – Nie-e, nie jestem pewna.

– Widywałaś go wcześniej na Curzon Street?

Mason pokręciła głową.

– Zwykle nie widziałam gości, którzy przychodzili na Curzon Street – wyjaśniła. – Chyba że zostawali na dłużej.

– Dobrze, to nam wystarczy – powiedział sędzia szorstko.

Był wyraźnie rozczarowany.

– Jedną chwileczkę – wtrącił Poirot. – Jeśli można, chciałbym zadać pannie Mason pytanie.

– Oczywiście, panie Poirot, oczywiście, jak najbardziej.

Poirot zwrócił się do służącej.

– Co się stało z biletami?

– Z biletami, proszę pana?

– Tak, z biletami z Paryża do Nicei. Miałaś je ty czy twoja pani?

– Pani miała swój bilet do przedziału sypialnego, proszę pana, pozostałe ja trzymałam.

– Co się z nimi stało?

– Dałam je konduktorowi francuskiego pociągu, proszę pana; powiedział, że tak się zawsze robi. Mam nadzieję, że dobrze zrobiłam?

– Bardzo dobrze. Chciałem po prostu znać szczegóły.

Zarówno pan Caux, jak i sędzia śledczy spojrzeli na Poirota z zaciekawieniem. Mason stała przez chwilę nie wiedząc, co ma zrobić; sędzia odprawił ją krótkim ruchem głowy. Poirot napisał coś na skrawku papieru i podał go panu Carrège. Sędzia przeczytał; twarz mu się rozpogodziła.

– A więc, panowie, czy macie zamiar dłużej mnie zatrzymywać? – zapytał hrabia wyniośle.

– Ależ skąd – pospieszył z zapewnieniem pan Carrège, starając się, by jego głos zabrzmiał przyjaźnie. – Wszystko, co dotyczy roli, jaką pan odegrał w tej sprawie, zostało wyjaśnione. Byliśmy zmuszeni pana przesłuchać ze względu na list znaleziony u *madame*.

Hrabia podniósł się z miejsca, sięgnął po elegancką laseczkę, którą postawił w kącie, i opuścił pokój z dość sztywnym ukłonem.

– A więc tak się sprawy mają – odezwał się pan Carrège. – Zgadzam się z panem, Poirot, lepiej, by nie wiedział, że go podejrzewamy. Dwóch moich ludzi będzie go śledzić w dzień i w nocy; równocześnie zajmiemy się sprawą jego alibi. Wydaje mi się... hm, dość słabe.

– Prawdopodobnie – zgodził się Poirot bez przekonania.

– Prosiłem pana Ketteringa, żeby przybył tu dzisiaj rano – ciągnął sędzia – prawdę mówiąc, wątpię, czy możemy się od niego wiele dowiedzieć, ale istnieje parę niewyjaśnionych kwestii... – przerwał, pocierając nos.

– Na przykład? – spytał Poirot.

– No cóż – sędzia odkaszlnął – ta dama, z którą podobno podróżował, *mademoiselle* Mirelle. Zatrzymała się w innym hotelu niż on. Wydaje mi się to dość dziwne.

– Wygląda na to, że są ostrożni – wtrącił pan Caux.

– No właśnie – powiedział pan Carrège tryumfalnie – a czego mieliby się obawiać?

– Ten nadmiar ostrożności wydaje się panu podejrzany, tak? – spytał Poirot.

– *Precisement**.

– Sądzę, że możemy zadać panu Ketteringowi parę pytań – mruknął detektyw.

Sędzia wydał odpowiednie polecenia. Chwilę później Derek Kettering ze zwykłą swobodą wszedł do gabinetu.

– Dzień dobry panu – powitał go uprzejmie sędzia.

– Dzień dobry – odparł Kettering sucho. – Posyłał pan po mnie. Zdarzyło się coś nowego?

– Proszę, niech pan siada.

Kettering usiadł, laskę i kapelusz rzucił na biurko.

– No więc? – spytał niecierpliwie.

– Jak na razie nie dowiedzieliśmy się nic nowego – ostrożnie powiedział pan Carrège.

– Niezwykle interesujące – odparł szorstko Kettering. – Wezwał mnie pan tu specjalnie, by mi to zakomunikować?

– Sądziliśmy, *monsieur*, że życzył pan sobie, by go informowano o postępach śledztwa – surowo odezwał się sędzia.

– Nawet jeśli śledztwo nie postępuje.

– Pragnęliśmy również zadać panu parę pytań.

– Słucham.

– Jest pan zupełnie pewien, że nie widział pan swojej żony w pociągu ani z nią nie rozmawiał?

– Już mówiłem. Jestem pewien.

– Miał pan po temu powody.

Kettering spojrzał na niego podejrzliwie.

– Nie wiedziałem, że jedzie tym pociągiem – wyjaśnił, starannie akcentując każde słowo, jakby zwracał się do kogoś wyjątkowo tępego.

---

* *fr.* dokładnie

– Tak, już pan o tym mówił – mruknął pan Carrège.

Kettering skrzywił się z dezaprobatą.

– Powinienem się był od razu domyślić, do czego pan zmierza. Wie pan, co myślę, panie Carrège?

– Słucham, *monsieur*?

– Myślę, że bardzo przecenia się sprawność francuskiej policji. Jestem pewien, że mają panowie jakieś informacje o szajkach złodziei kolejowych. To niedopuszczalne, żeby podobne historie zdarzały się w pociągach tej klasy, a francuska policja była wobec nich bezradna.

– Nie jesteśmy bezradni, *monsieur*, proszę się nie obawiać.

– Pani Kettering, o ile mi wiadomo, nie zostawiła testamentu – wtrącił niespodziewanie Poirot. Siedział wpatrując się z natężeniem w sufit, ze złączonymi koniuszkami palców.

– Chyba nie – powiedział Kettering. – Dlaczego pan pyta?

– Odziedziczy pan ładną fortunkę. Naprawdę ładną.

Mimo że nadal patrzył w sufit, zauważył ciemny rumieniec, który pokrył twarz Ketteringa.

– O co panu chodzi i kim pan jest?

Poirot oderwał wzrok od sufitu i spojrzał mężczyźnie prosto w twarz.

– Nazywam się Herkules Poirot – powiedział spokojnie – i jestem prawdopodobnie największym żyjącym detektywem. Na pewno nie widział się pan ani nie rozmawiał z żoną w pociągu?

– Do czego pan zmierza? Insynuuje... insynuuje pan, że ją zabiłem? – Nagle się roześmiał. – Nie dam się sprowokować; to czysty absurd. Gdybym to ja ją zabił, nie musiałbym chyba kraść jej biżuterii, prawda?

– Prawda – mruknął Poirot, jakby zbity z tropu. – Nie pomyślałem o tym.

– To chyba zupełnie oczywisty przypadek morderstwa na tle rabunkowym – powiedział Kettering. – Biedna Ruth, wszystko przez te przeklęte rubiny. Wszystko dlatego, że zabrała je ze sobą. Pewnie nie ona pierwsza straciła życie z ich powodu.

Poirot nagle wyprostował się na krześle. W jego oczach zapłonęły zielone ogniki. Przypominał dużego, dobrze odkarmionego kota.

– Jeszcze jedno pytanie, panie Kettering – powiedział. – Czy mógłby mi pan podać dokładną datę, kiedy ostatni raz widział się pan z żoną?

– Niech się zastanowię – odparł Kettering. – To musiało być... tak, ponad trzy tygodnie temu. Obawiam się, że nie jestem w stanie podać dokładnie dnia.

– Nieważne – stwierdził detektyw sucho. – To mi wystarcza.

– Jeszcze coś? – niecierpliwie spytał Kettering.

Spojrzał na pana Carrège'a. Sędzia popatrzył pytająco na Poirota. Detektyw nieznacznie pokręcił głową.

– Nie, panie Kettering – powiedział uprzejmie. – Nie będziemy panu zabierać więcej czasu. Do widzenia.

– Do widzenia – odparł Kettering. Wyszedł, trzaskając drzwiami.

Poirot pochylił się do przodu.

– Proszę mi powiedzieć – zapytał surowo, ledwie za młodym człowiekiem zamknęły się drzwi – kiedy wspominał pan Ketteringowi o tych rubinach?

– Nie wspominałem mu – zaprzeczył sędzia. – Dopiero wczoraj po południu sam się o nich dowiedziałem od Van Aldina.

– Tak, ale była o nich wzmianka w liście hrabiego.

Pan Carrège wyglądał na urażonego.

– Oczywiście nie rozmawiałem o tym liście z panem Ketteringiem – powiedział z oburzeniem. – W obecnej sytuacji byłoby to w najwyższym stopniu niedyskretne.

Poirot nachylił się i zaczął bębnić palcami w stół.

– Więc skąd się o nich dowiedział? – zapytał cicho. – *Madame* mu o nich nie wspomniała, bo nie widzieli się przez trzy tygodnie. Mało prawdopodobne, żeby napomknął o nich Van Aldin albo jego sekretarz, ich rozmowy dotyczyły zupełnie innych spraw; w gazetach też nie było wzmianki.– Wstał i sięgnął po laskę i kapelusz. – A jednak – mruknął do siebie – pan Kettering wie o nich wszystko. Ciekawe, bardzo ciekawe!

XVIII

Pan Kettering je obiad

Derek Kettering udał się wprost do Negresco, wypił jeden po drugim parę koktajli, po czym w zamyśleniu wpatrzył się w oślepiająco błękitne morze. Jego wzrok obojętnie prześlizgiwał się po przechodniach – przeklęty tępy tłum, źle ubrany i rozpaczliwie nieciekawy – w dzisiejszych czasach coraz rzadziej widuje się kogoś godnego uwagi. Błyskawicznie skorygował ostatnie spostrzeżenie na widok kobiety, która usiadła przy pobliskim stoliku. Ubrana była w elegancki czarno-pomarańczowy kostium i mały kapelusik ocieniający twarz. Zamówił trzeci koktajl, znowu spojrzał na morze i nagle drgnął. Doleciał go zapach dobrze znanych perfum. Podniósł wzrok i zobaczył, że kobieta stoi tuż obok. Widział teraz jej twarz. Była to Mirelle. Na ustach miała ten sam zuchwały, uwodzicielski uśmiech, który znał tak dobrze.

– Dereek! – zamruczała. – Cieszysz się, że mnie widzisz, prawda?

Opadła na krzesło naprzeciw.

– Przywitaj się ze mną, głuptasie – rzekła kpiąco.

– Co za nieoczekiwane spotkanie – powiedział Kettering. – Kiedy wyjechałaś z Londynu?

Wzruszyła ramionami.

– Wczoraj czy przedwczoraj.

– A Parthenon?

– Jak ty to mówisz, rzuciłam ich.

– Naprawdę?

– Nie jesteś zbyt uprzejmy, Dereek.

– A sądzisz, że powinienem?

Mirelle zapaliła papierosa i wydmuchnęła dym.

– Uważasz, że jeszcze za wcześnie? – spytała.

Kettering spojrzał na nią zdumiony, potem wzruszył ramionami i zapytał chłodno:

– Przyszłaś na obiad?

– *Mais oui.* Na obiad z tobą.

– Bardzo mi przykro – powiedział Kettering. – Mam niezwykle ważne spotkanie.

– *Mon Dieu!* Wy, mężczyźni, jesteście jak dzieci! – wykrzyknęła tancerka. – Zachowujesz się niby rozpieszczony dzieciak od tamtego spotkania w Londynie, kiedy wybiegłeś nadąsany z mojego mieszkania. Ach! *Mais c'est inouï!**

– Moja droga – odparł Kettering. – Doprawdy nie rozumiem, o co ci chodzi. Odkąd dowiedziałem się od ciebie w Londynie, że szczury opuszczają tonący statek, nie mamy sobie nic do powiedzenia.

Mimo że mówił lekkim tonem, twarz miał smutną i napiętą. Mirelle pochyliła się naprzód.

– Mnie nie oszukasz – szepnęła. – Wiem... wiem, że zrobiłeś to dla mnie.

Spojrzał na nią ostro. Coś w jej głosie przykuło jego uwagę. Skinęła głową.

– Aha! Nie bój się, potrafię być dyskretna. Jesteś wspaniały! Podziwiam twoją odwagę. Ale nie zapominaj, że to ja podsunęłam ci pomysł, wtedy, w Londynie, kiedy powiedziałam, że wypadki się zdarzają. Wszystko w porządku? Policja niczego nie podejrzewa?

– Co u diabła...?

– Sza!

---

* *fr.* Ależ to niesłychane!

Podniosła smukłą oliwkową dłoń z dużym szmaragdem na najmniejszym palcu.

– Masz rację, nie powinnam o tym wspominać w publicznym miejscu. Nie zrobię tego więcej. Kłopoty się skończyły, zamieszkamy razem, będzie wspaniale, wspaniale!

Kettering roześmiał się nagle ostrym, pogardliwym śmiechem.

– A więc szczury wracają, tak? Dwa miliony to spora różnica, jeszcze jaka różnica! Powinienem był się tego spodziewać – rzekł śmiejąc się ciągle. – Pomożesz mi wydać te dwa miliony, prawda, Mirelle? Wiesz jak to zrobić, niewiele kobiet ci w tym dorówna. – Znowu wybuchnął śmiechem.

– Cicho! – wykrzyknęła tancerka. – Co się z tobą dzieje, Dereek? Zobacz, wszyscy się na nas patrzą.

– Co się ze mną dzieje? Powiem ci, Mirelle. Skończyłem z tobą. Słyszysz, co mówię? Skończyłem z tobą!

Mirelle nie przyjęła tego tak, jak się spodziewał. Przyglądała mu się przez dłuższą chwilę, potem uśmiechnęła się lekko.

– Jakiś ty dziecinny! Czujesz się urażony... i gniewasz na mnie, a wszystko dlatego, że jestem praktyczna. Czy nie powtarzałam ci zawsze, że cię uwielbiam?

Pochyliła się w jego stronę.

– Znam cię dobrze, Dereek. Spójrz na mnie. To ja, Mirelle. Nie możesz beze mnie żyć, wiesz o tym. Kochałam cię już przedtem, a teraz kocham cię sto razy bardziej. Zobaczysz, będzie wspaniale. Nikt nie dorówna Mirelle.

Wpiła w niego pałające spojrzenie. Widząc, że pobladł i głęboko zaczerpnął tchu, uśmiechnęła się do siebie z zadowoleniem. Wiedziała, jak wielka jest jej władza nad mężczyznami.

– A więc ustalone – stwierdziła i zaśmiała się cicho. – No i co, Dereek, zaprosisz mnie na obiad?

– Nie. – Wstał. – Przykro mi, ale jestem umówiony, już ci wspominałem.

– Umówiłeś się na obiad z kimś innym? Nie wierzę!

– Z tamtą damą.

Zbliżył się szybko do ubranej na biało kobiety, która właśnie weszła.

– Panno Grey, czy… czy zje pani ze mną obiad? – zwrócił się do niej z pośpiechem. – Spotkaliśmy się u lady Tamplin, jak pani zapewne pamięta.

Katarzyna patrzyła na niego dłuższą chwilę swoimi szarymi, mądrymi oczyma, które mówiły tak wiele.

– Dziękuję – powiedziała w końcu. – Z przyjemnością.

XIX

Niespodziewany gość

Hrabia de la Roche skończył właśnie obiad, złożony z *omelette fines herbes, entrecôte Bearnaise* i *Savarin au Rhum*. Delikatnie otarł wąsy serwetką i wstał od stołu. Minął salon, obrzucając pełnym aprobaty spojrzeniem dzieła sztuki, rozrzucone niedbale tu i ówdzie. Tabakiera Ludwika XV, satynowy pantofelek, który należał kiedyś do Marii Antoniny i inne cenne drobiazgi stanowiły, jak zwykł wyjaśniać swoim szlachetnie urodzonym gościom, rodzinne dziedzictwo. Wyszedł na taras i niewidzącym wzrokiem spojrzał na Morze Śródziemne. Nie był w tej chwili w nastroju do podziwiania pięknych widoków. Plan, dopracowany w najdrobniejszych szczegółach, został obrócony w ruinę; hrabia musiał zacząć jeszcze raz od początku. Wyciągnął się w wyplatanym fotelu, z papierosem w białych palcach, i pogrążył w rozważaniach.

Hipolit, służący, wniósł właśnie kawę i alkohole. Hrabia wybrał doskonałą starą brandy.

Służący zbierał się do odejścia; hrabia powstrzymał go nieznacznym gestem. Hipolit zamarł w pozie pełnej szacunku. Trudno powiedzieć, że był miły, ale pokrywał to z nawiązką poprawnością manier. W chwili obecnej stanowił uosobienie pełnej respektu uwagi.

– Niewykluczone, że w ciągu najbliższych kilku dni pojawią się tu różni ludzie. Będą się starali pozyskać względy twoje i Marie, i wypytywać o różne sprawy, które mnie dotyczą.

– Tak, panie hrabio.

– A może już się pojawili?

– Nie, panie hrabio.

– Nikt obcy się tu nie kręcił? Jesteś pewny?

– Nikt, panie hrabio.

– To dobrze – powiedział sucho hrabia. – Tak czy inaczej, przyjdą, jestem tego pewien. Będą zadawać pytania.

Hipolit patrzył wyczekująco.

Hrabia mówił wolno, nie patrząc na służącego.

– Jak wiesz, przyjechałem tutaj rano w ubiegły wtorek. Gdyby cię pytała policja, nie zapomnij o tym. Przyjechałem we wtorek czternastego, nie w środę piętnastego. Rozumiesz?

– Doskonale, panie hrabio.

– W sprawach dotyczących kobiet należy zawsze zachowywać dyskrecję. Jestem pewien, Hipolicie, że potrafisz być dyskretny.

– Może pan na mnie liczyć, panie hrabio.

– A Marie?

– Na Marie też. Ręczę za nią.

– A więc dobrze – mruknął hrabia.

Kiedy służący odszedł, siedział w zamyśleniu popijając kawę drobnymi łyczkami. Czasem marszczył brwi, raz lekko pokręcił głową, dwa razy skinął. Hipolit znów przerwał te rozmyślania.

– Jakaś pani, *monsieur*.

– Pani?

Hrabia był zdumiony. Wizyty składane przez kobiety w Villa Marina nie należały do rzadkości; hrabia zastanawiał się jedynie, kim jest owa kobieta.

– Wydaje mi się, że pan hrabia nie zna tej damy – wymamrotał usłużnie Hipolit.

Hrabia był coraz bardziej zaintrygowany.

– Poproś ją tutaj – rozkazał.

Chwilę później urocze zjawisko w pomarańczowo-czarnym kostiumie pojawiło się na tarasie, wnosząc silny aromat egzotycznych kwiatów.

– Pan hrabia de la Roche?

– Do usług, *mademoiselle* – odparł hrabia z grzecznym ukłonem.

– Nazywam się Mirelle. Być może słyszał pan o mnie.

– Ależ oczywiście, któż by nie był oczarowany widząc taniec *mademoiselle* Mirelle! Jest pani niezrównana!

Tancerka podziękowała za komplement krótkim, odruchowym uśmiechem.

– Proszę sobie nie robić kłopotu – zaczęła.

– Zechce pani usiąść, proszę, *mademoiselle*! – wykrzyknął hrabia, podsuwając jej fotel.

Mimo zachowania pełnego galanterii obserwował ją uważnie. Niewiele było rzeczy, których hrabia nie wiedział o kobietach. Co prawda, jego doświadczenia nie dotyczyły kobiet ze sfery, do której należała Mirelle: kobiet walczących o własne przetrwanie. Na swój sposób on i tancerka należeli do tej samej kategorii. Hrabia zdawał sobie sprawę, że jego sztuczki nie zrobią na tancerce najmniejszego wrażenia. Była paryżanką i to sprytną paryżanką. Niemniej miała jedną cechę, którą rozpoznał nieomylnie od pierwszego wejrzenia. Od początku wiedział, że ma do czynienia z kobietą ogarniętą gniewem, a kobiety w gniewie, jak doskonale zdawał sobie sprawę, zawsze mówią więcej niż nakazywałaby ostrożność, z czego chłodny i opanowany mężczyzna nierzadko może wyciągnąć korzyści.

– To bardzo miło z pani strony, że zechciała pani odwiedzić moją samotnię.

– Mamy w Paryżu wspólnych znajomych – odparła Mirelle. – Wiele mi o panu opowiadali. Ale nie w tej sprawie przyszłam tu dzisiaj. Słyszę o panu, odkąd przyjechałam do

Nicei... w związku z innym wydarzeniem, jeśli pan rozumie, o co mi chodzi.

– Tak? – cicho spytał hrabia.

– Będę brutalna – ciągnęła tancerka – ale niech mi pan wierzy, pańskie dobro bardzo mi leży na sercu. W Nicei mówi się, panie hrabio, że to pan zamordował tę angielską damę, panią Kettering.

– Ja mordercą pani Kettering? Ależ to absurd!

Postarał się, żeby w jego głosie zabrzmiało raczej zdumienie niż oburzenie, wiedząc, że w ten sposób sprowokuje ją do dalszych wynurzeń.

– Właśnie, że tak! – rzekła z naciskiem. – Zapewniam pana!

– Ludzie zawsze wygadują podobne rzeczy – odparł hrabia obojętnie. – Poważne traktowanie tego rodzaju wyssanych z palca oskarżeń jest poniżej mojej godności.

– Pan nie rozumie. – Mirelle pochyliła się, jej ciemne oczy błyszczały. – To nie są uliczne plotki. Tak twierdzi policja.

– Policja? – Hrabia wyprostował się czujnie.

Mirelle kilka razy żywo skinęła głową.

– Tak, tak. Widzi pan, ja mam wszędzie znajomych. Sam prefekt... – nie dokończyła, wymownie wzruszając ramionami.

– Któż potrafi zachować dyskrecję mając do czynienia z piękną kobietą – powiedział hrabia uprzejmie.

– Policja jest przekonana, że to pan zabił panią Kettering. Ale się myli.

– Oczywiście, że się myli – szybko zgodził się hrabia.

– Pan tylko tak mówi, ale nie zna pan prawdy. Ja znam.

Hrabia spojrzał na nią ciekawie.

– Wie pani, kto zabił *madame* Kettering? Czy to właśnie pani powiedziała?

Mirelle przytaknęła energicznie.

– Tak.

– Kto to jest? – spytał hrabia ostro.

– Jej mąż. – Nachyliła się w jego stronę i zaczęła mówić niskim głosem, drżącym z gniewu i podniecenia. – To jej mąż ją zamordował.

Hrabia wyciągnął się w fotelu. Jego twarz przypominała maskę.

– Wybaczy pani pytanie, *mademoiselle*, ale skąd pani to wie?

– Skąd wiem? – Mirelle ze śmiechem zerwała się z fotela. – Przechwalał się tym wcześniej. Był zrujnowany, bez grosza. Tylko śmierć żony mogła go uratować. Sam mi to powiedział. Jechał tym samym pociągiem, ale ona miała o tym nie wiedzieć. Dlaczego, pytam się? Żeby mógł wślizgnąć się w nocy do jej przedziału... Ach! – zamknęła oczy – Widzę to niemal...

Hrabia odchrząknął.

– Kto wie, kto wie... – mruknął. – Ale, oczywiście, w takim razie nie ukradłby biżuterii?

– Biżuteria! – westchnęła Mirelle. – Kamienie. Te rubiny...

Jej spojrzenie zrobiło się zamglone, odległe. Hrabia popatrzył na nią z zaciekawieniem, po raz setny zastanawiając się nad magicznym wpływem, jaki kamienie szlachetne wywierają na płeć piękną.

– Co pani chce, żebym zrobił, *mademoiselle*? – sprowadził ją na ziemię.

Mirelle znowu stała się czujna i rzeczowa.

– To proste. Pójdzie pan na policję. Powie im pan, że to pan Kettering popełnił zbrodnię.

– A jeśli mi nie uwierzą? Zażądają dowodów? – Przyglądał się jej z uwagą.

Mirelle roześmiała się cicho i ciaśniej owinęła pomarańczowo-czarnym szalem.

– Proszę ich przysłać do mnie, panie hrabio – powiedziała spokojnie. – Dam im dowód, którego potrzebują.

I już jej nie było; przemknęła jak trąba powietrzna, wiedząc, że osiągnęła cel.

Hrabia spojrzał w ślad za nią i leciutko uniósł brwi.

– Istna furia – mruknął. – Co ją tak rozwścieczyło? Ale za bardzo się odsłoniła. Czyżby naprawdę wierzyła, że Kettering zabił swoją żonę? Chciała, bym ja w to uwierzył. Chciałaby, żeby nawet policja w to uwierzyła.

Uśmiechnął się do siebie. Nie miał najmniejszego zamiaru iść na policję. Rozważał różne inne możliwości; sądząc po jego uśmiechu, musiało ich być niemało.

Po chwili jednak zachmurzył się. Zgodnie z tym, co mówiła Mirelle, znajdował się na liście podejrzanych. Mogła to być prawda, ale niekoniecznie. Mało prawdopodobne, żeby rozgniewana kobieta pokroju Mirelle bardzo dbała o prawdziwość tego, co mówi. Z drugiej strony, miała dostęp do poufnych informacji. W takim wypadku – jego usta zacisnęły się ponuro – w takim wypadku musi podjąć pewne środki ostrożności.

Wszedł do domu i jeszcze raz szczegółowo wypytał Hipolita, czy nie przychodził nikt obcy. Służący podtrzymał swoje wcześniejsze zapewnienia, że nic podobnego się nie zdarzyło. Hrabia udał się do sypialni i podszedł do stojącego przy ścianie antycznego biurka. Opuścił pokrywę; jego wypielęgnowane dłonie odszukały ukrytą sprężynę z tyłu jednej przegródki. Wysunęła się ukryta szufladka; wewnątrz znajdował się niewielki pakunek owinięty w brązowy papier. Hrabia wyjął go i ważył przez chwilę w dłoni. Podniósł rękę i krzywiąc się wyrwał sobie włos. Położył go na brzegu szuflady a następnie ostrożnie ją zasunął. Z paczką w dłoni zszedł po schodach, po czym udał się do garażu, gdzie stał zaparkowany szkarłatny dwuosobowy samochód. Dziesięć minut później mknął drogą prowadzącą do Monte Carlo.

Spędził parę godzin w kasynie, przespacerował się po mieście. Wsiadł znowu do samochodu i ruszył w stronę Mentony. Już wcześniej tego popołudnia zauważył niedaleko za sobą nie rzucający się w oczy szary wóz. Teraz zobaczył go znowu. Uśmiechnął się do siebie. Droga pięła się stopniowo coraz wyżej. Hrabia silnie docisnął pedał gazu. Szkarłatny wóz został zbudowany na jego specjalne zamówienie i wyposażono go w silnik o wiele większej mocy, niż można by podejrzewać na podstawie wyglądu. Wystrzelił naprzód jak pocisk.

Hrabia obejrzał się z uśmiechem; szary samochód nadal podążał za nim. Czerwony wóz, pokryty pyłem, mknął szosą. Poruszał się z niebezpieczną prędkością, ale hrabia był pierwszorzędnym kierowcą. Droga prowadziła teraz w dół wzgórza, wijąc się w niezliczonych zakrętach. Samochód wytracił prędkość i zatrzymał się przed urzędem pocztowym. Hrabia wyskoczył, podniósł pokrywę skrzynki na narzędzia, wyjął z niej pakunek owinięty w brązowy papier i pośpieszył do środka. Dwie minuty później znowu jechał w stronę Mentony. Kiedy szary samochód dotarł do miasta, hrabia siedział już na tarasie jednego z hoteli pijąc angielską herbatę.

Potem wrócił do Monte Carlo, zjadł kolację i dotarł do domu około jedenastej. Hipolit wyszedł mu na spotkanie z zatroskaną twarzą.

– Nareszcie pan hrabia przyjechał. Pan hrabia nie telefonował przypadkiem do domu?

Hrabia pokręcił głową.

– A jednak o trzeciej otrzymałem od hrabiego polecenie, żeby się stawić w Nicei, w Negresco.

– Doprawdy? – zdziwił się hrabia. – I pojechałeś tam?

– Oczywiście, *monsieur*, ale w Negresco nic nie wiedzieli o panu hrabim. Nie było go tam.

– Aha. Niewątpliwie Marie wyszła w tym czasie zrobić zakupy na wieczór?

– Rzeczywiście, panie hrabio.

– Nieważne – powiedział hrabia. – To nie ma znaczenia. Zwykła pomyłka.

Poszedł na górę, uśmiechając się do siebie.

Kiedy znalazł się w pokoju, zamknął drzwi na klucz i rozejrzał się uważnie wokół. Wszystko wyglądało jak zwykle. Sprawdził szuflady i szafki. Pokiwał głową. Rzeczy umieszczono niemal dokładnie na swoich miejscach, ale jednak niezupełnie. Było oczywiste, że pokój został bardzo gruntownie przeszukany.

Podszedł do biurka i nacisnął ukrytą sprężynę. Szuflada wysunęła się, ale na brzegu nie było włosa. Hrabia znowu pokiwał głową.

– Nasza francuska policja jest niezrównana – mruknął do siebie. – Niezrównana. Nic im nie umknie.

XX

Katarzyna znajduje przyjaciela

Następnego ranka Katarzyna i Lenox siedziały na tarasie Villa Marguerite. Mimo różnicy wieku nawiązała się między nimi nić sympatii, łatwo mogącej się przerodzić w przyjaźń. Gdyby nie towarzystwo Lenox, życie w Villa Marguerite byłoby dla Katarzyny nie do zniesienia. Śmierć pani Kettering stała się tematem numer jeden. Lady Tamplin bezwstydnie wykorzystywała związek swojego gościa ze sprawą, starając się uzyskać jak najwięcej dla siebie. Najbardziej zdecydowane próby oporu, na jakie potrafiła się zdobyć Katarzyna, nie robiły na niej żadnego wrażenia. Lenox obserwowała wszystko z boku, wyraźnie rozbawiona zabiegami matki, a jednocześnie z pełnym współczucia zrozumieniem dla uczuć Katarzyny. Sytuacji nie poprawiał Chubby, nieposkromiony w swoim naiwnym zachwycie, który przedstawiał Katarzynę wszystkim razem i każdemu z osobna w następujący sposób:

– To jest panna Grey. Słyszeliście o tej historii z Błękitnym Ekspresem? Panna Grey siedzi w niej po uszy! Przed samym morderstwem miała z panią Kettering dłuższą rozmowę! To się nazywa szczęście!

Tego ranka kilka uwag podobnego rodzaju sprowokowało w końcu Katarzynę do szczególnie ostrej odpowiedzi. Kiedy zostały same, Lenox zauważyła, po swojemu przeciągając słowa:

– Nie przywykłaś do tego, żeby cię wykorzystywali, prawda? Musisz się jeszcze dużo nauczyć, Katarzyno.

– Przykro mi, że straciłam panowanie nad sobą. Zwykle mi się to nie zdarza.

– Najwyższy czas nauczyć się wyładowywać złość. Chubby to zwykły osioł, nie miał nic złego na myśli. Mama, oczywiście, wręcz przeciwnie, ale możesz się na nią wściekać do końca świata; i tak nie zrobi to na niej wrażenia. Otworzy wielkie smutne błękitne oczy i dalej będzie ciągnęła swoje.

Katarzyna nie odpowiedziała na tę uwagę kochającej córki, więc Lenox mówiła dalej:

– Ja jestem trochę taka jak Chubby. Uwielbiam takie historie, a poza tym... znam Dereka, a to różnica.

Katarzyna skinęła głową.

– Więc jadłaś z nim wczoraj obiad – w zamyśleniu ciągnęła Lenox. – Lubisz go?

Katarzyna zastanawiała się przez chwilę.

– Nie wiem – powiedziała wolno.

– Jest bardzo przystojny.

– Tak, jest przystojny.

– Co ci się w nim nie podoba?

Katarzyna nie odpowiedziała na to pytanie, a w każdym razie nie odpowiedziała wprost.

– Rozmawialiśmy o śmierci jego żony – odezwała się. – Mówił, że dla niego sprawy nie mogły się lepiej ułożyć i nie ma zamiaru udawać, że jest inaczej.

– I to cię pewnie zbulwersowało – powiedziała Lenox. Umilkła, po czym dodała dziwnym tonem:

– On cię lubi, Katarzyno.

– Zaprosił mnie na bardzo smaczny obiad – zgodziła się Katarzyna z uśmiechem.

Lenox nie dała się zbić z tropu.

– Widziałam to tego wieczoru, kiedy nas odwiedził – mówiła z namysłem. – Po sposobie, w jaki na ciebie patrzył. Nie jesteś w jego typie, wręcz przeciwnie. Myślę, że to jak z religią; dochodzi się do tego w pewnym wieku.

– *Mademoiselle* jest proszona do telefonu – odezwała się Marie, wyglądając przez okno z salonu. – Dzwoni pan Herkules Poirot.

– Jeszcze trochę krwi i przemocy. Pospiesz się, Katarzyno, idź flirtować z tym swoim detektywem.

Głos pana Poirota zabrzmiał w uchu Katarzyny czysto i wyraźnie, z charakterystyczną dla niego intonacją.

– Czy mówię z panną Grey? *Bon.* Mam dla pani słówko od pana Van Aldina, ojca *madame* Kettering. Bardzo chciałby porozmawiać z panią osobiście, w Villa Marguerite albo w hotelu, jak pani woli.

Katarzyna zastanawiała się przez chwilę, doszła jednak do wniosku, że odwiedziny w Villa Marguerite byłyby dla Van Aldina równie bolesne, co niepotrzebne. Lady Tamplin powitałaby wiadomość o jego przybyciu ze zbyt wielkim zachwytem. Nigdy nie traciła okazji, by zaprzyjaźnić się z milionerem. Katarzyna powiedziała więc, że bardzo chętnie spotka się z nim w Nicei.

– Doskonale, *mademoiselle*. Przyjadę po panią osobiście samochodem. Powiedzmy, za trzy kwadranse?

Poirot zjawił się punktualnie. Katarzyna już na niego czekała, więc ruszyli od razu.

– I cóż, *mademoiselle*, jak się pani powodzi?

Spojrzała w jego błyszczące oczy i znów odniosła wrażenie, że w panu Herkulesie Poirot jest coś wzbudzającego sympatię.

– To nasz własny *roman policier*, nieprawdaż? – zapytał Poirot. – Obiecałem pani, że tę zagadkę rozwiążemy wspólnie. A ja zawsze dotrzymuję obietnic.

– Jest pan zbyt uprzejmy – zaprotestowała cicho Katarzyna.

– Ach, pani ze mnie żartuje; a jednak chciałaby pani usłyszeć, co nowego się wydarzyło w związku ze sprawą, prawda?

Katarzyna przytaknęła i detektyw zaczął szkicować portret hrabiego de la Roche.

– Myśli pan, że to on ją zabił – powiedziała Katarzyna w zamyśleniu.

– To tylko teoria – odparł Poirot ostrożnie.

– Wierzy pan w nią?

– Tego nie powiedziałem. A pani, co pani myśli?

Katarzyna pokręciła głową.

– Skąd mogę wiedzieć? Nie znam się na podobnych sprawach, ale powiedziałabym, że...

– Tak? – zachęcił ją Poirot.

– No więc, z tego co pan mówi, hrabia nie wydaje się typem człowieka zdolnym kogoś zabić.

– Aha! Bardzo dobrze! – wykrzyknął Poirot. – Zgadzam się z panią, tak właśnie mówiłem! – Spojrzał na nią przenikliwie. – Ale, ale, proszę mi powiedzieć, spotkała pani *monsieur* Ketteringa?

– Poznałam go u lady Tamplin i wczoraj jadłam z nim obiad.

– *Mauvais sujet**– powiedział Poirot, kręcąc głową – ale kobiety... kobietom się to podoba, prawda? – Mrugnął do Katarzyny; roześmiała się. – Typ mężczyzny, którego nie sposób przeoczyć – ciągnął detektyw. – Nie wątpię, że zauważyła go pani w pociągu?

– Tak, widziałam go.

– W wagonie restauracyjnym?

– Nie. Nie spotykałam go wcale podczas posiłków. Tylko raz, kiedy wchodził do przedziału żony.

Poirot skinął głową.

– Dziwna sprawa – mruknął. – Mówiła pani, jak się zdaje, że pani nie spała i wyglądała przez okno podczas postoju w Lyonie? Nie zauważyła pani wysokiego, ciemnowło-

* *fr.* nicpoń

sego mężczyzny, podobnego do hrabiego de la Roche, wysiadającego z pociągu?

– Wydaje mi się, że nikt nie wysiadał – zaprzeczyła Katarzyna. – Widziałam jakiegoś chłopaka w czapce i płaszczu, który wyszedł z pociągu, ale chyba nie miał zamiaru zostać na stacji, bo przechadzał się po peronie tam i z powrotem. I grubego Francuza w palcie narzuconym na piżamę, który chciał się napić kawy. Poza tym chyba tylko obsługę pociągu.

Poirot pokiwał głową.

– Widzi pani, chodzi o to, że hrabia ma alibi – wyjaśnił. – Alibi to bardzo kłopotliwa rzecz i zawsze budzi poważne podejrzenia. Ale oto jesteśmy na miejscu!

Udali się prosto do apartamentu Van Aldina, gdzie znaleźli Knightona. Poirot przedstawił go Katarzynie. Po wymianie wstępnych grzeczności sekretarz oznajmił:

– Dam znać panu Van Aldinowi, że panna Grey już przyszła.

Wszedł do przyległego pokoju. Rozległ się szmer przyciszonych głosów, po czym do pokoju wszedł Van Aldin i zbliżył się do Katarzyny z wyciągniętą ręką, równocześnie rzucając jej ukradkowe, taksujące spojrzenie.

– Miło mi panią poznać, panno Grey – powiedział. – Bardzo chciałem, żeby mi pani opowiedziała o Ruth.

Spokojna prostota, z jaką zachowywał się milioner, wzruszyła Katarzynę. Poczuła, że znalazła się w obliczu szczerego bólu, tym bardziej prawdziwego, że nie towarzyszyły mu żadne widoczne oznaki.

Van Aldin podsunął jej krzesło.

– Proszę, niech pani tu usiądzie i wszystko mi opowie.

Poirot i Knighton dyskretnie usunęli się do drugiego pokoju; Katarzyna i Van Aldin zostali sami. Bez oporu spełniła jego prośbę. Bardzo prosto i naturalnie streściła rozmowę z Ruth Kettering słowo po słowie, tak dokładnie, jak tylko mogła. Słuchał w milczeniu, odchylony na krześle, jedną ręką osłaniając oczy. Kiedy skończyła, powiedział cicho:

– Dziękuję ci, moja droga.

Przez chwilę siedzieli oboje w milczeniu. Katarzyna czuła, że słowa współczucia byłyby nie na miejscu. Kiedy milioner w końcu przemówił, jego głos brzmiał zupełnie inaczej.

– Jestem pani bardzo wdzięczny, panno Grey. Sądzę, że zrobiła pani wiele, by ukoić duszę mojej biednej Ruth w ostatnich godzinach życia. A teraz chciałbym panią o coś zapytać. Pan Poirot na pewno pani mówił o tym łajdaku. To o nim wspominała; to z nim miała się spotkać. Jak pani sądzi, czy mogła zmienić zdanie po rozmowie z panią?

– Nie potrafię powiedzieć. Na pewno podjęła jakąś decyzję i wydawało się, jakby przyniosło jej to ulgę.

– Jej zachowanie nie nasunęło pani żadnych wskazówek, gdzie miała zamiar spotkać się z tym podlecem, w Paryżu czy w Hyères?

Katarzyna pokręciła głową.

– Nic nie mówiła na ten temat.

– Szkoda – westchnął Van Aldin. – To bardzo ważne. No cóż, zobaczymy.

Wstał i otworzył drzwi do drugiego pokoju. Poirot i Knighton przyłączyli się do nich.

Katarzyna odmówiła zaproszeniu milionera na obiad, więc Knighton odprowadził ją do czekającego na dole samochodu. Kiedy wrócił, zastał Poirota i Van Aldina pogrążonych w rozmowie.

– Gdybyśmy tylko wiedzieli – mówił milioner z namysłem – jaką decyzję podjęła w końcu Ruth. Mogła zrobić mnóstwo różnych rzeczy. Zdecydować, że wysiądzie w Paryżu i zatelegrafuje do mnie, albo że uda się na południe Francji i tam wyjaśni sprawę z hrabią. Błądzimy w całkowitych ciemnościach. Mamy tylko słowa pokojówki, że widząc hrabiego na dworcu w Paryżu Ruth wydawała się równocześnie zdziwiona i przestraszona. Z pewnością nie było tego we wcześniejszych planach. Zgadza się pan ze mną, Knighton?

Sekretarz drgnął.

– Przepraszam, panie Van Aldin. Zamyśliłem się.

– Marzenia na jawie, tak? – spytał milioner. – Zupełnie to do pana niepodobne. Zdaje się, że dziewczyna zawróciła panu w głowie.

Knighton zaczerwienił się.

– Niezwykle miła – powiedział Van Aldin w zamyśleniu. – Zwrócił pan uwagę na jej oczy?

– Nie ma chyba mężczyzny – odparł Knighton – który by nie zwrócił na nie uwagi.

XXI

Na meczu tenisa

Minęło kilka dni. Pewnego ranka wróciwszy ze spaceru Katarzyna zastała Lenox, która oczekiwała jej ze znaczącym uśmiechem.

– Dzwonił twój kawaler, Katarzyno!

– Kogo nazywasz moim kawalerem?

– Tego nowego, sekretarza pana Van Aldina. Zdaje się, że wywarłaś na nim wielkie wrażenie. Robi się z ciebie prawdziwa pożeraczka serc. Najpierw Derek Kettering, a teraz ten młody Knighton. Zabawne, pamiętam go całkiem nieźle. Leczył się w szpitalu polowym, który mama tu zorganizowała. Musiałam mieć wtedy nie więcej niż osiem lat.

– Był ciężko ranny?

– Postrzał w nogę, jeśli dobrze pamiętam; dość paskudny. Zdaje się, że doktorzy pokpili sprawę. Mówili, że nie będzie utykał ani nic, ale kiedy go wypisywali, dalej chodził o kulach.

Przyłączyła się do nich lady Tamplin.

– Opowiadałaś Katarzynie o majorze Knightonie? – spytała. – Co za niezwykle uroczy młodzieniec! Z początku zupełnie nie mogłam go sobie przypomnieć; było ich tak wielu! Ale teraz pamiętam go doskonale.

– Wcześniej znaczył zbyt mało, żeby o nim pamiętać – powiedziała Lenox. – Gdy został sekretarzem amerykańskiego milionera, to zupełnie co innego.

– Moja droga! – zaprotestowała jej matka tonem lekkiej nagany.

– W jakiej sprawie dzwonił major Knighton? – spytała Katarzyna.

– Chciał wiedzieć, czy nie wybrałabyś się na mecz tenisa dzisiaj po południu. Jeśli tak, przyjedzie cię zabrać samochodem. Ja i mama zgodziłyśmy się za ciebie i powiedziałyśmy, że będziesz zachwycona. Kiedy ty będziesz flirtować z sekretarzem, ja zajmę się samym Van Aldinem. Nie masz chyba nic przeciwko temu? Musi mieć z sześćdziesiąt lat, więc na pewno marzy o takim słodkim młodym stworzeniu jak ja.

– Chciałabym poznać pana Van Aldina – powiedziała lady Tamplin gorąco. – Tyle się o nim mówi. Ci silni, szorstcy mężczyźni z Zachodu... – urwała. – Fascynujący... – dodała ciszej.

– Major Knighton bardzo wyraźnie zaznaczył, że to propozycja pana Van Aldina – mówiła dalej Lenox. – Powtarzał to tyle razy, aż w końcu zaczęłam coś podejrzewać. Tworzycie z Knightonem bardzo ładną parę. Niech wam Bóg błogosławi, drogie dzieci.

Katarzyna roześmiała się i poszła na górę się przebrać.

Knighton przyjechał wkrótce po obiedzie i znosił po męsku zachwyty lady Tamplin z powodu spotkania po latach.

Kiedy jechali z Katarzyną w stronę Cannes, zauważył:

– To niezwykłe, lady Tamplin prawie się nie zmieniła przez te wszystkie lata.

– Pod względem wyglądu czy zachowania?

– Jednego i drugiego. Podejrzewam, że musi już mieć dobrze po czterdziestce, a jednak nadal pozostała niezwykle piękną kobietą.

– To prawda – zgodziła się Katarzyna.

– Bardzo się cieszę, że zgodziła się pani dzisiaj przyjść – ciągnął Knighton. – Będzie również pan Poirot. Cóż za niezwykły człowiek. Zna go pani dobrze, panno Grey?

Katarzyna pokręciła głową.

– Spotkałam go w pociągu jadąc tutaj. Czytałam powieść detektywistyczną i zdaje się powiedziałam coś o tym, że takie rzeczy nie zdarzają się naprawdę. Oczywiście, nie miałam pojęcia, z kim rozmawiam.

– Niezwykła osobowość – powiedział wolno Knighton. – I dokonał niezwykłych rzeczy. Ma zdumiewający dar docierania do sedna spraw; do ostatniej chwili nie wie się, co myśli naprawdę. Pamiętam, kiedy przebywałem w Yorkshire, zginęły klejnoty lady Clanravon. Z początku wydawało się, że to zwykła kradzież, ale miejscowa policja była kompletnie bezradna. Nalegałem, by się skontaktowali z panem Poirot, przekonywałem, że to jedyny człowiek, który im może pomóc, ale oni zaufali Scotland Yardowi.

– I co było dalej? – spytała Katarzyna z zaciekawieniem.

– Kamieni nigdy nie odnaleziono – odparł Knighton sucho.

– Naprawdę wierzy pan w niego?

– Naprawdę. Hrabia de la Roche to przebiegła sztuka. Nieraz się wykręcał z podobnych spraw. Ale myślę, że w Herkulesie Poirot spotkał godnego przeciwnika.

– Hrabia de la Roche – powtórzyła Katarzyna w zamyśleniu. – Więc naprawdę myśli pan, że to zrobił?

– Oczywiście. – Knighton spojrzał na nią ze zdumieniem. – A pani nie?

– Ależ tak – pośpiesznie zapewniła Katarzyna. – To znaczy, o ile to nie był zwykły napad rabunkowy.

– To możliwe, naturalnie – zgodził się sekretarz – ale wydaje mi się, że hrabia de la Roche zbyt dobrze tu pasuje.

– A jednak ma alibi.

– Och, alibi! – twarz Knightona rozjaśniła się w miłym chłopięcym uśmiechu. – Przyznała się pani, że czytuje powieści kryminalne, panno Grey. Jak pani zapewne wie, każdy, kto ma niepodważalne alibi, jest szczególnie podejrzany.

– Sądzi pan, że w życiu jest tak samo? – spytała Katarzyna z uśmiechem.

– Czemu nie? Powieści opierają się przecież na faktach.

– Ale je idealizują.

– Być może. Tak czy inaczej, gdybym to ja był przestępcą, nie chciałbym mieć przeciw sobie Herkulesa Poirot.

– Ja też nie – roześmiała się Katarzyna.

Poirot wyszedł im na spotkanie. Jako że dzień był ciepły, miał na sobie biały frak z kamelią w butonierce.

– *Bonjour, mademoiselle* – przywitał Katarzynę. – Wyglądam bardzo z angielska, nieprawdaż?

– Wygląda pan bardzo elegancko – powiedziała taktownie Katarzyna.

– Pani ze mnie kpi – odparł Poirot dobrodusznie. – Ale mniejsza o to. Papa Poirot zawsze śmieje się ostatni.

– Gdzie pan Van Aldin? – spytał Knighton.

– Spotka się z nami na widowni. Prawdę mówiąc, przyjaciele, nie jest ze mnie zbyt zadowolony. Ach, ci Amerykanie! Nie mają pojęcia, co to spokój i opanowanie. Pan Van Aldin chciałby, żebym śmigał po ulicach Nicei w poszukiwaniu mordercy.

– Też mi się wydaje, że to dobry pomysł.

– Myli się pan – zaprotestował Poirot. – W sprawach tego rodzaju potrzebna jest nie energia, ale finezja. Na meczu tenisa można spotkać każdego. A to bardzo ważne. O, przyszedł pan Kettering.

Kettering niespodziewanie skierował się w ich stronę. Wyglądał na rozzłoszczonego, jakby go coś wyprowadziło z równowagi. Przywitali się z Knightonem raczej chłodno. Jedynie Poirot wydawał się nieświadomy napięcia i paplał uprzejmie, podejmując chwalebne starania, by wprawić wszystkich w dobry nastrój. Próbował też prawić komplementy.

– Zdumiewające, panie Kettering, jak pan doskonale mówi po francusku – zauważył. – Można by pana wziąć za rodowitego Francuza. To bardzo rzadka umiejętność wśród Anglików.

– Zazdroszczę panu – powiedziała Katarzyna. – Co do mnie, dobrze zdaję sobie sprawę, że moje francuskie zdania mają strasznie angielski szyk.

Odszukali swoje miejsca. Niemal w tej samej chwili Knighton dojrzał, że jego pracodawca daje mu znaki z drugiego końca kortu, i oddalił się, by z nim pomówić.

– Niezwykle miły młody człowiek – odezwał się Poirot, posyłając promienny uśmiech za odchodzącym sekretarzem. – A pani co o nim sądzi, *mademoiselle*?

– Bardzo go lubię.

– A pan, panie Kettering?

Kettering już miał coś odpowiedzieć, ale się pohamował, jakby jakiś błysk w oczach małego Belga wzbudził nagle jego ostrożność. Potem odparł, starannie dobierając słowa:

– Knighton to bardzo dobry człowiek.

Przez moment Katarzynie wydawało się, że Poirot jest rozczarowany.

– Jest pana wielkim wielbicielem, panie Poirot – powiedziała i przytoczyła na dowód parę stwierdzeń Knightona. Obserwowała z rozbawieniem, jak mały człowieczek puszy się niby paw, wypinając pierś i przyjmując pozę fałszywej skromności, która nikogo nie wywiodłaby w pole.

– To mi przypomina – powiedział nagle – że mam do pani sprawę, *mademoiselle*. Kiedy rozmawiała pani z tą biedną kobietą w pociągu, musiała pani upuścić papierośnicę.

Katarzyna wyglądała na zaskoczoną.

– Nie sądzę – powiedziała.

Poirot wyciągnął z kieszeni papierośnicę z delikatnej błękitnej skóry ze złotą literą „K” na wieczku.

– Nie, to nie moja – powtórzyła Katarzyna.

– Tysiąckrotnie przepraszam. Pewnie należała do *madame*. „K", oczywiście, oznacza „Kettering". Mieliśmy wątpliwości, bo w torebce znaleźliśmy jeszcze jedną, a wydawało się dziwne, żeby używała dwóch. – Nagle zwrócił się do Ketteringa. – Nie wie pan, czy ta papierośnica należała do pańskiej żony?

Kettering wydawał się zaskoczony. Wyjąkał w odpowiedzi:

– Ja... ja nie wiem. Chyba tak.

– Nie jest to przypadkiem pańska własność?

– Z całą pewnością nie. Gdyby należała do mnie, na pewno nie znalazłaby się wśród rzeczy żony.

Poirot wyglądał jeszcze bardziej niewinnie i naiwnie niż zwykle.

– Sądziłem, że może upuścił ją pan przypadkiem, kiedy odwiedził pan żonę w jej przedziale – wyjaśnił z prostotą.

– Nie widziałem się z żoną. Powtarzałem to policji sto razy.

– Stokrotnie proszę o wybaczenie – przeprosił Poirot najszczerzej jak potrafił. – Obecna tu *mademoiselle* wspominała, że widziała, jak pan wchodził do przedziału.

Urwał, jakby zmieszany.

Katarzyna spojrzała na Ketteringa. Pobladł, a może tylko jej się tak wydawało. Jednak jego śmiech zabrzmiał całkiem naturalnie.

– Musiała się pani pomylić, panno Grey – powiedział swobodnie. – Z tego, czego dowiedziałem się na policji, mój przedział znajdował się dwoje drzwi od przedziału mojej żony, chociaż wtedy nie miałem o tym najmniejszego pojęcia. Z pewnością widziała pani, jak wchodziłem do własnego przedziału. – Wstał, widząc zbliżających się Van Aldina i Knightona.

– Pozwolą państwo, że ich opuszczę. Chciałbym uniknąć spotkania z teściem za wszelką cenę – wyjaśnił.

Van Aldin przywitał się z Katarzyną bardzo uprzejmie, ale widać było, że jest w złym humorze.

– Widzę, że bardzo pan lubi tenis, Poirot – burknął.

– To prawda, sprawia mi ogromną przyjemność – pogodnie zgodził się detektyw.

– Tacy jesteście wy, Francuzi – powiedział Van Aldin. – My, w Stanach, zostaliśmy ulepieni z twardszej gliny. Obowiązki stawiamy wyżej niż przyjemności.

Poirot nie obraził się; uśmiechnął się łagodnie i ufnie do poirytowanego milionera.

– Proszę, niech się pan nie gniewa. Każdy ma swoje metody pracy. Co do mnie, to zawsze uważałem za wspaniały pomysł łączenie obowiązku z przyjemnością.

Popatrzył na dwoje pozostałych. Byli pogrążeni w rozmowie, zajęci sobą nawzajem. Poirot z satysfakcją pokiwał głową, po czym pochylił się do milionera i rzekł ściszonym głosem:

– Przyszedłem tutaj nie tylko dla przyjemności, panie Van Aldin. Proszę spojrzeć na tego mężczyznę naprzeciwko, tego z żółtawą twarzą i siwą brodą.

– Widzę, co to za jeden?

– To jest pan Papopolous – wyjaśnił detektyw.

– Grek, tak?

– Zgadza się. Światowej sławy pośrednik w handlu biżuterią. Ma niewielki sklep w Paryżu. Policja podejrzewa, że jest również kimś więcej.

– Mianowicie?

– Odbiorcą kradzionych towarów, szczególnie kamieni szlachetnych. Nie ma takiej rzeczy, dotyczącej szlifowania i ponownego oprawiania kamieni, o której by nie wiedział. Ma do czynienia ze śmietanką towarzyską Europy i najczarniejszymi charakterami podziemia.

Van Aldin przyjrzał się Poirotowi z rozbudzoną nagle uwagą.

– I? – spytał natarczywie, z nową nutą w głosie.

– Zastanawiałem się – powiedział detektyw – ja, Herkules Poirot – uderzył się w pierś teatralnym gestem – zastanawiałem się, dlaczego pan Papopolous przyjechał niespodziewanie do Nicei?

Na Van Aldinie zrobiło to wielkie wrażenie. Przez chwilę wątpił w Poirota, podejrzewał małego człowieczka o pozerstwo i brak profesjonalizmu. Teraz, w jednej chwili, odzyskał poprzednie zaufanie. Popatrzył mu prosto w oczy.

– Muszę pana przeprosić, Poirot.

Poirot machnął lekceważąco ręką.

– Nie ma za co! – wykrzyknął. – A teraz proszę posłuchać; mam dla pana nowinę.

Milioner spojrzał na niego uważnie, z wielkim zainteresowaniem.

Poirot skinął głową.

– Na pewno pana zaciekawi. Jak pan wie, hrabia de la Roche znajduje się pod obserwacją od czasu przesłuchania u sędziego śledczego. Następnego dnia podczas nieobecności hrabiego Villa Marina została dokładnie przeszukana przez policję.

– I co? – spytał Van Aldin. – Znaleźli coś? Założę się, że nie.

Poirot skłonił się lekko.

– Ma pan słuszność. Nie znaleźli nic obciążającego. Nie spodziewali się zresztą, że będzie inaczej. Hrabia de la Roche, jak to wy, Amerykanie, celnie określacie, nie urodził się wczoraj. To bardzo przebiegły dżentelmen z dużym doświadczeniem.

– Niech pan mówi dalej – burknął milioner.

– Niewykluczone, oczywiście, że hrabia nie miał nic do ukrycia. Nie możemy jednak zaniedbać takiej możliwości. Jeśli więc miał coś do ukrycia, gdzie to schował? Nie w domu; policja gruntownie go przeszukała. Nie przy sobie, bo wie, że w każdej chwili może zostać aresztowany. Pozostaje tylko jedno miejsce: samochód. Jak powiedziałem, hrabia był śledzony. Tego dnia pojechał do Monte Carlo. Stamtąd ruszył samotnie do Mentony. Jego samochód ma bardzo potężny silnik, wyprzedził więc pogoń; prawie na kwadrans zupełnie stracili go z oczu.

– I sądzi pan, że w tym czasie ukrył coś przy drodze? – spytał Van Aldin z wielkim zainteresowaniem.

– Nie przy drodze; to niepraktyczne. Ale proszę posłuchać, co zasugerowałem panu Carrège. Był łaskaw się z tym zgodzić. Zadbano, żeby w każdym urzędzie pocztowym w okolicy znajdował się ktoś, kto zna hrabiego de la Roche z widzenia. Ponieważ, widzi pan, najłatwiejszy sposób, by coś ukryć, to wysłać to pocztą.

– I co? – spytał niecierpliwie Van Aldin; na jego twarzy malowało się zniecierpliwienie.

– I... *voilà!* – Poirot dramatycznym gestem wyciągnął z kieszeni paczuszkę owiniętą luźno w brązowy papier. – W czasie owych piętnastu minut nasz dżentelmen zdążył nadać to.

– Na jaki adres?

Poirot pokiwał głową.

– Mogłoby nam to wiele powiedzieć, ale niestety nie w tym wypadku. Paczuszkę nadano do jednego z tych sklepików z gazetami w Paryżu, gdzie za niewielką opłatą przechowuje się listy i paczki, póki ich ktoś nie odbierze.

– No dobrze, ale co jest w środku? – niecierpliwie dopytywał się Van Aldin.

Poirot odwinął brązowy papier odsłaniając kwadratowe tekturowe pudełko. Rozejrzał się dokoła.

– To dobry moment – powiedział cicho. – Wszyscy są zajęci meczem. Niech pan patrzy!

Na mgnienie oka podniósł pokrywkę. Milionerowi wyrwał się okrzyk zdumienia. Jego twarz pobladła jak papier.

– Mój Boże! – szepnął. – Rubiny!

Przez chwilę siedział oszołomiony. Poirot z powrotem wsunął paczkę do kieszeni, promieniejąc zadowoleniem. Milioner otrząsnął się nagle; pochylił się w stronę detektywa i uścisnął mu rękę tak mocno, że mały człowieczek skrzywił się z bólu.

– To wspaniałe! – powiedział. – Wspaniałe. Jest pan niezrównany, Poirot.

– Drobiazg – skromnie zaprzeczył mały Belg. – Porządek, metoda, przygotowanie na wszelkie ewentualności... to decyduje o sukcesie.

– Spodziewam się, że hrabia de la Roche został aresztowany? – ciągnął Van Aldin z ożywieniem.

– Nie – odparł Poirot.

Twarz Van Aldina przybrała wyraz ogromnego zdumienia.

– Ale dlaczego? Czegóż więcej potrzeba?

– Alibi hrabiego nadal jest niepodważalne.

– Przecież to nonsens!

– Racja – zgodził się Poirot – zgadzam się, że to nonsens, ale niestety trzeba tego jeszcze dowieść.

– A tymczasem wymknie się z sieci.

Poirot bardzo energicznie pokręcił głową.

– Nie – powiedział. – Tego nie zrobi. Jedyną rzeczą, której hrabia nie może zrobić, jest narażenie własnej pozycji. Musi wytrwać za wszelką cenę.

Van Aldin ciągle nie był zadowolony.

– Ale nie rozumiem...

Poirot podniósł dłoń.

– Chwileczkę, *monsieur*. Mam pewien pomysł. Wielu ludzi pokpiwało sobie z pomysłów Herkulesa Poirot... niesłusznie.

– Proszę mówić dalej – ponaglił go milioner. – Co to za pomysł?

Poirot milczał przez chwilę, po czym powiedział:

– Zadzwonię do pana do hotelu jutro rano o jedenastej. Niech pan nic nikomu nie mówi do tej pory.

XXII

Pan Papopolous je śniadanie

Pan Papopolous siedział przy stole. Miejsce naprzeciw zajmowała jego córka Zia.

Rozległo się pukanie i wszedł goniec z wiadomością dla Papopolousa. Grek przeczytał ją, uniósł brwi i pokazał córce.

– Herkules Poirot – powiedział drapiąc się w zamyśleniu w lewe ucho. – Ciekawe.

Ojciec i córka wymienili spojrzenia.

– Widziałem go wczoraj na meczu tenisa – dodał Papopolous. – Zio, nie podoba mi się to.

– Kiedyś oddał ci wielką przysługę – przypomniała córka.

– To prawda – przyznał pan Papopolous. – Poza tym, jak słyszę, przeszedł na emeryturę.

Rozmawiali w języku ojczystym. Pan Papopolous zwrócił się po francusku do gońca:

– Poproś tu tego pana.

Po chwili Herkules Poirot, elegancko ubrany i dziarsko wymachujący laską, wszedł do pokoju.

– Mój drogi panie Papopolous!

– Mój drogi panie Poirot!

– I panno Zio – Poirot posłał jej głęboki ukłon.

– Pozwoli pan, że dokończymy śniadanie – powiedział pan Papopolous nalewając sobie kolejną filiżankę kawy. – Pańska wizyta jest dość, hm, wczesna.

– To niewybaczalne – odparł Poirot – ale, widzi pan, zmusiły mnie do tego okoliczności.

– Ach! Więc prowadzi pan nową sprawę? – mruknął antykwariusz.

– Bardzo skomplikowaną sprawę – potwierdził detektyw. – Chodzi o śmierć pani Kettering.

– Zaraz, zaraz – Papopolous popatrzył niewinnie w sufit – chodzi o tę damę, którą znaleziono martwą w Błękitnym Ekspresie? Widziałem wzmiankę w gazetach, ale nie było mowy o morderstwie.

– W interesie sprawiedliwości postanowiono zataić ten fakt – wyjaśnił Poirot.

Zapadła cisza.

– W jaki sposób mógłbym panu pomóc? – spytał pośrednik uprzejmie.

– *Voilà* – odparł detektyw – przejdę od razu do sedna. – Wyjął z kieszeni to samo pudełko, które miał w Cannes, otworzył je i podsunął Papopolousowi.

Mimo że Poirot uważnie mu się przyglądał, ani jeden muskuł nie drgnął na twarzy mężczyzny. Podniósł naszyjnik i przyjrzał mu się z czymś w rodzaju profesjonalnego zainteresowania, po czym popatrzył wyczekująco na detektywa.

– Doskonałe, nieprawdaż? – spytał Poirot.

– Wspaniałe – zgodził się Papopolous.

– Jak wiele są warte, pana zdaniem?

Grek skrzywił się lekko.

– Czy naprawdę muszę to panu mówić? – zapytał.

– Jest pan niezwykle przenikliwym człowiekiem, panie Papopolous. Nie, nie musi pan. Nie są warte, na przykład, pięciuset tysięcy dolarów?

Papopolous roześmiał się, detektyw mu zawtórował.

– To imitacja – powiedział pośrednik, oddając naszyjnik Poirotowi. – Jak powiedziałem, wspaniała. Czy uzna pan za niedyskrecję, jeśli spytam, gdzie ją pan znalazł?

– Ależ w najmniejszym stopniu. – odparł Poirot. – Nie mam tajemnic przed dawnymi przyjaciółmi takimi jak pan. Naszyjnik był w posiadaniu hrabiego de la Roche.

Pan Papopolous wymownie uniósł brwi.

– Ach tak – mruknął.

Poirot pochylił się przybierając najbardziej niewinny i czarujący wyraz twarzy.

– Panie Papopolous – powiedział. – Wyłożę karty na stół. Oryginalne kamienie zostały skradzione pani Kettering w Błękitnym Ekspresie. Panu pierwszemu to mówię: nie jestem zainteresowany ich odnalezieniem. To sprawa policji. Ja nie pracuję dla policji, ale dla pana Van Aldina. Chcę dostać w swoje ręce człowieka, który zamordował panią Kettering. Kamienie interesują mnie tylko o tyle, o ile prowadzą do niego. Czy rozumie pan, o co mi chodzi?

Ostatnie słowa wymówił z wielkim naciskiem. Pan Papopolous odpowiedział cicho, nie zmieniając wyrazu twarzy:

– Proszę mówić dalej.

– Wydaje mi się możliwe, *monsieur*, że kamienie zmienią właściciela tutaj, w Nicei… o ile już się to nie stało.

– Ach! – powiedział pan Papopolous.

W zamyśleniu pociągnął łyk kawy i przybrał jeszcze bardziej szlachetną i patriarchalną pozę niż zazwyczaj.

– Powiedziałem sobie – ciągnął Poirot z ożywieniem – cóż za szczęśliwy zbieg okoliczności! Mój dobry znajomy, pan Papopolous, jest w Nicei! Na pewno mi pomoże.

– Dlaczego pan sądzi, że zdołam panu pomóc? – chłodno spytał pośrednik.

– Pomyślałem, że bez wątpienia pan Papopolous przyjechał do Nicei w interesach.

– Ależ skąd – zaprzeczył pan Papopolous. – Przyjechałem, żeby podreperować zdrowie. Z polecenia lekarzy. – Zakasłał głucho.

– Bardzo mi przykro to słyszeć – powiedział Poirot z nieszczerym współczuciem. – Ale idźmy dalej. Kiedy wielki książę rosyjski, austriacka arcyksiężna lub książę włoski pragną sprzedać rodzinne klejnoty, do kogo się zwracają? Do pana Papopolousa, nieprawdaż? Jego dyskrecja w tych sprawach jest znana jak świat długi i szeroki.

– Pan mi pochlebia – skłonił się pośrednik.

– Dyskrecja to wspaniała rzecz – rozmarzył się Poirot, wywołując przelotny uśmiech na twarzy Greka. – Ja też potrafię być dyskretny.

Oczy obu mężczyzn spotkały się.

Poirot zaczął mówić bardzo powoli, najwyraźniej starannie dobierając słowa.

– Powiedziałem sobie: jeśli kamienie zmienią właściciela w Nicei, pan Papopolous bez wątpienia będzie o tym wiedział.

– Ach! – powiedział pan Papopolous sięgając po rogalik.

– Policja, rozumie pan, nie wnika tak głęboko – wyjaśnił Poirot. – To sprawa osobista.

– Słyszy się różne plotki – ostrożnie powiedział pan Papopolous.

– Na przykład? – ponaglił detektyw.

– Dlaczego miałbym powtarzać je dalej?

– Myślę, że istnieje po temu powód. Być może pamięta pan, że siedemnaście lat temu znalazł się w pańskim posiadaniu pewien przedmiot, jako zabezpieczenie złożone przez pewną Ważną Osobistość. Przedmiot ów zaginął w niewyjaśnionych okolicznościach. Wpadł pan, że użyję obrazowego zwrotu, jak śliwka w kompot.

Jego wzrok pobiegł ku dziewczynie. Odsunęła na bok talerz i filiżankę i siedziała z łokciami na stole, z głowę wspartą na dłoniach, słuchając w napięciu.

– Byłem wtedy w Paryżu – ciągnął Poirot, nie odrywając od niej oczu. – Posłał pan po mnie. Złożył pan swój los w moje ręce. Obiecał pan, że jeśli odnajdę ów... przedmiot, zyskam sobie pańską dozgonną wdzięczność. *Eh, bien!* Odnalazłem go dla pana.

Pan Papopolous wydał długie westchnienie.

– To był najbardziej nieprzyjemny moment w całej mojej karierze – mruknął.

– Siedemnaście lat to kawał czasu – powiedział Poirot. – Ale chyba przyzna mi pan rację, jeśli powiem, że pański naród ma dobrą pamięć.

– Grecy? – spytał pan Papopolous z ironicznym uśmiechem.

Zapadła cisza. Po chwili starszy mężczyzna wyprostował się dumnie.

– Ma pan rację. Jestem Żydem. I, jak pan powiedział, mój naród nie zapomina.

– Więc pomoże mi pan?

– Jeśli chodzi o kamienie, *monsieur*, nic nie mogę zrobić. – Pośrednik, tak jak Poirot przed chwilą, starannie dobierał słowa. – Nic nie wiem. Nic nie słyszałem. Ale być może potrafię panu udzielić wskazówki... o ile grywa pan na wyścigach.

– Jeśli wymagają tego okoliczności – odparł Poirot, patrząc na niego z niewzruszonym spokojem.

– W Longchamps startuje koń, na którego, jak sądzę, warto zwrócić uwagę. Nie potrafię powiedzieć na pewno, sam pan rozumie; ta wiadomość przeszła przez wiele rąk.

Przerwał i popatrzył uważnie na Poirota, jakby chcąc się upewnić, że ten go rozumie.

Poirot skinął głową.

– Koń – powiedział Papopolous odchylając się na krześle i stykając dłonie koniuszkami palców – nazywa się Markiz. Nie jestem pewien, ale zdaje się, że to angielski koń, prawda, Zio?

– Też mi się tak wydaje – potwierdziła dziewczyna.

Poirot zerwał się z miejsca.

– Dziękuję panu – powiedział. – To wspaniale uzyskać, jak to mówią Anglicy, wskazówkę prosto z końskich ust. *Au revoir, monsieur**, i bardzo dziękuję raz jeszcze.

Odwrócił się do dziewczyny.

– *Au revoir, mademoiselle* Zia. Mam wrażenie, jakbym wczoraj pożegnał panią w Paryżu. Wydawałoby się, że minęły najwyżej dwa lata.

– Szesnaście lat a trzydzieści trzy to duża różnica – odparła Zia smutno.

– Nie w pani wypadku – zaprzeczył Poirot z galanterią. – Może pani i ojciec zechcieliby zjeść ze mną kolację któregoś wieczora?

– Z największą przyjemnością – zgodziła się Zia.

– Proszę się zdać na mnie – zadeklarował detektyw. – A teraz, państwo wybaczą...

Poirot szedł ulicą podśpiewując półgłosem jakąś melodyjkę. Wywijał wesoło laską, raz czy dwa uśmiechnął się do siebie. Wszedł do pierwszego napotkanego urzędu pocztowego i nadał telegram. Sformułowanie wiadomości zabrało mu trochę czasu; posługiwał się szyfrem i musiał wytężyć pamięć. W telegramie wiele miejsca poświęcono zgubionej szpilce do krawata; został zaadresowany do inspektora Jappa ze Scotland Yardu.

Po rozkodowaniu wiadomość okazała się krótka i rzeczowa: *Proszę mi przesłać telegraficznie wszystko, co wiadomo o mężczyźnie posługującym się pseudonimem Markiz.*

---

* *fr.* Do widzenia panu

XXIII

Nowa teoria

Była dokładnie godzina jedenasta, kiedy Poirot stawił się w hotelu, gdzie mieszkał Van Aldin. Zastał milionera samego.

– Jest pan punktualny, panie Poirot – powiedział Van Aldin z uśmiechem, wstając na powitanie gościa.

– Zawsze jestem punktualny – odparł detektyw. – Dokładność; zawsze jej przestrzegam. Bez porządku i metody... – urwał. – Możliwe, że wspominałem panu o tym już wcześniej. Przejdźmy od razu do celu mojej wizyty.

– Pańskiej teorii?

– Tak, mojej teorii – uśmiechnął się Poirot.

– Przede wszystkim, *monsieur*, chciałbym jeszcze raz wypytać służącą, Adę Mason. Jest tutaj?

– Tak.

– Doskonale.

Van Aldin spojrzał na niego ciekawie. Zadzwonił i wysłał posłańca na poszukiwanie służącej.

Poirot przywitał ją ze zwykłą uprzejmością, która nigdy nie pozostaje bez wpływu na ludzi z tej szczególnej sfery.

– Dzień dobry, *mademoiselle* – powiedział radośnie. – Usiądź, proszę, jeśli pan Van Aldin nie ma nic przeciwko temu.

– Tak, siadaj, moje dziecko – powiedział Van Aldin.

– Dziękuję panu – powiedziała Mason siadając na brzeżku krzesła. Wyglądała na bardziej kościstą i skwaszoną niż zwykle.

– Chciałbym ci zadać jeszcze parę pytań – wyjaśnił Poirot. – Musimy dotrzeć do sedna sprawy. Znowu wrócę do mężczyzny, którego widziałaś w pociągu. Spotkałaś się z hrabią de la Roche. Mówiłaś, że mógł być człowiekiem z pociągu, ale nie jesteś pewna.

– Mówiłam, że nie widziałam twarzy tego dżentelmena nawet przez chwilę. Dlatego to takie trudne.

Poirot uśmiechnął się i pokiwał głową.

– Właśnie. Doskonale rozumiem. Mówisz, że służyłaś u pani Kettering dwa miesiące. Jak często w tym czasie widywałaś jej męża?

Mason zastanawiała się przez minutę czy dwie, po czym odpowiedziała:

– Tylko dwa razy, proszę pana.

– Z bliska czy z daleka?

– To znaczy, raz, proszę pana, przyszedł na Curzon Street. Zobaczyłam go na dole w holu. Byłam trochę ciekawa, wie pan, wiedząc jak się sprawy mają... – Mason zakończyła swoim dyskretnym kaszlnięciem.

– A drugi raz?

– Spacerowałam w parku z Annie, proszę pana, z jedną z pokojówek, i to ona pokazała mi pana, jak szedł z jakąś zagraniczną damą.

Poirot znowu skinął.

– A teraz posłuchaj dobrze, Mason; ten człowiek, który rozmawiał z twoją panią w przedziale na Gare de Lyon; skąd wiesz, że to nie był pan Kettering?

– Pan Kettering, proszę pana? Och jej, nie przyszło mi do głowy!

– Ale nie jesteś pewna? – naciskał Poirot.

– To znaczy… zupełnie o tym nie pomyślałam, proszę pana.

Mason była wyraźnie zmieszana taką możliwością.

– Słyszałaś, że twój pan też jechał tym pociągiem. Cóż bardziej naturalnego, niż spotkać go na korytarzu?

– Ale ten dżentelmen, który rozmawiał z panią, musiał przyjść z ulicy, proszę pana. Miał na sobie płaszcz i kapelusz.

– Oczywiście, Mason, ale zastanów się przez chwilę. Pociąg właśnie przyjechał na Gare de Lyon. Wielu pasażerów przechadzało się po peronie. Twoja pani też miała zamiar tak zrobić i na pewno włożyła futro, prawda?

– Tak, proszę pana – zgodziła się Mason.

– Twój pan mógł zrobić to samo. Pociąg jest ogrzewany, ale na zewnątrz panuje chłód. Wkłada więc płaszcz i kapelusz i spaceruje wzdłuż pociągu. Nagle w jakimś oknie dostrzega *madame* Kettering. Nie wiedział, że jadą tym samym pociągiem. Naturalnie wsiada do wagonu i odszukuje jej przedział. Pani wydaje okrzyk zdumienia na jego widok i szybko zamyka drzwi łączące pomieszczenia przewidując, że rozmowa może mieć prywatny charakter.

Detektyw odchylił się na krześle i patrzył, czy jego słowa wywarły pożądany efekt. Nikt nie wiedział tak dobrze jak on, że ludzi pokroju służącej nie należy popędzać. Trzeba dać im czas na zrewidowanie powziętych z góry przekonań. Po blisko trzech minutach Mason odezwała się:

– To znaczy, proszę pana, mogło i tak być. Zupełnie o tym nie pomyślałam. Pan jest wysoki i ma ciemne włosy, i jest podobnej budowy. Zobaczyłam ten kapelusz i palto, więc wydawało mi się, że musiał przyjść z zewnątrz. Tak, to mógł być pan Kettering. Ale nie powiem, żebym była pewna jednego albo drugiego.

– Bardzo dziękuję, *mademoiselle*. Nie będę cię już potrzebował. Aha, jeszcze jedno. – Wyjął z kieszeni papierośnicę, którą pokazywał wcześniej Katarzynie. – Czy to papierośnica pani Kettering?

– Nie, proszę pana, to nie jej… przynajmniej…

Nagle wydała się przestraszona. Jakaś myśl wolno torowała sobie drogę w jej umyśle.

– Tak? – spytał Poirot zachęcająco.

– Myślę, proszę pana... to znaczy, nie jestem pewna, ale... to jest chyba papierośnica, którą pani Kettering chciała dać mężowi w prezencie.

– Aha – powiedział Poirot obojętnie.

– Ale nie wiem, oczywiście, czy mu ją w końcu dała.

– Naturalnie – zgodził się detektyw. – Naturalnie. To już chyba wszystko, *mademoiselle*. Życzę przyjemnego popołudnia.

Ada Mason wyszła dyskretnie, bezszelestnie zamykając za sobą drzwi.

Poirot popatrzył na Van Aldina z leciutkim uśmieszkiem na twarzy. Milioner wyglądał jak rażony gromem.

– Myśli pan... myśli pan, że to był Derek? – zapytał zdumiony. – Ale przecież wszystko wskazuje na kogo innego. Przecież złapano hrabiego na gorącym uczynku. Miał przy sobie kamienie.

– Nie.

– Ale mówił pan...

– Co panu mówiłem?

– Ta cała historia o rubinach. Pokazywał mi je pan.

– Nie.

Van Aldin wytrzeszczył na niego oczy.

– Chce pan powiedzieć, że mi ich pan nie pokazywał?

– Nie.

– Wczoraj... na meczu tenisa?

– Nie.

– Czy to pan oszalał, Poirot, czy ja?

– Żaden z nas nie jest szalony – odparł detektyw. – Zadaje mi pan pytania, ja na nie odpowiadam. Pyta pan, czy pokazywałem panu wczoraj rubiny. Odpowiadam: nie. To, co panu pokazałem, to była pierwszorzędna imitacja; tylko ekspert potrafiłby ją odróżnić od oryginału.

XXIV

Poirot udziela rady

Przyjęcie tego faktu do wiadomości zabrało milionerowi parę minut. Patrzył na Poirota w oszołomieniu. Mały Belg pokiwał głową.

– To wiele zmienia, nieprawdaż?

– Imitacja! – Pochylił się do przodu. – I cały czas pan to podejrzewał, Poirot? Cały czas zmierzał pan do tego? Nie wierzył pan nawet przez chwilę, że to hrabia jest mordercą?

– Miałem wątpliwości – spokojnie odparł detektyw. – Przecież panu wspominałem. Rabunek połączony z morderstwem – energicznie pokręcił głową – trudno to sobie wyobrazić. To nie pasuje do osobowości hrabiego de la Roche.

– Ale wierzy pan, że hrabia chciał ukraść rubiny?

– Oczywiście. Nie ma co do tego wątpliwości. Powiem panu, jak ja to widzę. Hrabia wiedział o rubinach i stworzył odpowiedni plan. Wymyślił romantyczną opowieść, jak to pisze książkę, aby zachęcić pańską córkę do wzięcia klejnotów ze sobą. Zaopatrzył się w ich imitację. Chyba jasne, że chciał dokonać zamiany. *Madame*, pańska córka, nie była ekspertem, jeśli chodzi o biżuterię. Prawdopodobnie minęłoby wiele czasu, zanim by odkryła, co się stało. A i wtedy nie sądzę, żeby chciała podać hrabiego do sądu. Zbyt wiele spraw wyszłoby wówczas na jaw. De la Roche na pewno miał jej listy. Z jego punktu widzenia był to więc bardzo bezpieczny plan... niewątpliwie powiódł się już wiele razy.

– Brzmi dość przekonująco – powiedział Van Aldin w zamyśleniu.

– Pasuje do osobowości hrabiego – podkreślił detektyw.

– No dobrze, ale w takim razie – Van Aldin spojrzał pytająco na swojego rozmówcę – co się naprawdę stało? Proszę mi powiedzieć, panie Poirot.

Poirot wzruszył ramionami.

– To całkiem proste – powiedział. – Ktoś wyprzedził hrabiego.

Przez dłuższą chwilę milczeli obaj.

Van Aldin, jak się wydawało, jeszcze raz obracał wszystko w myślach.

– Od jak dawna podejrzewa pan mojego zięcia, panie Poirot? – spytał prosto z mostu.

– Od samego początku. Miał motyw i sposobność. Wszyscy uważali za oczywiste, że mężczyzną, który odwiedził przedział pani Kettering w Paryżu, był hrabia de la Roche. Ja też tak myślałem. Potem pan wspomniał, że zdarzyło się panu kiedyś wziąć hrabiego za swego zięcia. A więc są podobnego wzrostu i budowy. To mi podsunęło dziwny pomysł. Pokojówka pracowała u pańskiej córki od niedawna. Mało prawdopodobne, żeby dobrze znała pana Ketteringa, skoro nie mieszkał przy Curzon Street; zresztą mężczyzna w przedziale miał twarz odwróconą.

– Wierzy pan, że... to on ją zamordował? – spytał Van Aldin ochryple.

Poirot szybko podniósł dłoń.

– Nie, nie, tego nie powiedziałem. Ale istnieje taka możliwość... bardzo prawdopodobna. Znalazł się w kłopotach, bardzo poważnych kłopotach, groziła mu ruina. To było jedyne wyjście.

– Ale dlaczego zabrał rubiny?

– Żeby się wydawało, że morderstwo popełnili zwykli rabusie kolejowi. W przeciwnym razie podejrzenie od razu padłoby na niego.

– W takim razie, co z nimi zrobił?

– To się okaże. Istnieje kilka możliwości. W Nicei przebywa pewien człowiek, ten, którego panu pokazywałem na meczu. On może mu pomóc.

Poirot wstał. Van Aldin podniósł się również i położył małemu człowieczkowi dłoń na ramieniu. Kiedy się odezwał, jego głos był ochrypły z emocji.

– Niech pan odnajdzie mordercę Ruth – powiedział. – To wszystko, o co proszę.

Poirot wyprostował się jak struna.

– Proszę to zostawić Herkulesowi Poirot – powiedział dumnie. – Może pan być spokojny. Odkryję, jak było naprawdę.

Strzepnął jakiś pyłek z kapelusza, uśmiechnął się do milionera uspokajająco i wyszedł z pokoju. Kiedy schodził po schodach, nie wydawał się już tak pewny siebie.

– Wszystko pięknie – mruknął do siebie – ale są pewne trudności. Tak, pozostają pewne trudności.

Wychodząc z hotelu zatrzymał się niespodziewanie. Przy wejściu czekał samochód. W środku siedziała Katarzyna Grey, a Derek Kettering stał obok na chodniku rozmawiając z nią z ożywieniem. Po chwili samochód odjechał; Kettering patrzył w ślad za nim z dziwnym wyrazem twarzy. Nagle niecierpliwie wzruszył ramionami, westchnął głęboko i odwrócił się – tylko po to, by się przekonać, że tuż przy nim stoi Herkules Poirot. Drgnął mimo woli. Spojrzeli na siebie. Poirot z niewzruszonym spokojem, Kettering z czymś w rodzaju beztroskiego wyzwania. Kiedy się odezwał, unosząc równocześnie brwi, w jego drwiącym głosie kryła się pogarda.

– Kochane stworzenie, prawda? – W jego zachowaniu nie było śladu skrępowania.

– Kochane stworzenie, tak – odparł Poirot z namysłem. – To określenie doskonale pasuje do *mademoiselle* Grey. Jest bardzo angielskie i *mademoiselle* Grey też jest bardzo angielska.

Kettering stał nieruchomo, milcząc.

– A równocześnie ogromnie *sympathique*, nieprawdaż?

– Tak – zgodził się Kettering. – Niewiele znam takich jak ona.

Mówił cicho, niemal jakby do siebie. Poirot skinął wymownie. Potem pochylił się w jego stronę i powiedział cichym, poważnym tonem, który Kettering słyszał z jego ust po raz pierwszy.

– Wybaczy pan staremu człowiekowi, *monsieur*, jeśli to, co powiem, wyda się impertynenckie. Chciałbym panu zacytować jedno z waszych angielskich przysłów. Mówi ono, że należy „skończyć ze starą miłością, zanim się zacznie nową".

Kettering spojrzał na niego gniewnie.

– O co panu chodzi, do diabła?

– Złości się pan na mnie – odparł Poirot pogodnie. – Spodziewałem się tego. A chodzi mi o to, że stoi tu jeszcze jeden samochód z damą w środku. Zobaczy go pan, jeśli pan obróci głowę.

Derek odwrócił się. Twarz pociemniała mu z gniewu.

– Przeklęta Mirelle! – mruknął. – Zaraz...

Poirot powstrzymał go gestem.

– Czy to rozsądne, co pan chce zrobić? – spytał. W jego oczach płonęły zielone światełka. Kettering nie zauważył ostrzeżenia. Ogarnięty gniewem, nie dbał o zachowanie pozorów.

– Zerwałem z nią ostatecznie i ona o tym wie! – wykrzyknął ze złością.

– Zerwał pan z nią, to prawda, ale czy ona zerwała z panem?

Kettering roześmiał się nieprzyjemnie.

– *Mademoiselle* Mirelle nie zerwałaby z dwoma milionami funtów za nic w świecie – burknął nieuprzejmie. – Można być tego pewnym.

Poirot uniósł brwi.

– Jest pan bardzo cyniczny – powiedział cicho.

– Tak pan sądzi? – W uśmiechu Dereka nie było wesołości. – Żyję na świecie od dość dawna, panie Poirot, by wiedzieć, że wszystkie kobiety są takie. – Nagle twarz mu złagodniała. – Wszystkie z wyjątkiem jednej. – Wyzywająco spojrzał w oczy detektywowi. W jego wzroku pojawiła się czujność, potem zniknęła. – Tamtej – powiedział, wskazując ruchem głowy w stronę Cap Martin.

– Ach! – powiedział Poirot.

Jego spokój był obliczony na to, by sprowokować rozmówcę.

– Wiem, co mi pan powie – powiedział gwałtownie Kettering. – Po tym, jakie prowadziłem życie, nie jestem jej wart. Powie pan, że nie mam prawa nawet o tym marzyć, że nie uchodzi mówić tak w parę dni po śmierci żony, i to takiej śmierci.

Przerwał dla nabrania tchu. Poirot wykorzystał przerwę, by wtrącić pogodnie:

– Nic podobnego nie powiedziałem.

– Ale pan powie.

– Tak? – spytał Poirot.

– Powie pan, że nie mam cienia szansy, żeby ożenić się z Katarzyną.

– Nie – zaprzeczył Poirot. – Nie powiem tego. Ma pan kiepską reputację, to prawda, ale kobiet to nigdy nie odstrasza. Gdyby był pan człowiekiem o kryształowym charakterze, niepokalanej moralności, który nie popełnił ani jednego grzesznego czynu i robił zawsze to, co do niego należy… *eh, bien!* wtedy miałbym wątpliwości co do pańskiego powodzenia. Widzi pan, cnoty moralne są mało romantyczne. Cenią je tylko wdowy.

Kettering spojrzał na niego ze zdumieniem, po czym obrócił się na pięcie i ruszył w stronę czekającego samochodu.

Poirot popatrzył za nim z pewnym zainteresowaniem. Zobaczył, jak z samochodu wychyla się zjawiskowa postać. Kettering nie zatrzymał się. Uchylił kapelusza i poszedł dalej.

– *Ça y est** – powiedział Herkules Poirot. – Zdaje się, że czas wracać do siebie.

George, niewzruszony jak zwykle, prasował spodnie.

– Miły dzień, Georges; trochę męczący, ale ciekawy – powiedział Poirot.

George przyjął tę uwagę na swój sztywny sposób.

– Tak, proszę pana.

– Osobowość przestępcy, Georges, to niezwykle ciekawa sprawa. Wielu morderców cechuje ogromny urok osobisty.

– Słyszałem, że doktor Crippen był bardzo wymowny. Mimo to posiekał swoją żonę na drobne kawałeczki.

– Zawsze potrafisz podać właściwy przykład, Georges.

Służący nie odpowiedział; w tym momencie zadzwonił telefon. Poirot podniósł słuchawkę.

– Halo? Tak, tak, tu Herkules Poirot.

– Mówi Knighton. Czy byłby pan łaskaw poczekać chwilę? Pan Van Aldin chciał z panem rozmawiać.

Na chwilę zapadła cisza, po czym odezwał się sam milioner.

– To pan, Poirot? Chciałem tylko powiedzieć, że z własnej inicjatywy odwiedziła mnie Mason. Przemyślała całą sprawę; jest prawie pewna, że mężczyzną w pociągu był Derek Kettering. Wydawał się jej dziwnie znajomy, mówi, ale wtedy nie mogła go skojarzyć.

---

* *fr.* zrobione

– Aha – powiedział Poirot. – Dziękuję panu. To posuwa nas naprzód.

Odłożył słuchawkę i stał przez chwilę z bardzo dziwnym uśmiechem na twarzy. George musiał powtórzyć pytanie dwa razy, zanim doczekał się odpowiedzi.

– Słucham? – spytał detektyw. – Co mówiłeś?

– Zje pan obiad tutaj, czy na mieście?

– Ani jedno, ani drugie – odparł Poirot. – Napiję się herbaty i idę do łóżka. Stało się to, czego oczekiwałem, a to zawsze budzi we mnie wielkie wzburzenie.

XXV

Wyzwanie

Kiedy Kettering przechodził obok samochodu, wychyliła się z niego Mirelle.

– Dereek... musimy porozmawiać...

Ale Kettering nie zatrzymał się, uchylił tylko kapelusza.

W hotelu recepcjonista wyjrzał zza drewnianego kontuaru:

– Jakiś dżentelmen na pana czeka, *monsieur*.

– Jaki dżentelmen? – spytał Kettering.

– Nie podał swojego nazwiska; powiedział, że ma ważną sprawę i poczeka.

– Gdzie jest?

– W saloniku, proszę pana. Powiedział, że w holu jest za mało prywatnie.

Kettering skinął głową i skierował się w tamtą stronę.

Poza gościem w saloniku nie było nikogo; mężczyzna wstał i ukłonił się ze swobodną elegancją właściwą cudzoziemcom. Tak się złożyło, że Kettering widział hrabiego de la Roche tylko raz, ale rozpoznał go bez trudu i skrzywił się ze złością. Co za tupet!

– Hrabia de la Roche, prawda? – spytał. – Obawiam się, że przychodząc tutaj zmarnował pan tylko czas.

– Mam nadzieję, że nie – powiedział hrabia ugodowo, błyskając białymi zębami.

Czarujące maniery hrabiego nie wywierały pożądanego wrażenia na przedstawicielach jego własnej płci. Wszyscy mężczyźni bez wyjątku serdecznie go nie znosili. Kettering poczuł nieprzepartą pokusę, by osobiście wyrzucić hrabiego za drzwi. Powstrzymała go jedynie świadomość, że obecnie skandal jest ostatnią rzeczą, jakicj potrzebuje. Znowu zaczął się dziwić, jak Ruth mogła pokochać tego człowieka, jeśli to, co mówiono, było prawdą. Parweniusz, gorzej niż parweniusz. Popatrzył z niesmakiem na wypielęgnowane dłonie hrabiego.

– Przyszedłem w interesach – wyjaśnił hrabia. – Sądzę, że byłoby wskazane, gdyby mnie pan wysłuchał.

Kettering znowu nabrał ochoty, by posłać go za drzwi kopniakiem, i znowu się pohamował. Ton lekkiej groźby nie umknął jego uwagi, ale Derek zinterpretował go na swój sposób. Istniało wiele powodów, dla których należało wysłuchać, co hrabia ma do powiedzenia.

Usiadł i niecierpliwie zabębnił palcami po stole.

– No więc? – spytał niecierpliwie. – O co chodzi?

Hrabia nie należał do ludzi, który zmierzają wprost do celu.

– Pozwoli pan, że złożę mu kondolencje w związku ze stratą, jaką poniósł pan ostatnio.

– Jeśli usłyszę od pana jeszcze jedną impertynencję – uprzedził Kettering zimno – wyrzucę pana przez to okno.

Ruchem głowy wskazał okno znajdujące się za hrabią; ten poruszył się niespokojnie.

– Skoro tak, może lepiej od razu przyślę sekundantów? – zapytał wyniośle.

Kettering wybuchnął śmiechem.

– Pojedynek, tak? Drogi hrabio, nie traktuję pana do tego stopnia poważnie. Ale z wielką przyjemnością przegoniłbym pana kopniakami po Promenade des Anglais.

Hrabia nie miał zamiaru się obrażać. Podniósł jedynie brwi i zauważył półgłosem:

– Anglicy to barbarzyńcy.

– Czy to właśnie chciał mi pan zakomunikować? – spytał Kettering.

– Przejdę od razu do rzeczy. Zdaje się, że to odpowiada nam obu. – Znowu uśmiechnął się ugodowo.

– Słucham – ponaglił go Kettering ostro.

Hrabia spojrzał w sufit, zetknął dłonie czubkami palców i powiedział cicho:

– Odziedziczył pan wielkie pieniądze, *monsieur*.

– A co to pana, do diabła, obchodzi?

Hrabia wyprostował się.

– Moje nazwisko zostało splamione! Jestem podejrzewany... oskarżony... o popełnienie potwornej zbrodni!

– Nie ja pana oskarżyłem – wyjaśnił Kettering zimno. – Jako strona zainteresowana nie wyrażałem własnej opinii.

– Jestem niewinny – oświadczył hrabia. – Klnę się na Boga – podniósł rękę – że jestem niewinny.

– O ile wiem, sędzią śledczym w tej sprawie mianowano pana Carrège'a – uprzejmie poinformował go Kettering.

Hrabia udał, że nie słyszy.

– Nie tylko niesłusznie podejrzewa się mnie o zbrodnię, której nie popełniłem, ale również znajduję się w trudnej sytuacji finansowej. – Zakasłał cicho, ale sugestywnie.

Kettering wstał.

– Na to właśnie czekałem – powiedział spokojnie. – Ty podły szantażysto! Nie dostaniesz ani pensa. Moja żona nie żyje i żaden skandal nie może jej dotknąć. Pisała do pana listy, wiem o tym. Nawet gdybym zgodził się odkupić je za okrągłą sumkę, nie wątpię, że zatrzymałby pan kilka. Powiem panu coś, panie de la Roche: szantaż to brzydkie słowo, zarówno po francusku, jak i po angielsku. Tak brzmi moja odpowiedź. Żegnam pana.

– Chwileczkę – hrabia wyciągnął rękę, kiedy Kettering odwracał się już, żeby wyjść z pokoju. – Myli się pan, całkowicie się pan myli. Jestem, jak sądzę, dżentelmenem. – Kettering roześmiał się. – List napisany przez kobietę to dla mnie świętość. – Odrzucił głowę szlachetnym ruchem. – Propozycja, którą panu złożyłem, była zupełnie innej natury. Znajduję się, jak już wspominałem, w trudnej sytuacji finansowej, a moje sumienie popycha mnie, abym poszedł na policję z pewną informacją.

Kettering wrócił do pokoju.

– Co to znaczy?

Po twarzy hrabiego raz jeszcze przemknął uprzejmy uśmiech.

– Z pewnością nie ma potrzeby zagłębiać się w szczegóły – powiedział de la Roche półgłosem. – Jak to mówią, wystarczy sprawdzić, komu przestępstwo przynosi zysk. Już mówiłem, odziedziczył pan mnóstwo pieniędzy.

Kettering roześmiał się.

– Jeśli to wszystko... – zaczął pogardliwie.

Hrabia pokręcił głową.

– To nie wszystko, mój drogi panie. Nie przyszedłbym do pana, gdybym nie dysponował bardziej szczegółowymi informacjami. Być aresztowanym i sądzonym za morderstwo to bardzo nieprzyjemne uczucie.

Kettering podszedł do niego. Jego twarz wyrażała tak wściekłą furię, że hrabia mimo woli cofnął się o krok czy dwa.

– Grozi mi pan? – warknął Kettering.

– Już nigdy nie będziemy poruszać tej sprawy – zapewnił hrabia.

– Ze wszystkich łgarstw, jakie słyszałem...

Hrabia uniósł białą dłoń.

– Pan się myli. To nie kłamstwo. Może pana przekonam, jeśli powiem, że informacja ta pochodzi od pewnej damy. Jest ona w posiadaniu niepodważalnych dowodów, iż popełnił pan morderstwo.

– Jakiej damy?

– *Mademoiselle* Mirelle.

Kettering drgnął.

– Mirelle – powtórzył cicho.

Hrabia chciał szybko wykorzystać to, co wziął za swoją przewagę.

– Chodzi o zupełny drobiazg, sto tysięcy franków – powiedział. – Nie proszę o więcej.

– Co? – spytał Kettering z roztargnieniem.

– Mówiłem, że drobiazg wysokości stu tysięcy franków uspokoiłby moje... sumienie.

Kettering najwyraźniej otrząsnął się z zamyślenia. Spojrzał bystro na hrabiego.

– Chce pan usłyszeć moją odpowiedź już teraz?

– Gdyby był pan tak łaskaw.

– No więc, proszę słuchać. Idź pan do diabła. Rozumie pan?

Kettering obrócił się na pięcie i wyszedł z pokoju, zostawiając hrabiego oniemiałego ze zdumienia.

Przywołał taksówkę i kazał się wieźć do hotelu, w którym zatrzymała się Mirelle. Na miejscu dowiedział się, że tancerka właśnie wróciła. Wręczył portierowi swoją wizytówkę.

– Proszę spytać *mademoiselle*, czy mnie przyjmie.

Po krótkiej chwili boy zaprowadził go na górę.

Kiedy Kettering znalazł się w apartamentach tancerki, uderzył go zapach egzotycznych perfum. Pokój był pełen goździków, orchidei i mimozy. Mirelle stała przy oknie w peniuarze z pienistej koronki.

Podeszła do niego z wyciągniętymi rękami.

– Dereek... przyszedłeś do mnie. Wiedziałam, że tak będzie.

Odsunął jej ręce i spojrzał na nią surowo.

– Dlaczego wysłałaś do mnie hrabiego de la Roche?

Spojrzała na niego ze zdziwieniem, które wydało mu się szczere.

– Ja? Wysyłać do ciebie hrabiego de la Roche? Po co?

– Najwyraźniej po to, żeby mnie szantażował – wyjaśnił ponuro.

Znowu popatrzyła zdziwiona. Potem nagle uśmiechnęła się i kiwnęła głową.

– Oczywiście. Mogłam się tego spodziewać. To do niego podobne; powinnam była wiedzieć. Nie, naprawdę, Dereek, nie posyłałam go.

Przyjrzał się jej przenikliwie, jakby chciał poznać jej myśli.

– Wszystko ci powiem. Wstyd mi, ale powiem. Wczoraj, rozumiesz, byłam oszalała z gniewu, zupełnie szalona – zrobiła wymowny gest. – Nie brak mi temperamentu. Chciałam się na tobie zemścić, więc poszłam do hrabiego de la Roche i kazałam mu iść na policję, i powiedzieć tak i tak. Ale nie obawiaj się, nie całkiem straciłam głowę; w dalszym ciągu tylko ja mam dowód. Policja nic ci nie może zrobić bez moich zeznań, rozumiesz? A teraz... – Przysunęła się blisko, patrząc na niego zamglonym wzrokiem.

Odsunął ją szorstko. Stała z falującą piersią, z oczyma zwężonymi w szparki jak u kota.

– Uważaj, Dereek, uważaj co robisz. Wróciłeś do mnie, prawda?

– Nigdy do ciebie nie wrócę – odparł stanowczo.

– Ach tak! – Bardziej niż kiedykolwiek przypominała kotkę. Powieki jej drgały. – A więc jest ktoś jeszcze? Ta kobieta, z którą jadłeś wtedy obiad. Mam rację?

– Mam zamiar poprosić ją o rękę. Równie dobrze możesz się o tym dowiedzieć.

– Ta napuszona Angielka! Myślisz, że na to pozwolę? O, nie! – Zadrżała. – Słuchaj, Dereek, pamiętasz naszą rozmowę w Londynie? Powiedziałeś, że tylko śmierć żony mogłaby cię uratować. Narzekałeś na jej dobre zdrowie. Potem pomyślałeś o wypadku. I o czymś jeszcze.

– Podejrzewam – powiedział pogardliwie Kettering – że to tę rozmowę powtórzyłaś hrabiemu de la Roche.

Mirelle roześmiała się.

– Nie jestem głupia. Co przyjdzie policji z takiej mglistej historyjki? Posłuchaj, dam ci jeszcze jedną szansę. Rozstaniesz się z tą Angielką. Wrócisz do mnie. A wtedy, *chéri*, nigdy, nigdy nawet nie wspomnę, że…

– Że co?

Roześmiała się cicho.

– Zdawało ci się, że nikt cię nie widział…

– O czym ty mówisz?

– Wydawało ci się, że nikt cię nie zobaczył, ale ja cię widziałam, *mon ami.* Widziałam, jak wychodziłeś z przedziału swojej żony tamtej nocy, zanim pociąg wjechał do Lyonu. I wiem jeszcze coś. Wiem, że kiedy wychodziłeś z jej przedziału, ona nie żyła.

Popatrzył na nią. Potem, jak w transie, bardzo wolno odwrócił się i wyszedł z pokoju, chwiejąc się lekko na nogach.

XXVI

Ostrzeżenie

–A więc – powiedział Poirot – jesteśmy parą dobrych przyjaciół i nie mamy przed sobą tajemnic.

Katarzyna odwróciła się, żeby na niego spojrzeć. W jego głosie zabrzmiał ton powagi, który słyszała po raz pierwszy.

Siedzieli w ogrodach Monte Carlo. Katarzyna przyszła tu z przyjaciółmi i od razu wpadła na Knightona i Poirota. Lady Tamplin zagarnęła sekretarza, zasypując go wspomnieniami, z których większa część – jak podejrzewała Katarzyna – była zmyślona. Odeszli razem, lady Tamplin z ręką na ramieniu młodego człowieka. Knighton rzucił za siebie parę tęsknych spojrzeń; na ich widok oczy Poirota zalśniły.

– Naturalnie, że jesteśmy przyjaciółmi – potwierdziła Katarzyna.

– Zrozumieliśmy się od pierwszej chwili – rozmarzył się detektyw.

– Kiedy powiedział pan, że sensacyjne historie zdarzają się naprawdę.

– I miałem rację, prawda? – spytał wyzywająco, podnosząc palec. – Właśnie tkwimy w samym środku takiej historii. Dla mnie to naturalne, to mój zawód, ale w pani wypadku to zupełnie co innego. Tak – powtórzył w zamyśleniu – zupełnie co innego.

Popatrzyła na niego chłodno. Odniosła wrażenie, że stara się ją przed czymś ostrzec, wskazać jakąś groźbę, która uszła jej uwagi.

– Dlaczego mówi pan, że w niej tkwię? Prawda, rozmawiałam z panią Kettering na chwilę przed jej śmiercią, ale teraz... teraz wszystko się skończyło. Nie mam już nic wspólnego z całą sprawą.

– Ach, *mademoiselle*, *mademoiselle*, czy kiedykolwiek możemy powiedzieć, że skończyliśmy z tym czy owym?

Katarzyna spojrzała na niego wyzywająco.

– O co panu chodzi? – spytała. – Próbuje mi pan o czymś powiedzieć czy raczej dać do zrozumienia. Ale ja nie rozumiem tych półsłówek. Wolałabym, żeby powiedział pan wprost.

Poirot popatrzył na nią ze smutkiem.

– Ach, jakie to angielskie – mruknął – wszystko czarno na białym, wszystko jasno określone i jednoznaczne. Ale życie takie nie jest, *mademoiselle*. Są rzeczy, które jeszcze się nie zdarzyły, a już rzucają swój cień na nasze życie. – Otarł czoło wielką jedwabną chustką i odezwał się znowu: – Wyrażam się zbyt poetycko. Lepiej pomówmy o faktach, zgodnie z pani radą. Proszę mi powiedzieć, co pani sądzi o majorze Knightonie.

– Bardzo go lubię – rzekła Katarzyna ciepło. – Jest niezwykle miły.

Detektyw westchnął.

– Co się stało? – spytała Katarzyna.

– Powiedziała to pani z takim zapałem – poskarżył się Poirot. – Gdyby stwierdziła pani obojętnie: „To całkiem miły człowiek", byłbym bardziej zadowolony.

Katarzyna nie odpowiedziała. Poczuła się trochę nieswojo. Poirot ciągnął w rozmarzeniu:

– A jednak, kto wie? Kobiety znają tyle sposobów na ukrycie tego, co naprawdę czują... a pozorne zaangażowanie jest równie dobrym sposobem jak każdy inny. – Westchnął.

– Nie rozumiem... – zaczęła Katarzyna.

– Nie rozumie pani, dlaczego jestem tak impertynencki, *mademoiselle*? – przerwał Poirot. – Chodzę po świecie wiele lat i od czasu do czasu, choć niezbyt często, spotykam kogoś, czyje dobro leży mi na sercu. Jesteśmy przyjaciółmi, *mademoiselle*, sama pani przyznała. I tylko o to mi chodzi: chciałbym, żeby była pani szczęśliwa.

Katarzyna patrzyła prosto przed siebie. Szpicem kretonowej parasolki rysowała wzory na piasku alejki.

– Pytałem panią o majora Knightona; teraz chciałbym się dowiedzieć, co pani sądzi o Dereku Ketteringu.

– Prawie go nie znam – odparła Katarzyna.

– To nie jest odpowiedź.

– Myślę, że jest.

Popatrzył na nią, uderzony dziwnym tonem jej głosu. Potem z powagą, wolno pokiwał głową.

– Może i ma pani rację. Wiele w życiu widziałem i przekonałem się, że dwie rzeczy są prawdą. Dobrego mężczyznę może zniszczyć miłość do złej kobiety; ale może też być odwrotnie: złego człowieka również może zniszczyć miłość do dobrej kobiety.

Katarzyna popatrzyła na niego uważnie.

– Kiedy mówi pan zniszczyć...

– Mam na myśli jego punkt widzenia. Przestępstwu, jak wszystkim innym rzeczom na tym świecie, trzeba się poświęcić całym sercem.

– Próbuje mnie pan ostrzec – powtórzyła Katarzyna cicho. – Przed kim?

– Nie wiem, co się kryje w pani sercu, *mademoiselle*; nie sądzę, żeby pozwoliła mi pani do niego zajrzeć. Powiem tylko tyle. Niektórzy mężczyźni dziwnie fascynują kobiety.

– Na przykład hrabia de la Roche – poddała Katarzyna z uśmiechem.

– Są i inni, bardziej niebezpieczni od hrabiego. Obdarzeni cechami, które wywierają wielkie wrażenie: odważni, zuchwali, nieustraszeni. Jest pani zafascynowana, *mademoiselle*; widzę to, ale myślę, że nie kryje się za tym nic więcej. Mam nadzieję. Mężczyzna, o którym mówię... jego uczucia są szczere, ale mimo to...

– Tak?

Poirot wstał i spojrzał na Katarzynę z góry. Potem przemówił cichym, wyraźnym głosem:

– Być może potrafiłaby pani pokochać złodzieja, *mademoiselle*, ale nie mordercę.

Po tych słowach odszedł szybko, zostawiając ją samą.

Usłyszał, że wydała ciche westchnienie, ale nie zwrócił na to uwagi. Powiedział to, co chciał. Zostawiał ją teraz, żeby przemyślała ostatnie stwierdzenie.

Kettering, wychodząc z kasyna, zobaczył Katarzynę siedzącą na ławce i przyłączył się do niej.

– Grałem – powiedział ze śmiechem – i to bez powodzenia. Straciłem wszystkie pieniądze; to znaczy wszystkie, które miałem ze sobą.

Katarzyna popatrzyła na niego zaniepokojona. Zauważyła, że w jego zachowaniu pojawiło się coś nowego, jakieś wewnętrzne podniecenie, wyrażające się w drobnych, niedostrzegalnych niemal gestach.

– Powiedziałabym, że zawsze miał pan skłonności do hazardu. Bardzo to do pana pasuje.

– Gracz pod każdym względem i w każdej sytuacji? Ma pani mniej więcej rację. Pani to nie pociąga? Postawić wszystko na jedną kartę... czy to nie fascynujące?

Katarzyna zawsze uważała się za osobę opanowaną i spokojną; mimo to poczuła lekki dreszcz.

– Chciałbym z panią porozmawiać – ciągnął Kettering. – A Bóg wie, kiedy będę miał po temu następną okazję. Krąży plotka, że zamordowałem swoją żonę; nie, proszę mi nie przerywać. Oczywiście, że to absurd. – Zamilkł na chwilę, potem mówił z większą rozwagą: – W rozmowach z miejscowymi władzami i policją uznałem za wskazane zachować dla siebie pewne sprawy. Przed panią nie będę udawał. Ożeniłem się dla pieniędzy. Potrzebowałem ich, kiedy spotkałem Ruth Van Aldin po raz pierwszy. Wyglądała jak Madonna i ja... no, cóż, złożyłem obietnicę poprawy... i gorzko się rozczarowałem. Moja żona, kiedy wychodziła za mnie, kochała innego mężczyznę. Nigdy nie zależało jej na mnie w najmniejszym stopniu. Nie, nie skarżę się; to była uczciwa transakcja: ona chciała zostać panią na Leconbury, a ja chciałem pieniędzy. Przyczyną kłopotów stało się jej amerykańskie wychowanie. Nic jej nie obchodziłem, ale chciała, żebym był cały czas na jej usługi. Kiedyś w końcu powiedziała mi wprost, a potem powtórzyła jeszcze przy kilku okazjach, że mnie kupiła i należę do niej. Wskutek tego parę razy potraktowałem ją w niewybaczalny sposób. Mój teść z pewnością to pani opowie; ma zupełną rację. W chwili śmierci Ruth znajdowałem się w tragicznym położeniu. – Roześmiał się nagle. – Wystarczy się sprzeciwić Rufusowi Van Aldin, żeby się znaleźć w tragicznym położeniu.

– A potem? – spytała cicho Katarzyna.

– A potem – Kettering wzruszył ramionami. – Ruth została zamordowana. W opatrznościowym momencie.

Wybuchnął śmiechem; śmiech ten zabolał Katarzynę. Skrzywiła się.

– Ma pani rację – powiedział Derek. – To nie było w najlepszym guście. Ale taka jest prawda. Chcę pani powiedzieć coś jeszcze. Od pierwszej chwili, kiedy panią zobaczyłem, wiedziałem, że jest pani dla mnie stworzona. Ja... obawiałem się pani. Bałem się, że ściągnie na mnie pani nieszczęście.

– Nieszczęście? – spytała ostro Katarzyna.

Popatrzył na nią zmieszany.

– Dlaczego powtarza to pani w taki sposób? O czym pani pomyślała?

– O czymś, co usłyszałam przed chwilą.

Kettering skrzywił się nagle w uśmiechu.

– Powiedzą pani o mnie mnóstwo różnych rzeczy, moja droga, i większość z tego będzie prawdą. To i gorsze jeszcze sprawki... sprawki, których nigdy pani nie zdradzę. Zawsze byłem hazardzistą i parę razy mi się nie powiodło. Nie mam zamiaru zwierzać się pani, teraz ani nigdy. Było, minęło. Chcę, żeby uwierzyła mi pani tylko w jednej sprawie. Przysięgam uroczyście, że nie zamordowałem mojej żony.

Wypowiedział te słowa z przekonaniem, a jednak zabrzmiały trochę teatralnie. Zauważył niespokojny wzrok Katarzyny i ciągnął dalej:

– Wiem. Kłamałem wtedy. W rzeczywistości wszedłem do przedziału mojej żony.

– Ach, tak – powiedziała Katarzyna.

– Trudno wytłumaczyć, dlaczego to zrobiłem, ale spróbuję. To był impuls. Widzi pani, śledziłem żonę. W pociągu ukrywałem się przed nią. Mirelle mi powiedziała, że w Paryżu Ruth ma się spotkać z hrabią de la Roche. O ile byłem w stanie stwierdzić, mijała się z prawdą. Poczułem wstyd i nagle pomyślałem, że może dobrze by było raz to wszystko wyjaśnić, więc otworzyłem drzwi i wszedłem do środka. – Urwał. – Ruth leżała na łóżku. Spała z twarzą zwróconą do ściany; widziałem jedynie tył jej głowy. Mogłem ją oczywiście zbudzić. Ale nagle przyszła refleksja. Co takiego mogłem jej powiedzieć, czego nie słyszała już setki razy? Wyglądała na taką spokojną. Więc wyszedłem najciszej jak mogłem.

– Dlaczego skłamał pan policji? – spytała Katarzyna.

– Bo nie jestem kompletnym durniem. Od początku zdawałem sobie sprawę, że biorąc pod uwagę motyw, jestem wymarzonym mordercą. Gdybym przyznał, że wchodziłem do jej przedziału tuż po tym, jak została zamordowana, byłbym zgubiony.

– Rozumiem.

Czy naprawdę rozumiała? Nie mogła się zdecydować. Czuła magnetyczny wpływ osobowości Ketteringa, ale coś w niej opierało się mu, odsuwało...

– Katarzyno...

– Ja...

– Wie pani, jak bardzo mi na pani zależy. Czy... czy pani również dba o mnie choć trochę?

– Ja... nie wiem.

Co za słabość. Wie albo nie wie. Gdyby tylko... Rozejrzała się, rozpaczliwie poszukując wybawienia. Na widok wysokiego mężczyzny, który utykając szedł alejką w ich kierunku, jej policzki zaróżowiły się lekko. Major Knighton.

Kiedy się z nim witała, w jej głosie zabrzmiała ulga i nieoczekiwane ciepło.

Kettering wstał z twarzą ponurą jak gradowa chmura.

– Lady Tamplin pana opuściła? – spytał z pozorną swobodą. – Muszę jej poszukać i przedstawić zalety mojego nowego systemu.

Odszedł, zostawiając ich samych. Katarzyna usiadła z powrotem. Serce biło jej mocno i nierówno, ale kiedy tak rozmawiała o drobiazgach z cichym, nieśmiałym mężczyzną, wróciło opanowanie.

W pewnej chwili z zaskoczeniem zdała sobie sprawę, że również Knighton obnaża przed nią swoje serce, podobnie jak wcześniej Kettering, chociaż w zupełnie innych słowach.

Zacinał się, słowa niepewnie padały z jego ust, bez elokwencji, która mogłaby je wspomóc.

– Od pierwszej chwili, kiedy panią poznałem... ja... ja nie powinienem o tym mówić tak szybko... ale pan Van Aldin może wyjechać lada dzień i nie będę już miał okazji tego zrobić. Oczywiście, w tak krótkim czasie nie mogła mnie pani pokochać... to niemożliwe. Zresztą podobna myśl z mojej strony wydaje się zuchwalstwem. Dysponuję pewnymi środkami, chociaż nie są one zbyt duże... Nie, proszę nic jeszcze nie mówić. Wiem, jak brzmiałaby pani odpowiedź. Ale na wypadek, gdybym musiał wyjechać, chciałem tylko, żeby pani wiedziała... jak bardzo mi na pani zależy.

Katarzyna czuła się głęboko poruszona. Jego zachowanie było tak łagodne, tak bardzo do niej przemawiało.

– I jeszcze jedno. Chciałem powiedzieć, że gdyby kiedykolwiek miała pani kłopoty... gdybym tylko mógł służyć pomocą...

Ujął jej dłoń, trzymał przez chwilę, po czym wstał i nie oglądając się ruszył w stronę kasyna.

Katarzyna siedziała bez ruchu, patrząc w ślad za nim. Derek Kettering, Richard Knighton – dwóch mężczyzn tak różnych, tak bardzo różnych. Knighton miał w sobie coś łagodnego, budzącego zaufanie. Kettering...

Nagle doznała dziwnego wrażenia. Czuła, że nie jest już sama; ktoś stał obok niej. Ruth Kettering. Katarzyna czuła, że Ruth pragnie jej coś przekazać. Wrażenie było tak dziwne, tak żywe, że nie mogła się od niego uwolnić. Miała całkowitą pewność: Ruth Kettering chce jej powiedzieć coś ogromnie ważnego. Potem wrażenie zbladło. Katarzyna wstała, drżąc lekko. Co Ruth Kettering tak bardzo pragnęła jej przekazać?

XXVII

Zeznanie Mirelle

Opuściwszy Katarzynę Knighton udał się na poszukiwanie Poirota. Znalazł go w kasynie, beztrosko stawiającego drobne sumki na parzyste numery. Kiedy sekretarz przyłączył się do niego, padł właśnie numer trzydziesty trzeci i sztony Poirota zostały zgarnięte przez krupiera.

– Pech! – odezwał się Knighton. – Obstawi pan jeszcze raz?

Detektyw pokręcił głową.

– Na razie nie.

– Pociąga pana ryzyko? – spytał z zaciekawieniem Knighton.

– Nie w grach hazardowych.

Knighton spojrzał na niego przelotnie. Na jego twarzy odmalowała się rozterka.

– Czy jest pan teraz zajęty? Chciałem się pana poradzić w pewnej sprawie – zapytał niepewnie, z nutą szacunku.

– Służę panu. Wyjdziemy? Na zewnątrz jest bardzo przyjemnie.

Knighton odetchnął głęboko.

– Uwielbiam Riwierę – powiedział. – Pierwszy raz znalazłem się tutaj dwanaście lat temu, w czasie wojny, kiedy przysłano mnie do szpitala lady Tamplin. W porównaniu z Flandrią wydawała mi się rajem.

– Nie wątpię – odparł Poirot.

– Jak odległa wydaje się teraz wojna! – rozmarzył się sekretarz.

Przeszli w milczeniu parę kroków.

– Chciał mi pan coś powiedzieć? – spytał detektyw.

Knighton spojrzał na niego zaskoczony.

– To prawda – przyznał. – Nie mam pojęcia, jak się pan domyślił.

– Nietrudno dostrzec – wyjaśnił Poirot sucho.

– Nie wiedziałem, że to aż tak widoczne.

– Obserwowanie fizjonomii to mój zawód – odparł mały człowieczek z godnością.

– A więc dobrze. Słyszał pan o tej tancerce, Mirelle?

– Przyjaciółce *monsieur* Ketteringa?

– Tak, właśnie o nią mi chodzi; skoro pan to wie, bez trudu zrozumie pan, dlaczego pan Van Aldin jest do niej uprzedzony. Napisała do niego, prosząc o spotkanie. Kazał mi udzielić jej szorstkiej odmowy i oczywiście tak zrobiłem. Dzisiaj rano przyszła do hotelu i przysłała swój bilet wizytowy; znowu koniecznie chciała się widzieć z panem Van Aldinem. Napisała, że sprawa jest niezwykle pilna i ważna.

– Zaciekawił mnie pan – powiedział Poirot.

– Pan Van Aldin bardzo się zdenerwował. Posłał przeze mnie odpowiedź. Tym razem jednak odważyłem się zakwestionować jego zdanie. Wydawało mi się prawdopodobne, że ta kobieta może nam dostarczyć cennych informacji. Jechała Błękitnym Ekspresem; być może widziała albo słyszała coś o ogromnym znaczeniu. Zgodzi się pan ze mną, panie Poirot?

– Tak – odparł detektyw krótko. – Pan Van Aldin, jeśli można tak powiedzieć, postąpił bardzo głupio.

– A więc zgadza się pan ze mną? – spytał sekretarz. – Coś panu powiem. Byłem przekonany, że pan Van Aldin popełnia błąd, więc zszedłem w tajemnicy na dół, do tej kobiety.

– Ach tak?

– Cały kłopot w tym, że ona chciała się widzieć osobiście z panem Van Aldinem. Złagodziłem wiadomość od niego, o ile to było możliwe. Właściwie nawet trochę ją zmieniłem.

Powiedziałem, że w tej chwili pan Van Aldin jest bardzo zajęty, ale żeby przekazała mi to, co ma do powiedzenia. Na to jednak nie chciała się zgodzić i wyszła, nie mówiąc nic więcej. Ale odniosłem silne wrażenie, że ta kobieta ma jakieś informacje.

– Poważna sprawa – mruknął półgłosem detektyw. – Wie pan, gdzie się zatrzymała?

– Tak. – Knighton wymienił nazwę hotelu.

– Doskonale. Udamy się tam natychmiast.

Sekretarz wyglądał na zmieszanego.

– A pan Van Aldin? – spytał.

– Pan Van Aldin to bardzo uparty człowiek – stwierdził Poirot oschle. – Nie będę się z nim kłócił. Sam pójdę i porozmawiam z tą damą. Powiem jej, że Van Aldin upoważnił pana, by działał pan w jego imieniu.

Knighton nadal nie wydawał się przekonany, ale Poirot nie zwracał na to uwagi.

W hotelu dowiedzieli się, że *mademoiselle* jest w swoim pokoju. Poirot posłał bilety wizytowe ich obu z dopiskiem: „od pana Van Aldina".

Odpowiedź brzmiała, że *mademoiselle* prosi ich na górę.

Kiedy zostali wprowadzeni do apartamentów tancerki, Poirot z miejsca przejął inicjatywę.

– *Mademoiselle* – powiedział z głębokim ukłonem – przychodzimy z upoważnienia pana Van Aldina.

– Ach! A dlaczego nie zjawił się osobiście?

– Jest niedysponowany – skłamał gładko detektyw. – Zatrzymało go w hotelu śródziemnomorskie zapalenie gardła, ale zostałem upoważniony, by działać w jego imieniu, podobnie jak major Knighton, jego sekretarz. Chyba że *mademoiselle* woli poczekać jakieś dwa tygodnie...

Jedną z nielicznych rzeczy, co do których Poirot miał pewność, było to, że dla osoby obdarzonej temperamentem Mirelle samo słowo „czekać" stanowi obelgę.

– Więc dobrze, powiem! – wykrzyknęła tancerka. – Dość długo byłam cierpliwa! Wstrzymywałam się. I po co? Żeby zostać znieważoną! Tak, znieważoną! Niech sobie nie myśli, że może traktować Mirelle w taki sposób! Odrzucić ją jak znoszoną rękawiczkę. Nigdy jeszcze nie znudziłam się żadnemu mężczyźnie. Zawsze to ja pierwsza ich porzucałam.

Nerwowo przechadzała się po pokoju, drżąc z gniewu. Mały stolik stanął jej na drodze; posłała go w kąt pokoju z takim impetem, że obił się o ścianę.

– Tak samo rozprawię się z nim! – krzyknęła. – I tak!

Podniosła szklaną misę pełną lilii i rzuciła o kratę kominka, gdzie misa rozprysła się na tysiąc kawałków.

Knighton przyglądał się temu z chłodną dezaprobatą Brytyjczyka. Czuł się nieswojo, nie na miejscu, zmieszany. Poirot, przeciwnie, napawał się sceną z błyszczącymi oczyma.

– Wspaniale! – wykrzyknął. – Zaraz widać, że *mademoiselle* ma temperament!

– Jestem artystką – odparła Mirelle. – Każdy prawdziwy artysta go ma. Ostrzegałam Dereka, ale on nie słuchał. – Nagle rzuciła się w stronę Poirota. – Czy to prawda, że on chce poślubić tę Angielkę?

Detektyw odchrząknął.

– Trzeba przyznać – mruknął – że adoruje ją z wielkim zaangażowaniem.

Mirelle zbliżyła się do nich.

– On zamordował swoją żonę! – krzyknęła. – Teraz go macie! Mówił mi wcześniej, że zamierza to zrobić. Znalazł się w krytycznej sytuacji i wybrał najprostsze wyjście.

– Twierdzi pani, że pan Kettering zamordował swoją żonę?

– Tak, tak, tak. Mówię przecież.

– Policja będzie potrzebowała dowodu tego, hm, stwierdzenia.

– Widziałam, jak wychodził z przedziału żony tamtej nocy.

– Słucham? – spytał żywo Poirot.

– Na chwilę zanim pociąg wjechał do Lyonu.

– Jest pani gotowa na to przysiąc? – Przemawiał teraz zupełnie inny Poirot, oschły i zdecydowany.

– Tak.

Na chwilę zapadła cisza. Mirelle stała oddychając ciężko; jej oczy, na pół wyzywające, na pół przestraszone, przesuwały się z jednej twarzy na drugą.

– To poważna sprawa, *mademoiselle* – ostrzegł ją detektyw. – Czy zdaje sobie pani sprawę, jak poważna?

– Oczywiście.

– A więc dobrze. Sama pani rozumie, że nie ma czasu do stracenia. Zgodzi się więc pani towarzyszyć nam natychmiast do biura sędziego śledczego.

Mirelle drgnęła zaskoczona. Zawahała się, ale jak przewidział Poirot, znalazła się w pułapce.

– Dobrze – powiedziała. – Pójdę tylko po futro.

Kiedy zostali sami, Poirot i Knighton wymienili spojrzenia.

– Należy, jak to wy mówicie?, kuć żelazo, póki gorące – mruknął detektyw. – Działa pod wpływem nastroju; za godzinę być może pożałowałaby tego, co zrobiła, i chciałaby się wycofać. Musimy temu zapobiec za wszelką cenę.

Mirelle wróciła, otulona w aksamitny szal oblamowany futrem lamparta. Jej oczy nadal błyszczały gniewem i determinacją.

W biurze zastali pana Caux i sędziego śledczego. Po wstępnych wyjaśnieniach Poirot uprzejmie poprosił Mirelle, żeby powtórzyła swoją historię. Opowiedziała ją niemal w tych samych słowach, co przedtem Poirotowi i Knightonowi, jedynie z większym opanowaniem.

– To niezwykła opowieść, *mademoiselle* – powiedział z wolna pan Carrège. Odchylił się w fotelu, poprawił binokle i bystro, przenikliwie spojrzał na tancerkę.

– Chce pani, byśmy uwierzyli, że pan Kettering chwalił się pani, iż zamierza popełnić morderstwo?

– Tak, tak. Jego żona ma zbyt silne zdrowie, mówił. Gdyby miała umrzeć, to tylko w wypadku i on potrafiłby to urządzić.

– Zdaje sobie pani sprawę – wtrącił surowo pan Carrège – że w ten sposób staje się pani współwinną zbrodni?

– Ja? Nigdy w świecie, *monsieur*! Nawet przez chwilę nie traktowałam tego poważnie. Znam mężczyzn, *monsieur*, opowiadają różne bzdury. Bóg wie, co by się działo, gdyby traktować poważnie wszystko, co wygadują.

Sędzia śledczy uniósł brwi.

– Mamy więc uwierzyć, że uznała pani słowa pana Ketteringa za czcze przechwałki? Wolno mi spytać, *mademoiselle*, z jakiego powodu zdecydowała się pani zerwać kontrakt w Londynie i przyjechać na Riwierę?

Mirelle spojrzała na niego zamglonym wzrokiem.

– Chciałam być blisko mężczyzny, którego kocham – odparła po prostu. – Czy to aż tak niezwykłe?

– A więc to pan Kettering życzył sobie, żeby mu pani towarzyszyła do Nicei? – spytał Poirot łagodnie.

Wydawało się, że odpowiedź na to pytanie sprawia Mirelle trudność. Wyraźnie się zawahała. Kiedy w końcu przemówiła, w jej głosie brzmiała wyniosła obojętność.

– W takich sprawach słucham jedynie głosu własnego serca, *monsieur* – wyjaśniła.

Wszyscy obecni zdawali sobie sprawę, że nie jest to żadna odpowiedź. Milczeli.

– Kiedy nabrała pani przekonania, iż pan Kettering zamordował swoją żonę?

– Już mówiłam, widziałam go wychodzącego z jej przedziału tuż zanim pociąg wjechał na dworzec w Lyonie. Jego twarz... ach! Wtedy tego nie rozumiałam... wyglądał jak obłąkany, strasznie... Nigdy tego nie zapomnę.

Jej głos wzniósł się drżąco, wyrzuciła przed siebie ramiona w egzaltowanym geście.

– Rozumiem – powiedział pan Carrège.

– Później dowiedziałam się, że pani Kettering nie żyła, gdy pociąg opuścił Lyon, i wtedy... wtedy już wiedziałam!

– A mimo to nie przyszła pani na policję, *mademoiselle* – łagodnie zwrócił jej uwagę komisarz.

Mirelle spojrzała na niego z wyższością; odgrywana rola wyraźnie sprawiała jej wielką przyjemność.

– Czyż miałam zdradzić kochanka? – spytała. – Ach, nie; nie można żądać od kobiety czegoś podobnego!

– A jednak... – zaczął pan Caux.

– Teraz to co innego. To on mnie zdradził! Czy mam cierpieć w milczeniu?

Sędzia śledczy podniósł na nią wzrok.

– Doskonale panią rozumiem – powiedział współczująco. – A teraz, *mademoiselle*, byłaby pani łaskawa przeczytać swoje zeznania, sprawdzić, czy są zgodne z pani słowami i je podpisać?

Mirelle nie traciła czasu na czytanie dokumentu.

– Tak, tak – potwierdziła. – Wszystko się zgadza. – Wstała. – Jestem jeszcze panom potrzebna?

– Na razie nie.

– I aresztujecie Dereka?

– Natychmiast, *mademoiselle*.

Mirelle uśmiechnęła się mściwie i ciaśniej owinęła szalem.

– Powinien był o tym pomyśleć, zanim mnie znieważył! – wykrzyknęła.

– Jeszcze tylko jedno – Poirot odchrząknął przepraszająco. – Zupełny drobiazg.

– Tak?

– Dlaczego pani sądzi, że *madame* Kettering nie żyła, zanim pociąg opuścił Lyon?

Mirelle popatrzyła na niego szeroko otwartymi oczyma.

– Ale przecież tak było.

– Naprawdę?

– Oczywiście. Ja…

Nagle urwała. Poirot, obserwujący ją uważnie, zauważył w jej oczach ostrożny błysk.

– Tak słyszałam. Wszyscy tak mówią.

– O? – zdziwił się detektyw. – Nie wiedziałem, że ten fakt jest znany poza biurem sędziego śledczego.

Mirelle wydawała się lekko zbita z tropu.

– Człowiek słyszy różne plotki – powiedziała niejasno. – Takie rzeczy się rozchodzą. Ktoś mi to mówił, nie pamiętam dokładnie.

Ruszyła do drzwi. Pan Caux podskoczył, żeby je przed nią otworzyć; w tej samej chwili raz jeszcze zabrzmiał spokojny głos pana Poirota:

– A rubiny? Wybaczy pani, *mademoiselle.* Czy o nich również może nam pani coś powiedzieć?

– Rubiny? Jakie rubiny?

– Naszyjnik carycy Katarzyny. Skoro wie pani tak wiele, musiała pani słyszeć i o nich.

– Nic nie wiem o żadnych rubinach – powiedziała ostro Mirelle.

Wyszła zamykając za sobą drzwi. Pan Caux wrócił na miejsce; sędzia śledczy westchnął.

– Co za furia! – powiedział. – Ale diabelnie szykowna. Zastanawiam się, czy mówiła prawdę? Wydaje mi się, że tak.

– W jej opowieści niewątpliwie kryje się ziarno prawdy – zgodził się Poirot. – Zeznania panny Grey to potwierdzają. Panna Grey stała na korytarzu, kiedy pociąg wjeżdżał do Lyonu i widziała Ketteringa wychodzącego z przedziału żony.

– Więc to jednak był on – powiedział z westchnieniem komisarz. – Wielka szkoda.

– Dlaczego? – spytał Poirot.

– Ambicją mego życia jest wsadzić hrabiego de la Roche za kratki. Tym razem byłem pewien, że go mamy! Aresztowanie Ketteringa nie satysfakcjonuje mnie nawet w połowie tak bardzo.

Pan Carrège podrapał się w nos.

– Jeśli cokolwiek pójdzie źle – ostrzegł – znajdziemy się w bardzo nieprzyjemnej sytuacji. Pan Kettering to arystokrata. Sprawa dostanie się do gazet. Jeśli popełniliśmy błąd... – złowróżbnie wzruszył ramionami.

– A kamienie? – spytał komisarz. – Jak myślicie, panowie, co z nimi zrobił?

– Zabrał je tylko dla zmylenia śladów – powiedział pan Carrège. – Musiały mu sprawić wiele kłopotu; trudno się ich pozbyć.

Poirot uśmiechnął się.

– Jeśli chodzi o kamienie, mam własną teorię. Proszę mi powiedzieć, co wiecie panowie o człowieku znanym jako Markiz?

Komisarz zaciekawiony pochylił się w jego stronę.

– Markiz – powtórzył. – Powiedział pan Markiz? Sądzi pan, że jest zamieszany w tę sprawę?

– Pytałem, co panu o nim wiadomo.

Komisarz skrzywił się wymownie.

– Mniej niżbym sobie życzył – stwierdził ponuro. – Dyryguje wszystkim zza kulis. Ma podwładnych, którzy zajmują się brudną robotą. Ale to ktoś bardzo znaczny. Tego jesteśmy pewni. Nie jest zwykłym kryminalistą.

– Francuz?

– T-tak. Przynajmniej tak sądzimy. Nie mamy pewności. Działał we Francji, Anglii, w Ameryce. Przypisywano mu też serię włamań w Szwajcarii jesienią zeszłego roku. W doniesieniach powtarza się, że to *grand seigneur*, równie biegle mówiący po francusku, jak po angielsku; jego narodowość pozostaje tajemnicą.

Poirot wstał, gotując się do wyjścia.

– Nie powie nam pan nic więcej? – naciskał komisarz.

– Na razie nie – odparł detektyw. – Ale niewykluczone, że w hotelu czekają na mnie wiadomości.

Pan Carrège poruszył się niespokojnie.

– Jeśli Markiz jest w to zamieszany... – zaczął.

– To obala nasze przypuszczenia – poskarżył się pan Caux.

– W przeciwieństwie do moich – powiedział Poirot. – Więcej nawet, doskonale się z nimi zgadza. *Au revoir*, panowie, jeśli uzyskam jakieś istotne informacje, natychmiast dam panom znać.

Zamyślony wrócił do hotelu. Podczas jego nieobecności przyszedł telegram. Poirot wyciągnął z kieszeni nóż do papieru i rozciął kopertę. Telegram był długi; detektyw uważnie przeczytał go dwa razy, po czym schował do kieszeni. W pokoju czekał na niego służący.

– Jestem zmęczony, Georges, bardzo zmęczony. Czy mógłbyś mi zamówić małą filiżankę czekolady?

Polecenie zostało wykonane natychmiast; George postawił napój na małym stoliku przy łokciu Poirota. Kiedy zbierał się do odejścia, detektyw odezwał się do niego:

– O ile wiem, Georges, znasz dobrze angielską arystokrację?

George uśmiechnął się przepraszająco.

– Chyba mogę powiedzieć, że tak – odparł.

– Więc zgodzisz się pewnie z opinią, że przestępcy wywodzą się niemal wyłącznie z niższych sfer?

– Nie zawsze, proszę pana. Pamiętam problemy z młodszym synem księcia Devize. Opuścił Eton, żeby umknąć przed podejrzeniami, a potem jeszcze parę razy wywołał duże poruszenie. Policja nie zgodziła się uznać jego wybryków za wynik kleptomanii. Bardzo inteligentny młody człowiek, ale zepsuty do szpiku kości, jeśli rozumie pan, co chcę przez to powiedzieć. Jego książęca mość wysłał go do Australii; słyszałem, że został tam skazany pod zmienionym nazwiskiem. Bardzo dziwna historia, proszę pana, ale to prawda. Nie muszę chyba dodawać, że młody dżentelmen był w doskonałej sytuacji finansowej.

Poirot wolno pokiwał głową.

– Pogoń za silnymi przeżyciami – mruknął. – Zastanawiam się…

Wyjął telegram i jeszcze raz przebiegł go wzrokiem.

– Była też córka lady Mary Fox – ciągnął służący, pogrążony we wspomnieniach. – Oszukiwała handlarzy. Postawiła najlepsze rody w bardzo niezręcznej sytuacji, jeśli tak można powiedzieć. Znam wiele podobnych wypadków.

– Masz rozległe doświadczenia, Georges – mruknął Poirot. – Często się zastanawiam, dlaczego zdecydowałeś się przyjść na służbę do mnie. Dotychczas służyłeś jedynie utytułowanym rodom. Czy również poszukujesz silnych przeżyć?

– Niezupełnie, proszę pana – odparł służący. – W „Society Snippets" natknąłem się na wzmiankę, że był pan przyjęty w pałacu Buckingham. Właśnie się rozglądałem za nową posadą. Jego wysokość, pisano, rozmawiał z panem bardzo łaskawie i wyrażał się z wielkim szacunkiem o pańskich zdolnościach.

– Ach tak – powiedział Poirot. – Zawsze to miło znać przyczynę.

Przez parę chwil milczał, zatopiony w myślach, po czym spytał:

– Dzwoniłeś do *mademoiselle* Papopolous?

– Tak, proszę pana. Ona i jej ojciec z największą przyjemnością zjedzą z panem dzisiaj kolację.

– Doskonale – powiedział detektyw. Dopił czekoladę, porządnie odstawił filiżankę i spodek na tacę i rzekł półgłosem, bardziej do siebie, niż do służącego:

– Wiewiórka, mój dobry Georges, gromadzi orzechy. Jesienią chowa je gdzieś, by później ich użyć. Żeby zapewnić postęp ludzkości, musimy się uczyć od tych, którzy stoją niżej od nas w królestwie zwierząt. Ja zawsze tak robiłem. Byłem kotem, który czai się u mysiej dziury. Byłem psem, tropiącym świeży ślad, nie odrywającym od niego nosa. I również, mój dobry Georges, byłem wiewiórką. Zbierałem okruchy informacji tu i tam. A teraz wracam do mojego schowka, żeby odnaleźć pewien szczególny orzech, który złożyłem w nim, policzmy, siedemnaście lat temu. Rozumiesz mnie, Georges?

– Nigdy bym nie pomyślał, że orzechy można przechowywać tak długo, proszę pana – odparł George. – Chociaż słyszałem, że te nowe słoje Wecka działają cuda.

Poirot podniósł na niego wzrok i uśmiechnął się.

XXVIII

Poirot rozłupuje orzech

Poirot opuścił hotel trzy kwadranse przed umówioną godziną. Miał w tym swój cel. Samochód zabrał go bowiem nie wprost do Monte Carlo, ale do willi lady Tamplin na Cap Martin, gdzie zapytał o pannę Grey.

Panie właśnie się przebierały i poproszono go, by poczekał w saloniku. Po trzech czy czterech minutach zeszła do niego Lenox Tamplin.

– Katarzyna nie jest jeszcze gotowa – powiedziała. – Mam jej coś przekazać, czy woli pan poczekać, aż zejdzie?

Poirot popatrzył na nią z namysłem. Dłuższy czas zastanawiał się nad odpowiedzią, jakby zależało od niej bardzo wiele. Najwyraźniej tak właśnie było.

– Nie – odparł w końcu. – Nie, chyba nie jest konieczne, abym zobaczył się z nią osobiście. Może nawet lepiej będzie, jeśli tego nie zrobię. Sprawy tego rodzaju czasem trudno wytłumaczyć.

Lenox czekała uprzejmie, z lekko uniesionymi brwiami.

– Mam pewną wiadomość – ciągnął Poirot. – Gdyby zechciała pani powtórzyć swojej przyjaciółce... Pan Kettering został aresztowany dzisiaj wieczorem pod zarzutem zamordowania swojej żony.

– Chce pan, żebym to powtórzyła Katarzynie? – spytała Lenox. Oddychała ciężko, jak po biegu; jej twarz, zauważył Poirot, wyraźnie pobladła, malowało się na niej napięcie.

– Gdyby była pani tak łaskawa.

– Dlaczego? – spytała dziewczyna. – Sądzi pan, że to zmartwi Katarzynę? Że ją to cokolwiek obchodzi?

– Nie wiem, panienko – powiedział detektyw. – Przyznaję całkiem otwarcie. Zwykle wiem wszystko, ale w tym wypadku... no cóż, nie wiem. Myślę, że w tej sprawie jest pani lepiej poinformowana ode mnie.

– To prawda – odparła Lenox. – Ale tak czy inaczej nie mam zamiaru panu tego zdradzić. – Nachmurzona, milczała jakiś czas ze zmarszczonymi brwiami. – Wierzy pan, że on to zrobił? – spytała niespodziewanie.

Poirot wzruszył ramionami.

– Tak twierdzi policja.

– Ach – odparła dziewczyna – wykręca się pan? Więc jest coś, czego pan nie chce powiedzieć?

Znowu pogrążyła się w ponurym milczeniu.

– Zna pani Dereka Ketteringa od dawna, nieprawdaż? – spytał łagodnie Poirot.

– Od zawsze. Od dziecka – burknęła dziewczyna. Poirot w milczeniu pokiwał głową.

Charakterystycznym dla siebie szorstkim ruchem Lenox przysunęła krzesło i usiadła z łokciami na stole i twarzą wspartą na dłoniach. Patrzyła wprost na detektywa.

– Co na niego mają? – spytała ostro. – Motyw, mam rację? Pewnie odziedziczył pieniądze po jej śmierci.

– Dwa miliony.

– A gdyby ona nie umarła, byłby zrujnowany?

– Tak.

– Ale musiało chodzić o coś więcej – nalegała Lenox. – Podróżował tym samym pociągiem, wiem, ale... ale to też by nie wystarczyło.

– W przedziale zamordowanej znaleziono papierośnicę z inicjałem „K” na wieczku; na pewno nie należała do jego żony. Dwie osoby widziały go wchodzącego i wychodzącego z przedziału pani Kettering tuż zanim pociąg wjechał do Lyonu.

– Co to za osoby?

– Pani przyjaciółka, *mademoiselle* Grey, była jedną z nich. Druga to Mirelle, tancerka.

– I co Derek na to powiedział? – spytała ostro Lenox.

– Zaprzecza, że w ogóle wchodził do przedziału.

– Głupiec! – rzuciła szorstko dziewczyna. – Tuż przed Lyonem, mówi pan? A więc wiadomo, kiedy... kiedy ona umarła?

– Wynik obdukcji nie daje oczywiście całkowitej pewności – odparł detektyw. – Śmierć nastąpiła prawdopodobnie, zanim pociąg opuścił Lyon. Wiadomo też, że w parę minut po opuszczeniu stacji pani Kettering już nie żyła.

– Skąd wiadomo?

Poirot dziwnie uśmiechnął się do siebie.

– Ktoś jeszcze wszedł do jej przedziału.

– I nie zawiadomił obsługi?

– Nie.

– Dlaczego?

– Najwyraźniej miał własne powody.

Lenox popatrzyła na niego surowo.

– Zna pan te powody?

– Tak sądzę... tak.

Lenox nadal obracała w myślach wszystko, czego się dowiedziała. Poirot obserwował ją w milczeniu. W końcu podniosła wzrok. Jej policzki poróżowiały, oczy błyszczały.

– Myśli pan, że zabił ją ktoś z podróżnych, ale wcale nie musiało tak być. Kto zwraca uwagę na ludzi włóczących się po peronie? Ktoś mógł iść prosto do jej przedziału, zabić ją, zabrać rubiny i uciec nie ściągając na siebie podejrzeń. Mogła zostać zabita, gdy pociąg stał na dworcu. Żyłaby jeszcze, kiedy ją widział Derek, a kiedy weszłaby ta druga osoba, byłaby już martwa.

Poirot odchylił się na krześle. Popatrzył na dziewczynę i kiwnął głową trzy razy z rzędu, po czym wydał głębokie westchnienie.

– *Mademoiselle* – rzekł – ma pani rację, ma pani całkowitą rację. Błądziłem w ciemnościach; pani ukazała mi światło. Nie mogłem tego zrozumieć; za pani sprawą wszystko stało się jasne.

Wstał.

– A Derek?

– Kto wie? – odparł Poirot wzruszając ramionami. – Coś pani powiem, *mademoiselle*. Nie jestem zadowolony; ja, Herkules Poirot, nie jestem zadowolony. Możliwe, że dziś wieczorem dowiem się czegoś więcej. W każdym razie spróbuję.

– Spotka się pan z kimś?

– Tak.

– Z kimś, kto coś wie?

– Z kimś, kto być może coś wie. W sprawach tego rodzaju nie można zaniedbać niczego. *Au revoir, mademoiselle.*

Lenox odprowadziła go do drzwi.

– Czy pomogłam? – spytała.

Twarz Poirota złagodniała, kiedy spojrzał na dziewczynę stojącą wyżej na stopniu.

– Tak, *mademoiselle*, pomogła mi pani. Proszę o tym pamiętać, kiedy będzie pani bardzo smutno.

Kiedy samochód ruszył, pogrążył się w niewesołych rozmyślaniach, ale w jego oczach płonęło zielone światełko, będące zawsze zapowiedzią przyszłego tryumfu.

Spóźnił się na spotkanie parę minut; pan Papopolous i jego córka zdążyli już przybyć. Nie mogąc podać wiarygodnego usprawiedliwienia, starał się to wynagrodzić drobnymi uprzejmościami. Grek wyglądał tego wieczoru szczególnie czcigodnie i łaskawie; patriarcha o kryształowej przeszłości. Zia była piękna i w dobrym humorze. Kolacja smakowała wyśmienicie. Poirot był sobą w najbardziej błyskotliwym wydaniu. Opowiadał anegdoty, sypał dowcipami, prawił wdzięczne komplementy Zii i wspominał ciekawe wydarzenia ze swojej przeszłości. Menu zostało starannie dobrane, podobnie jak doskonałe wina.

Pod koniec posiłku pan Papopolous zapytał uprzejmie:

– Skorzystał pan z mojej rady? Stawiał pan na tego konia, o którym wspominałem?

– Porozumiałem się z moim... hm, bukmacherem – odparł Poirot.

Ich spojrzenia spotkały się.

– Znany koń, nieprawdaż?

– Wręcz przeciwnie – odparł detektyw. – Jak powiedzieliby nasi przyjaciele Anglicy, czarny koń.

– Ach tak.

– A teraz musimy wstąpić do kasyna i spróbować szczęścia przy ruletce! – wykrzyknął radośnie Poirot.

W kasynie towarzystwo podzieliło się; detektyw samotnie dotrzymywał kompanii Zii, Papopolous gdzieś zniknął.

Poirot miał pecha, ale Zii szczęście sprzyjało i wygrała kilka tysięcy franków.

– Właściwie możemy już iść – powiedziała do Poirota.

Oczy detektywa rozbłysły.

– Wspaniale! – wykrzyknął. – Jest pani nieodrodną córką swego ojca, *mademoiselle* Zia! To sztuka wiedzieć, kiedy należy przestać.

Rozejrzał się po sali.

– Nigdzie nie widzę pani ojca – zauważył swobodnie. – Przyniosę pani płaszcz i przejdziemy się po ogrodzie.

Nie udał się jednak prosto do szatni. Jego bystrym oczom umknęło, w którą stronę odszedł pan Papopolous. Zaintrygowało go, dokąd udał się przebiegły Grek. Niespodziewanie natknął się na niego w dużym holu wejściowym. Stał obok jednej z kolumn, rozmawiając z kobietą, która przed chwilą właśnie weszła. Kobietą ową okazała się Mirelle.

Poirot nieznacznie okrążył salę. Dotarł do kolumny od drugiej strony, nie zauważony przez parę pogrążoną w ożywionej konwersacji. Ściśle rzecz biorąc, mówiła przede wszystkim tancerka, Papopolous ograniczał się do wtrącanych od czasu do czasu monosylab i licznych wyrazistych gestów.

– Muszę mieć jeszcze trochę czasu – mówiła właśnie Mirelle. – Jeśli da mi pan czas, zdobędę pieniądze.

– Czekanie – Grek wzruszył ramionami. – To niebezpieczne.

– Tylko trochę! – nalegała Mirelle. – Tydzień... dziesięć dni... nie proszę o więcej. Może pan być zupełnie spokojny. Na pewno je pan dostanie.

Papopolous poruszył się nieznacznie i nerwowo rozejrzał dokoła – by odkryć Poirota stojącego tuż obok z niewinną miną.

– *Ah! Vous voilà*, panie Papopolous! Właśnie pana szukałem. Nie ma pan nic przeciwko temu, że zabiorę *mademoiselle* Zię na przechadzkę? Dobry wieczór, *mademoiselle* – bardzo nisko ukłonił się Mirelle. – Stokrotnie przepraszam, nie spostrzegłem pani w pierwszej chwili.

Tancerka przyjęła przeprosiny dość niecierpliwie. Była wyraźnie zła, że przerwano jej *tête-à-tête*. Poirot zrozumiał w lot. Zniknął, ledwie Papopolous zdążył wymamrotać: „Oczywiście, że nie".

Przyniósł Zii płaszcz i razem wyszli do ogrodu.

– To tutaj ludzie odbierają sobie życie – powiedziała Zia.

Poirot wzruszył ramionami.

– Tak mówią. Ludzie są głupi, nieprawdaż *mademoiselle*? Istnieje tyle przyjemności: człowiek może jeść, pić, oddychać czystym powietrzem. Tylko głupiec porzuca to wszystko jedynie dlatego, że nie ma pieniędzy... albo z powodu złamanego serca. Miłość jest przyczyną wielu nieszczęśliwych wypadków, nie sądzi pani?

Zia roześmiała się.

– Nie powinna się pani śmiać z miłości, *mademoiselle* – zaprotestował detektyw, energicznie grożąc jej palcem. – Pani, taka młoda i piękna.

– Czyżby pan zapomniał, że mam już trzydzieści trzy lata? Jestem z panem szczera, bo niebezpiecznie pana okłamywać. Jak pan mówił mojemu ojcu, minęło już siedemnaście lat, odkąd pomógł nam pan wtedy, w Paryżu.

– Kiedy patrzę na panią, nie chce mi się wierzyć, że to już tyle czasu – powiedział Poirot z galanterią. – Nie zmieniła się pani od tamtej pory, *mademoiselle*. Może tylko wtedy była pani trochę drobniejsza, nieco bledsza, nieco bardziej poważna. Szesnaście lat; prosto z pensji. Już nie całkiem *petite pensionnaire*, jeszcze nie całkiem kobieta. Była pani czarująca, *mademoiselle* Zia; nie ja jeden tak myślałem.

– W wieku szesnastu lat – odparła Zia – człowiek jest naiwny i głupiutki.

– Ma pani rację – zgodził się Poirot. – Tak, niewątpliwie ma pani rację. Jest się bardzo łatwowiernym, nieprawdaż? Wierzy się w to, co ludzie mówią. – Jeśli zauważył ukradkowe spojrzenie, które mu rzuciła, nie dał tego po sobie poznać. Ciągnął w zamyśleniu: – To była dziwna sprawa. Pani ojciec, *mademoiselle*, nigdy nie poznał wszystkich szczegółów.

– Nie?

– Kiedy pytał mnie o wyjaśnienia, powiedziałem mu: „Odzyskałem to, co zostało skradzione; uniknęliśmy skandalu. I to musi panu wystarczyć”. Wie pani, dlaczego tak powiedziałem?

– Nie mam pojęcia – chłodno odpowiedziała kobieta.

– Bo w głębi serca bardzo lubiłem małą pensjonarkę, taką drobną, bladą i poważną.

– Nie rozumiem, o czym pan mówi – wykrzyknęła ze złością.

– Naprawdę? Czyżby zapomniała pani Antonia Pirezzia? – Usłyszał, jak Zia nagle gwałtownie wciąga powietrze.

– Przyszedł do pracy w sklepie, jednak w ten sposób nigdy nie zdobyłby tego, czego pragnął. Ale nawet sprzedawca może podnieść wzrok na córkę swojego pracodawcy, nieprawdaż? Jeśli jest młody i przystojny, i potrafi prawić gładkie słówka. A jako że nawet w miłości potrzebne są przerwy, musieli od czasu do czasu rozmawiać o rzeczach, które interesowały oboje... takich jak ów tajemniczy przedmiot, który oddano na przechowanie panu Papopolousowi. A ponieważ, jak sama pani powiedziała, młodzi są naiwni i łatwowierni, niewiele było trzeba, żeby mu uwierzyć i pozwolić spojrzeć na ową szczególną rzecz, pokazać, gdzie jest ukryta. Potem, kiedy zniknęła... kiedy zdarzyła się niewyobrażalna katastrofa... biedna mała pensjonarka! W jakim strasznym znalazła się położeniu! Taka przerażona, biedactwo. Powiedzieć czy nie powiedzieć? I nagle pojawia się wspaniały człowiek, Herkules Poirot. To, w jaki sposób wszystko się ułożyło, zakrawało na cud. Bezcenne dziedzictwo odzyskane i żadnych niewygodnych pytań.

Zia zwróciła się do niego gwałtownie.

– Wiedział pan przez cały czas? Kto panu powiedział? Czy to był... czy to był Antonio?

Poirot pokręcił głową.

– Nikt mi nie powiedział – odparł spokojnie. – Domyśliłem się. Miałem rację, prawda, *mademoiselle*? Widzi pani, nie ma sensu zostawać detektywem, jeśli się nie potrafi zgadywać.

Kobieta przez parę chwil szła obok niego w milczeniu. Potem powiedziała oschle:

– Co pan teraz z tym zrobi? Powie pan ojcu?

– Nie – odparł zdecydowanie Poirot. – Oczywiście, że nie.

Popatrzyła na niego zaskoczona.

– Chce pan czegoś ode mnie?

– Chcę pani pomocy, *mademoiselle*.

– Dlaczego sądzi pan, że mogę panu pomóc?

– Nie sądzę. Jedynie mam nadzieję.

– A jeśli panu nie pomogę, wtedy powie pan ojcu?

– Nie, skąd! Co też pani przychodzi do głowy! Nie jestem szantażystą. Nie mam zamiaru grozić pani dlatego, że znam jej tajemnicę.

– Więc jeśli odmówię panu pomocy... – wolno zaczęła kobieta.

– Odmówi pani i tyle.

– Więc dlaczego...? – urwała.

– Proszę posłuchać, *mademoiselle*. Kobiety są wielkoduszne. Jeśli mogą oddać przysługę komuś, kto im kiedyś pomógł, zrobią to. Kiedyś byłem wspaniałomyślny wobec pani. Milczałem, chociaż mogłem wszystko powiedzieć.

Znowu zapadła cisza; potem Greczynka odezwała się:

– Mój ojciec udzielił panu wskazówki parę dni temu.

– To było bardzo miłe z jego strony.

– Nie wydaje mi się – powiedziała Zia wolno – żebym mogła coś do tego dodać.

Jeśli Poirot był rozczarowany, nie okazał tego po sobie. Ani jeden mięsień nie drgnął na jego twarzy.

– *Eh bien!* – powiedział pogodnie – pomówmy więc o czym innym.

I zaczął wesołą pogawędkę. Zia była jednak pogrążona w myślach; odpowiadała machinalnie i nie zawsze na temat. Kiedy zbliżali się z powrotem do kasyna, wydawało się, że podjęła decyzję.

– Panie Poirot?

– Tak, *mademoiselle*?

– Ja... chciałabym panu pomóc, jeśli zdołam.

– To bardzo miło z pani strony, bardzo miło.

Znowu zapadła cisza. Poirot nie naciskał. Był gotów zaczekać i dać jej czas do namysłu.

– No, dobrze – powiedziała w końcu Zia. – Ostatecznie, dlaczego nie miałabym panu powiedzieć? Ojciec jest zawsze bardzo ostrożny, ostrożny we wszystkim, co mówi. Ale wiem, że w pana wypadku to nie jest konieczne. Sam pan powiedział, że szuka mordercy, że nie obchodzą pana kamienie. Wierzę panu. Miał pan całkowitą rację podejrzewając, że przyjechaliśmy do Nicei z powodu rubinów. Zostały doręczone zgodnie z planem. Ma je teraz mój ojciec. Parę dni temu powiedział panu, kto był naszym klientem.

– Markiz? – upewnił się Poirot cicho.

– Tak, Markiz.

– Czy widziała go pani kiedykolwiek, *mademoiselle* Zia?

– Tylko raz – odparła kobieta. – Ale niezbyt dobrze – dodała. – Przez dziurkę od klucza.

– To spore utrudnienie – powiedział Poirot współczująco. – Ale mimo to go pani zobaczyła. Poznałaby go pani?

Zia pokręciła głową.

– Nosił maskę – wyjaśniła.

– Młody czy stary?

– Miał białe włosy. Mogła to być peruka. Bardzo dobrze leżała. Ale nie sądzę, żeby był stary. Miał ruchy i głos młodego człowieka.

– Głos? – spytał Poirot w zamyśleniu. – Właśnie, głos! Rozpoznałaby go pani, *mademoiselle* Zia?

– Możliwe.

– Zainteresował panią, prawda? To dlatego podglądała pani przez dziurkę od klucza?

Zia skinęła głową.

– Tak, byłam ciekawa. Tyle się o nim słyszy... To nie zwykły złodziej... raczej przypomina bohatera jakiegoś romansu.

– Tak – zgodził się Poirot. – Pewnie tak.

– Ale nie o tym chciałam panu powiedzieć – ciągnęła Zia – tylko o pewnym drobnym fakcie, który mógłby się okazać dla pana użyteczny.

– Tak? – spytał zachęcająco Poirot.

– Rubiny, jak już mówiłam, zostały przekazane mojemu ojcu tutaj w Nicei. Nie widziałam osoby, która je przekazała, ale…

– Tak?

– Jedną rzecz wiem na pewno. To była kobieta.

XXIX

List z domu

Droga Katarzyno, żyjesz wśród tych wszystkich utytułowanych osobistości i pewnie nie obchodzi Cię, co się u nas dzieje, ale zawsze uważałam Cię za rozsądną osobę, więc może nie do końca przewróciło Ci się w głowie. U nas wszystko po staremu. Mieliśmy kłopot z nowym wikarym, który jest nieprzyzwoicie wysoki. Moim zdaniem to ni mniej ni więcej, tylko papista. Mówiliśmy pastorowi, ale wiesz, jaki jest nasz pastor – sama chrześcijańska dobroć i za grosz bożego gniewu. Strasznie miałam dużo zachodu ze służącymi. Z tej Annie było nic dobrego – latała ze spódnicą zadartą do kolan i nawet nie chciała nosić wełnianych pończoch, jak się należy. I żadna nie słuchała, co się do niej mówi. W ostatnich dniach miałam ciągle bóle z powodu mojego reumatyzmu i doktor Harris przekonał mnie, żebym pojechała do Londynu do specjalisty. Powiedziałam mu, że tylko stracę trzy gwinee i na bilet, ale poczekałam do środy, bo wtedy jest zniżka na powrót. Lekarz w Londynie zrobił poważną minę, zaczął krążyć opłotkami i nie chciał nic powiedzieć wprost, więc mówię do niego: „Panie doktorze, jestem prostą kobietą, więc proszę mi powiedzieć po prostu. Mam raka, tak czy nie?". I wtedy, rozumie się, musiał przyznać, że tak. Powiedział, że mam rok, jeśli będę na siebie uważać i że nie będzie bardzo bolało, chociaż jestem pewna, że w razie czego potrafię znieść ból równie dobrze jak każda chrześcijańska dusza. Czasami czuję się trochę samotna, bo wszyscy przyjaciele umarli albo powyjeżdżali. Chciałabym, żebyś była tu, w St Mary Mead, moja kochana, i taka jest prawda. Gdybyś nie dostała tych pieniędzy i nie weszła do lepszego towarzystwa, dałabym Ci dwa razy tyle, ile Ci płaciła biedna Jane, żebyś się mną zajęła, ale nie ma co marzyć o gruszkach a wierzbie. Jednak gdyby coś poszło źle – a takie rzeczy często się zdarzają; ciągle się słyszy o różnych oszustach, którzy żenią się z dziewczynami, żeby położyć rękę na ich pieniądzach, a potem zostawiają je pod kościołem… Myślę, że jesteś zbyt rozsądna na to, ale kto to wie; nie zaznałaś wiele względów, więc teraz łatwo Cię można złapać na piękne słówka. Więc tylko na wszelki wypadek, moja kochana, pamiętaj, że tutaj zawsze czeka na Ciebie dom, i chociaż nie jestem bardzo wykształcona, to mam dobre serce.

Twoja oddana przyjaciółka, Amelia Viner.

PS

Znalazłam w gazecie wzmiankę o Tobie i Twojej kuzynce, wicehrabinie Tamplin. Schowałam ją razem z innymi wycinkami. Modliłam się za Ciebie w niedzielę, żeby Bóg Cię ustrzegł od pychy i próżności.

Katarzyna przeczytała dwukrotnie tę szczególną epistołę, potem odłożyła ją i zapatrzyła się w błękitne wody Morza Śródziemnego. Poczuła dziwny ucisk w gardle. Ogarnęła ją nagła fala tęsknoty za St Mary Mead. Tak pełne znanych, powszednich, głupiutkich drobiazgów – a jednak tam był dom. Miała wielką ochotę złożyć głowę na rękach i solidnie się wypłakać.

Wybawiła ją Lenox, wchodząc właśnie w tym momencie do pokoju.

– Witaj, Katarzyno – powiedziała. – Co się stało?

– Nic – odparła Katarzyna; chwyciła list od panny Viner i wepchnęła go do torebki.

– Wyglądałaś trochę dziwnie – powiedziała dziewczyna. – Mam nadzieję, że się na mnie nie pogniewasz: zadzwoniłam do twojego przyjaciela detektywa, pana Poirota, i zaprosiłam go, żeby zjadł z nami obiad w Nicei. Powiedziałam, że chcesz się z nim zobaczyć, bo dla mnie by nie przyszedł.

– Więc chcesz się z nim spotkać? – spytała Katarzyna.

– Tak – odpowiedziała Lenox. – Straciłam dla niego głowę. Nigdy wcześniej nie spotkałam człowieka, który by miał takie zielone oczy, całkiem jak kot.

– Aha – mruknęła Katarzyna apatycznie. Ostatnie dni były bardzo wyczerpujące. Aresztowanie Dereka Ketteringa stało się tematem dnia, a tajemnicę Błękitnego Ekspresu wałkowano na wszystkie strony.

– Zamówiłam samochód – ciągnęła Lenox – i naopowiadałam mamie jakichś kłamstw; niestety nie pamiętam jakich dokładnie. Zresztą to i tak nie ma znaczenia; nigdy nie słucha, co się do niej mówi. Gdyby się dowiedziała, gdzie się wybieramy, też by chciała jechać, żeby dalej maglować pana Poirota.

Kiedy przyjechały pod Negresco, detektyw już na nie czekał.

Był pełen galijskiej uprzejmości i zasypał obie panie takim deszczem komplementów, że w krótkim czasie zaśmiewały się z całego serca; a jednak posiłek nie należał do radosnych. Katarzyna była zamyślona i nieobecna duchem, Lenox na zmianę paplała jak najęta i pogrążała się w milczeniu. Kiedy siedzieli na tarasie pijąc kawę, nagle zaatakowała detektywa wprost.

– Jak się mają sprawy? Wie pan, o czym mówię?

Poirot wzruszył ramionami.

– Posuwają się swoją koleją – odparł.

– I pan na to pozwala?

Popatrzył na dziewczynę trochę smutno.

– Jest pani jeszcze młoda, *mademoiselle*. Dobrego Boga, natury i starych ludzi nigdy nie należy ponaglać.

– Bzdura! – odparła Lenox. – Pan nie jest stary.

– Ach, jakie to miłe, co pani powiedziała!

– O, tam jest major Knighton – powiedziała Lenox.

Katarzyna szybko rozejrzała się dokoła.

– Z panem Van Aldinem – mówiła dalej dziewczyna. – Muszę zapytać o coś pana Knightona. Zaraz wracam.

Kiedy zostali sami, Poirot nachylił się do Katarzyny i powiedział cicho:

– Jest pani roztargniona, *mademoiselle*, błądzi pani myślami daleko stąd, nieprawdaż?

– Nie tak bardzo daleko; myślałam o Anglii.

Wiedziona nagłym impulsem wyjęła list, który otrzymała tego ranka i dała mu do przeczytania.

– Pierwsza wiadomość, jaka dotarła tu do mnie z dawnego życia; tak czy inaczej, to boli.

Przeczytał list, po czym go jej oddał.

– Więc wraca pani do St Mary Mead? – spytał.

– Nie, nie wracam – odrzekła Katarzyna. – Dlaczego miałabym to robić?

– Przepraszam – powiedział Poirot. – Mój błąd. Wybaczy pani, że na chwilę ją opuszczę.

Podszedł do miejsca, gdzie Lenox rozmawiała z Van Aldinem i Knightonem. Amerykanin wydawał się postarzały i znużony. Przywitał detektywa szorstkim skinieniem, bez żadnych oznak zainteresowania.

Kiedy zwrócił się do Lenox, żeby odpowiedzieć na jakąś jej uwagę, Poirot odciągnął na bok sekretarza.

– Pan Van Aldin wydaje się chory – powiedział.

– Nic dziwnego – odparł sekretarz. – Aresztowanie Ketteringa zakończyło całą sprawę, przynajmniej jeśli chodzi o niego. Żałuje teraz, że chciał poznać prawdę.

– Powinien wrócić do Anglii.

– Pojutrze tam jedziemy.

– To dobra wiadomość – stwierdził detektyw.

Zawahał się, spojrzał w stronę tarasu, gdzie siedziała Katarzyna.

– Chciałbym – powiedział cicho – żeby powiedział pan o tym pannie Grey.

– O czym?

– Że pan... to znaczy, że pan Van Aldin wraca do Anglii.

Knighton wydawał się nieco zdziwiony, ale posłusznie podszedł do Katarzyny.

Poirot kiwnął głową z aprobatą i przyłączył się do Lenox i Van Aldina. Po chwili zbliżyli się do pozostałych. Przez parę minut rozmowa była ogólna, potem milioner i jego sekretarz odeszli. Również Poirot podniósł się z miejsca.

– Stokrotne dzięki za zaproszenie, *mademoiselles*! – wykrzyknął. – To było czarujące spotkanie. *Ma foi*, tego mi było potrzeba! – Wypiął pierś. – Czuję się dzielny jak lew... Ach, *mademoiselle* Katarzyno, takim mnie pani jeszcze nie widziała. Widziała pani łagodnego, spokojnego Herkulesa Poirot. Ale jest jeszcze inny Herkules Poirot. Idę siać zamęt i grozę, i przerażenie w sercach tych, którzy mnie będą słuchać!

Spojrzał na nie z satysfakcją; sprawiały wrażenie odpowiednio przejętych, chociaż Lenox zagryzała dolną wargę, a kąciki ust Katarzyny drżały podejrzanie.

– I dokonam tego – powiedział z powagą. – O, tak, dopnę swego.

Odszedł zaledwie kilka kroków, kiedy głos Katarzyny przywołał go z powrotem.

– Panie Poirot... chciałam panu powiedzieć. Myślę, że miał pan całkowitą rację. Wkrótce wracam do Anglii.

Poirot popatrzył na nią bardzo uważnie; oblała się rumieńcem pod jego taksującym spojrzeniem.

– Rozumiem – odparł poważnie.

– Nie sądzę – powiedziała Katarzyna.

– Wiem więcej, niż pani przypuszcza, *mademoiselle* – odparł cicho.

Odszedł z dziwnym uśmieszkiem na twarzy. Wsiadł do czekającego samochodu i kazał się wieźć do Antibes.

Hipolit, służący hrabiego de la Roche, z niewzruszonym wyrazem twarzy polcrował właśnie piękną kryształową zastawę. Hrabia wyjechał na cały dzień do Monte Carlo. Spojrzawszy przypadkiem przez okno, lokaj ujrzał gościa zmierzającego żywym krokiem do wejścia. Gość był tak niezwykły, że Hipolitowi, mimo całego doświadczenia, trudno go było zaklasyfikować. Zawołał do swojej żony Marie, zajętej właśnie w kuchni, by zwrócić jej uwagę.

– Znowu policja? – spytała Marie zaniepokojona.

– Popatrz sama.

Marie spojrzała.

– Na pewno nie policja – stwierdziła. – Całe szczęście.

– Właściwie nie naprzykrzali się za bardzo – powiedział Hipolit. – Prawdę mówiąc, gdyby nie ostrzeżenia hrabiego, nigdy by mi nie przyszło do głowy, kim był tamten człowiek w sklepie z winem.

Zadźwięczał dzwonek w holu i Hipolit poszedł otworzyć przybrawszy poważny i uroczysty wyraz twarzy.

– Niestety, pana hrabiego nie ma w domu.

Mały człowieczek z wielkimi wąsami uśmiechnął się pogodnie.

– Wiem o tym – odparł. – Jesteś Hipolit Flavelle, prawda?

– Tak, *monsieur*, tak się nazywam.

– I masz żonę, Marię Flavelle?

– Tak, proszę pana, ale…

– Chciałem się zobaczyć z wami obojgiem – powiedział gość; minął Hipolita i wszedł do holu. – Twoja żona niewątpliwie jest w kuchni; tam więc się udam.

Zanim służący zdołał odzyskać mowę, gość odnalazł właściwe drzwi w głębi holu, przeszedł korytarz i znalazł się w kuchni, gdzie Marie na jego widok zamarła z otwartymi ustami.

– *Voilà* – powiedział nieznajomy, sadowiąc się w drewnianym fotelu. – Jestem Herkules Poirot.

– Tak, *monsieur*?

– Nie znacie mojego nazwiska?

– Nigdy wcześniej go nie słyszeliśmy.

– Wybaczcie, ale muszę powiedzieć, że wasze wykształcenie pozostawia wiele do życzenia. Jest to jedno z największych nazwisk na świecie.

Westchnął i splótł ręce na piersi. Hipolit i Marie patrzyli na niego niepewnie. Zupełnie nie wiedzieli, jak się zachować w stosunku do tego nieoczekiwanego i bardzo dziwnego gościa.

– Czym mógłbym panu...? – machinalnie zaczął Hipolit.

– Chciałbym się dowiedzieć, dlaczego skłamaliście policji.

– Ja? Skłamać policji? – wykrzyknął Hipolit. – Nigdy nie zrobiłem czegoś podobnego!

Poirot pokręcił głową.

– Mylisz się – powiedział. – Robiłeś to już kilka razy. Zobaczmy... – wyciągnął z kieszeni mały notesik. – O, właśnie; co najmniej siedem razy. Przeczytam ci.

Spokojnym, opanowanym głosem przeczytał opis owych siedmiu wypadków.

Hipolit był wstrząśnięty.

– Ale nie o tych przeszłych uchybieniach chciałem rozmawiać – ciągnął Poirot. – Przytoczyłem je tylko po to, byś nie myślał, że jesteś zbyt błyskotliwy, przyjacielu. Interesuje mnie jedno szczególne kłamstwo: twoje twierdzenie, że hrabia de la Roche przybył do swojej willi rankiem czternastego stycznia.

– Ależ to nie kłamstwo, *monsieur*, taka jest prawda. Pan hrabia przyjechał czternastego, we wtorek, rano. Tak było, Marie, prawda?

Marie potwierdziła żywo.

– Tak, masz całkowitą rację. Doskonale pamiętam.

– O – zdziwił się detektyw. – A co podaliście panu na obiad tego dnia?

– Ja... – zaczęła Marie, próbując sobie przypomnieć.

– Zadziwiające – stwierdził Poirot – jak to człowiek pamięta pewne rzeczy, a inne zupełnie wylatują mu z głowy. – Pochylił się i uderzył pięścią w stół; oczy błyszczały mu z gniewu. – Właśnie tak jak powiedziałem: powtarzacie te swoje kłamstwa i wydaje się wam, że nikt o nich nie wie. A jednak dwie osoby wiedzą. Tak: dwie osoby. Jedną z nich jest dobry Bóg...

Ręką wskazał niebo, po czym rozsiadł się wygodniej w fotelu, przymknął oczy i dokończył cicho:

– ...a drugą Herkules Poirot.

– Zapewniam pana, *monsieur*, że całkowicie się pan myli. Pan hrabia wyjechał z Paryża w poniedziałek wieczorem...

– To prawda – zgodził się Poirot. – Ekspresem. Nie wiem, w którym miejscu przerwał podróż. Może ty też tego nie wiesz. Ale wiem na pewno, że przyjechał tutaj w środę, a nie we wtorek rano.

– Myli się pan – powiedziała spokojnie Marie.

Poirot podniósł się z miejsca.

– Wobec tego niech wkroczy prawo – mruknął. – Szkoda.

– Co pan przez to rozumie, *monsieur*? – spytała Marie z ledwo uchwytnym niepokojem.

– Zostaniecie aresztowani i oskarżeni o współudział w zamordowaniu pani Kettering.

– Zamordowaniu!

Twarz mężczyzny pobladła jak kreda, zaczęły mu drżeć kolana. Marie upuściła wałek i wybuchnęła płaczem.

– To niemożliwe... niemożliwe. Myślałam...

– Skoro upieracie się przy swojej historii, nie pozostaje mi nic innego. Uważam, że oboje postępujecie bardzo głupio.

Odwracał się już w stronę drzwi, kiedy powstrzymał go podniecony głos.

– *Monsieur, monsieur,* jedną chwileczkę. Ja... nie wiedziałem, że o to chodzi. My... myślałem, że to z powodu jakiejś damy. Już wcześniej miewaliśmy z tego powodu kłopoty z policją. Ale morderstwo to coś zupełnie innego.

– Brak mi już do was cierpliwości! – wykrzyknął Poirot. Gniewnie potrząsnął Hipolitowi pięścią przed nosem. – Czy mam tu sterczeć cały dzień, kłócąc się z parą imbecyli? Chcę usłyszeć prawdę! Jeśli nie macie zamiaru mi jej powiedzieć, to wasza sprawa. Pytam po raz ostatni: kiedy hrabia de la Roche przyjechał do Villa Marina; we wtorek czy w środę rano?

– W środę – powiedział pośpiesznie lokaj; za jego plecami Marie potakiwała gorliwie.

Poirot przyglądał się im jakiś czas, po czym poważnie skinął głową.

– Bardzo rozsądnie, moje dzieci – powiedział cicho. – Uniknęliście o włos poważnych kłopotów.

Opuścił Villa Marina uśmiechając się do siebie.

– Jedno podejrzenie potwierdzone – mruknął do siebie. – A może by tak spróbować z drugim?

Była godzina szósta, kiedy Mirelle doręczono wizytówkę pana Herkulesa Poirot. Tancerka wpatrywała się w nią przez chwilę, po czym skinęła głową. Detektyw zastał ją nerwowo spacerującą po pokoju. Rzuciła się do niego z furią.

– Więc? Co teraz? – wykrzyknęła. – Mało wam jeszcze znęcania się nade mną? Czyż nie zmusiliście mnie, bym zdradziła drogiego Dereka? Czego jeszcze chcecie?!

– Tylko jedno pytanie, *mademoiselle*. Po tym jak pociąg opuścił Lyon, kiedy weszła pani do przedziału pani Kettering...

– Co to ma znaczyć?

Poirot popatrzył na nią z łagodną naganą i zaczął ponownie:

– Kiedy weszła pani do przedziału pani Kettering...

– Nie wchodziłam tam.

– I znalazła ją...

– Nie wchodziłam do środka.

– *Ah, sacre!* – krzyknął na nią z takim gniewem, że aż się cofnęła. – Dość tych kłamstw! Mogę pani powiedzieć, co się stało tak dokładnie, jakbym przy tym był. Weszła pani do jej przedziału i znalazła ją martwą. Powtarzam, wiem o wszystkim. To bardzo niebezpieczne kłamać przede mną. Ostrzegam, panno Mirelle.

Oczy tancerki poruszyły się niespokojnie pod jego spojrzeniem; spuściła wzrok.

– Ja... ja nie... – zaczęła niepewnie i urwała.

– Interesuje mnie tylko jedna rzecz – powiedział Poirot. – Zastanawiam się, *mademoiselle*, czy znalazła pani to, czego pani szukała, czy też...

– Czy też...?

– Czy ktoś panią uprzedził.

– Nie będę odpowiadać na żadne pytania – krzyknęła tancerka. Wyrwała się z rąk Poirota, który próbował ją powstrzymać, i rzuciła w szale na podłogę, krzycząc i szlochając. Do pokoju wpadła przerażona pokojówka.

Herkules Poirot wzruszył ramionami, uniósł brwi i cicho wyszedł.

Ale wydawał się zadowolony.

XXX

Panna Viner wydaje sąd

Katarzyna wyglądała przez okno sypialni panny Viner. Padał deszcz; niezbyt mocno, ale z cichym uporem kogoś dobrze wychowanego. Okno wychodziło na ogródek od frontu z alejką prowadzącą do furtki, obrzeżoną po obu stronach zadbanymi rabatkami, na których miały niedługo zakwitnąć róże, goździki i błękitne hiacynty.

Panna Viner leżała w wielkim wiktoriańskim łożu. Odsunęła na bok tacę z resztkami śniadania; była zajęta otwieraniem listów i robieniem jadowitych uwag na temat ich zawartości.

Katarzyna również trzymała w ręce otwarty list; po raz drugi przebiegała go wzrokiem. Został wysłany z hotelu Ritza w Paryżu.

Chère mademoiselle *Katarzyno, ufam że jest Pani w dobrym zdrowiu i spotkanie z angielską zimą nie okazało się zbyt przygnębiające. Co do mnie, to prowadzę w dalszym ciągu swoje poszukiwania z najwyższą pilnością. Proszę nie myśleć, że spędzam tutaj wakacje. Niedługo przyjadę do Anglii; mam wielką nadzieję, że będę miał przyjemność spotkać się z Panią raz jeszcze. Nie ma Pani nic przeciwko temu, nieprawdaż? Napiszę po przyjeździe do Londynu. Pamięta Pani? W tej sprawie jesteśmy wspólnikami. Jestem przekonany, że wie Pani o tym doskonale. Z wyrazami głębokiego szacunku i oddania – Herkules Poirot.*

Katarzyna leciutko zmarszczyła brwi. Wydawało się, że list zdziwił ją i zaintrygował.

– Piknik dla chłopców z chóru, dobre sobie – dobiegł ją głos panny Viner. – Tommy Saunders i Albert Dykes powinni zostać w domu; nie dam ani grosza, dopóki tak się nie stanie. Nie wiem, co tym dwóm się wydaje, że robią w niedzielę w kościele. Tommy zaśpiewał: „O Boże, pośpiesz się z tym zbawianiem nas" i więcej nie otworzył ust, a jeśli Albert Dykes nie ssał miętówek, to mój nos nie jest już taki dobry jak dawniej.

– Są doprawdy nieznośni – zgodziła się Katarzyna.

Otworzyła drugi list i nagły rumieniec wypłynął jej na policzki. Głos panny Viner wydawał się dobiegać z wielkiej odległości.

Kiedy Katarzyna znów uświadomiła sobie, gdzie się znajduje, panna Viner właśnie kończyła płomienną tyradę.

– A ja jej na to: „Właśnie, że nie. Tak się składa, że panna Grey to kuzynka lady Tamplin". Co ty na to?

– Próbowała mnie pani bronić? Jak miło.

– Możesz to i tak nazwać. Nie mam wiele szacunku dla tytułów. Pastorowa czy nie, ta baba to wydra. Wygadywać, że kupiłaś sobie wstęp do towarzystwa!

– Właściwie nie odbiegła daleko od prawdy.

– I popatrz tylko na siebie – ciągnęła panna Viner. – Wcale nie zaczęłaś zadzierać nosa po powrocie, chociaż byś mogła. Jesteś tak samo rozsądna jak zawsze, w porządnych bawełnianych pończochach i solidnych butach. Ledwie wczoraj mówiłam o tym Ellen. „Ellen – powiedziałam – popatrz tylko na pannę Grey. Jest za pan brat z największymi w tym kraju, a czy widziałaś kiedy, żeby latała tak jak ty ze spódnicą zadartą do kolan albo nosiła jedwabne pończochy, na których oczka lecą od samego patrzenia i w najdziwaczniejszych butach, jakie w życiu widziałam?".

Katarzyna uśmiechnęła się do siebie. Liczenie się z poglądami panny Viner najwyraźniej okazywało się bardzo korzystne. Starsza pani mówiła z coraz większym zapałem:

– Bardzo się cieszę, że nie przewróciło ci się w głowie. Właśnie wczoraj przeglądałam moje wycinki. Mam kilka o lady Tamplin i jej szpitalu polowym i czym tam jeszcze, ale nie mogę ich znaleźć. Poszukaj ich, gdybyś mogła, kochana; masz lepsze oczy. Leżą wszystkie w pudełku w szufladzie biurka.

Katarzyna spojrzała w dół na list, który trzymała w ręce, i właśnie miała coś powiedzieć, ale się pohamowała. Podeszła do biurka, znalazła pudełko z wycinkami i zaczęła je przeglądać. Od swego powrotu do St Mary Mead podziwiała dzielność i stoicki spokój panny Viner. Czuła, że niewiele może zrobić dla dawnej przyjaciółki, ale wiedziała z doświadczenia, jak wiele owe pozorne drobnostki znaczą dla starszych ludzi.

– Tutaj jest jeden – odezwała się. – *Wicehrabina Tamplin, prowadząca w swojej willi w Nicei szpital dla oficerów, padła ofiarą rabunku. Skradziono jej klejnoty, między innymi sławne szmaragdy, należące od pokoleń do rodu Tamplin.*

– Na pewno imitacja – powiedziała panna Viner. – Tak to zwykle bywa w wyższych sferach.

– A tu jeszcze jeden. Jej zdjęcie. *Urocze studium wicehrabiny Tamplin z córeczką Lenox.*

– Daj mi spojrzeć – poprosiła panna Viner. – Twarzy dziecka nie widać za dobrze, prawda? Może to i lepiej. Ten świat opiera się na przeciwieństwach i piękne matki miewają zwykle szkaradne dzieci. Fotograf uznał zapewne, że uchwycenie małej od tyłu to najlepsze, co może dla niej zrobić.

Katarzyna roześmiała się.

– Jedną z najelegantszych dam na Riwierze w tym sezonie jest wicehrabina Tamplin, właścicielka willi na Cap Martin.

Bawi tu właśnie jej kuzynka, panna Grey, która niedawno, w niezwykle romantycznych okolicznościach, odziedziczyła ogromną fortunę.

– O to mi właśnie chodziło – ucieszyła się panna Viner. – Jestem pewna, że przeoczyłam w gazetach twoje zdjęcie; wiesz, z tych w rodzaju: pani Jakaśtam czy inna Jones-Williams na zawodach jeździeckich albo czymś podobnym, ze składanym stołeczkiem w ręce i z jedną nogą uniesioną w powietrze. Dla niektórych zobaczenie siebie w gazecie musi być ciężkim przeżyciem.

Katarzyna nie odpowiedziała. Wygładzała palcem wycinek; na jej twarzy odbiło się zmieszanie i smutek. Potem wyjęła drugi list z koperty i jeszcze raz przebiegła go wzrokiem. Popatrzyła na przyjaciółkę.

– Panno Viner? Zastanawiam się... jeden z moich znajomych, ktoś, kogo poznałam na Riwierze, bardzo by chciał mnie odwiedzić.

– Mężczyzna? – spytała panna Viner.

– Tak.

– Kto to jest?

– Sekretarz pana Van Aldina, tego amerykańskiego milionera.

– Jak się nazywa?

– Knighton, major Knighton.

– Hm, sekretarz milionera. I chce tu przyjechać. Posłuchaj, Katarzyno, muszę ci coś powiedzieć dla twego własnego dobra. Jesteś miłą i rozsądną dziewczyną i przy wielu okazjach pokazałaś, że masz dobrze poukładane w głowie, ale każda kobieta raz w życiu popełnia jakieś głupstwo. Stawiam dziesięć do jednego, że tego człowieka obchodzą tylko twoje pieniądze. – Gestem uciszyła Katarzynę. – Czekałam na coś podobnego. Kto zostaje sekretarzem milionera? W dziewięciu wypadkach na dziesięć młody człowiek, który lubi wygodne życie. Młody człowiek o miłym obejściu i skłonnościach do luksusu, bez krzty rozumu czy przedsiębiorczości. A jeśli istnieje coś wygodniejszego niż bycie sekretarzem milionera, to jest to małżeństwo z bogatą kobietą. Nie mówię, że nie mógłby się w tobie zakochać jakiś mężczyzna. Ale nie jesteś już młoda ani bardzo ładna, chociaż masz piękną cerę, i dlatego ci mówię: uważaj, żebyś nie zrobiła głupstwa. A jeśli jesteś zdecydowana na małżeństwo, postaraj się dobrze zabezpieczyć swoje pieniądze. No, skończyłam. Co chciałaś powiedzieć?

– Nic – odparła Katarzyna. – Więc nie ma pani nic przeciwko temu, żeby mnie odwiedził?

– Umywam ręce – oświadczyła panna Viner. – Spełniłam swój obowiązek i cokolwiek się stanie, spadnie na twoją głowę. Chcesz go zaprosić na obiad czy na kolację? Myślę, że Ellen dałaby sobie radę z kolacją... to znaczy, jeśli zupełnie nie straci głowy.

– Obiad wystarczy w zupełności – powiedziała Katarzyna. – To bardzo miło z pani strony. Prosił mnie, żebym zadzwoniła, więc zrobię tak od razu i powiem mu, że będzie nam bardzo miło, jeśli zechce zjeść z nami obiad. Weźmie samochód z miasta.

– Ellen całkiem dobrze przyrządza stek z pieczonymi ziemniakami – dodała panna Viner. – Nie powiem, żeby był bardzo dobry, ale i tak wychodzi jej lepiej niż inne potrawy. Nie ma sensu prosić o szarlotkę; ciasta się jej nie udają, ale te jej małe puddingi są całkiem niezłe. U Abbota powinnaś dostać dobry ser. Zawsze słyszałam, że mężczyźni lubią sery. I zostało jeszcze sporo wina, możesz wziąć na przykład butelkę tego musującego mozelskiego.

– Ależ, panno Viner, to naprawdę zbyt wiele.

– Bzdury, moje dziecko. Żaden mężczyzna nie jest szczęśliwy, dopóki się nie napije do obiadu. Jeśli wolisz, zostało jeszcze trochę dobrej, przedwojennej whisky. A teraz rób, co mówię, i nie spieraj się ze mną. Klucz od piwnicy z winem jest w toaletce, w trzeciej szufladzie od góry, zawinięty w drugą parę pończoch od lewej.

Katarzyna posłusznie odnalazła wskazane miejsce.

– Pamiętaj, druga para – powiedziała panna Viner. – W pierwszej są moje brylantowe kolczyki i broszka z filigranem.

– O – zdziwiła się Katarzyna. – Nie wolałaby pani, żebym je przełożyła do kasetki na biżuterię?

Panna Viner wydała przeciągłe, pełne oburzenia prychnięcie.

– Nie, dziękuję! Mam na to zbyt wiele zdrowego rozsądku. Mój Boże, pamiętam jak mój ojciec kazał zbudować sejf pod schodami. Chodził dumny jak paw. Oświadczył matce: „Teraz, Mary, każdego wieczoru będziesz mi przynosić swoją kasetkę z biżuterią, a ja ją zamknę w sejfie". Moja matka była taktowną kobietą i wiedziała, że mężczyźni lubią robić wszystko po swojemu, więc przynosiła mu kasetkę, jak sobie życzył. Pewnej nocy włamali się do nas złodzieje i oczywiście przede wszystkim wzięli się do sejfu. Nic dziwnego, skoro ojciec rozpowiadał o nim w całym miasteczku. Można by pomyśleć, że trzyma tam co najmniej diamenty króla Salomona. Zabrali wszystko, puchary i srebrne kubki, i złoty talerz, który ojciec dostał w prezencie, i kasetkę z biżuterią. – Westchnęła na wspomnienie. – Mój ojciec bardzo się martwił utratą biżuterii matki. Był tam wenecki naszyjnik i bardzo piękne kamee, i bladoróżowe korale, i dwa pierścionki z całkiem sporymi brylantami. Wtedy, oczywiście, musiała mu się przyznać, że jako rozsądna kobieta trzymała biżuterię między gorsetami, w naprawdę bezpiecznym miejscu.

– Więc kasetka była zupełnie pusta?

– Ależ nie – zaprotestowała panna Viner – za mało by ważyła. Moja matka, jako bardzo mądra kobieta, wzięła to pod uwagę. Trzymała w niej guziki; kasetka doskonale się do tego nadawała. Guziki do butów w najwyższej szufladce, niżej guziki do spodni, a na samym dole pozostałe. Co najdziwniejsze, ojciec bardzo się złościł. Powiedział, że nie znosi oszustwa. Ale nie będę cię dłużej zatrzymywać; musisz iść zadzwonić do swojego przyjaciela. I pamiętaj, żebyś wybrała ładny kawałek mięsa, i powiedz Ellen, że ma włożyć całe pończochy, jak będzie usługiwała przy obiedzie.

– Ona ma na imię Ellen czy Helen, panno Viner? Myślałam...

Panna Viner przymknęła oczy.

– Potrafię wymówić „h" nie gorzej od innych, moja droga, ale uważam, że „Helen" nie jest właściwym imieniem dla służącej. Nie wiem, co sobie wyobrażają te matki z niższych sfer w dzisiejszych czasach.

Przejaśniło się, kiedy Knighton zajechał pod domek. Blady, kapryśny promień słońca rozpłomienił włosy Katarzyny, która wyszła mu na powitanie do furtki. Podszedł do niej szybkim krokiem, niemal podbiegł.

– Mam nadzieję, że nie przeszkadzam? Po prostu musiałem się z panią zobaczyć. Pani znajoma nie ma chyba nic przeciwko temu?

– Zaraz jej pana przedstawię. Potrafi być naprawdę przerażająca, ale wkrótce się pan przekona, że ma najlepsze serce na świecie.

Panna Viner siedziała majestatycznie w salonie, obwieszona kameami, ocalonymi w tak opatrznościowy sposób. Powitała Knightona z godnością i surową uprzejmością, które zmroziłyby niejednego. Maniery Knightona były jednak tak czarujące, że po jakichś dziesięciu minutach panna Viner wyraźnie odtajała. Obiad upłynął w miłej atmosferze. Ellen, czy Helen, w nowej parze jedwabnych pończoch (bez oczek) pełniła obowiązki kelnerki. Po posiłku Katarzyna i Knighton udali się na spacer, a kiedy wrócili, zostawiono ich samym sobie, bo panna Viner poszła się położyć.

Gdy samochód w końcu odjechał, Katarzyna wolno weszła na piętro. Głos panny Viner przywołał ją do sypialni.

– Twój przyjaciel pojechał?

– Tak. Dziękuję, że pozwoliła mi go pani zaprosić.

– Nie ma za co. Nie myśl sobie, że jestem potworem bez serca, który nic nigdy dla nikogo nie zrobi.

– Myślę, że jest pani kochana – powiedziała Katarzyna z uczuciem.

– Hm – odparła panna Viner, udobruchana.

Katarzyna wychodziła już z pokoju; starsza pani przywołała ją raz jeszcze:

– Katarzyno?

– Tak?

– Myliłam się co do tego twojego przyjaciela. Kiedy mężczyzna chce zrobić wrażenie na kobiecie, może być serdeczny i uprzejmy, i gotów świadczyć drobne uprzejmości, i w ogóle czarujący. Ale kiedy mężczyzna jest naprawdę zakochany, przypomina bezbronne jagnię. No więc, ile razy ten młody człowiek na ciebie patrzył, tak właśnie wyglądał. Odwołuję to, co powiedziałam rano. To jest szczere.

XXXI

Pan Aarons je obiad

–Ach – odetchnął pan Aarons z zadowoleniem. Pociągnął długi łyk ze swego kufla, odstawił go z westchnieniem, otarł pianę z ust i uśmiechnął się przez stół do pana Herkulesa Poirot, którego był gościem. – Dajcie mi – powiedział pan Aarons – porządny stek i kufel czegoś dobrego i zabierzcie sobie te wasze francuskie wymyślne smakołyki i licho wie co jeszcze, wasze omlety i maciupeńkie przepiórki. Dajcie mi – powtórzył – solidny stek.

Poirot, który właśnie spełnił to życzenie, uśmiechnął się ze zrozumieniem.

– Chociaż nie powiedziałbym złego słowa o steku i puddingu z cynaderek – ciągnął pan Aarons. – Ciasto jabłkowe? Tak, poproszę jabłecznik, panienko, i jeszcze bitą śmietanę.

Obiad trwał. W końcu, z długim westchnieniem, pan Aarons odłożył łyżeczkę w oczekiwaniu na sery, zanim zwróci swój umysł ku innym sprawom.

– Zdaje się, że wspominał pan coś o interesach, panie Poirot – zauważył. – Służę panu z największą przyjemnością.

– To bardzo miło z pana strony – powiedział detektyw. – Pomyślałem sobie: „Jeśli się chce dowiedzieć czegoś o sprawach związanych z teatrem, jest tylko jeden człowiek, który wie wszystko, co można wiedzieć na ten temat: mój dawny przyjaciel, pan Joseph Aarons".

– I nie omylił się pan – przyświadczył pan Aarons – czy interesuje pana przeszłość, teraźniejszość czy przyszłość, Joe Aarons jest właściwym człowiekiem.

– *Précisément*. Chciałem pana zapytać, *monsieur* Aarons, co panu wiadomo o młodej kobiecie nazwiskiem Kidd.

– Kidd? Kitty Kidd?

– Kitty Kidd.

– Zdolna. Występy w roli mężczyzny, śpiew i taniec... o nią panu chodzi?

– Właśnie.

– Bardzo zdolna. Przynosiła niezły dochód. Zawsze mogła liczyć na angaż. Głównie w rolach męskich, ale również jako aktorce charakterystycznej nie można jej było nic zarzucić.

– Też tak słyszałem – powiedział Poirot. – Ostatnio się nie pokazywała, nieprawdaż?

– Nie. Wypadła z branży. Wyjechała do Francji i zaczęła kręcić z jakimś wielkim arystokratą. Moim zdaniem opuściła scenę na dobre.

– Kiedy to się stało?

– Niech pomyślę... Trzy lata temu. Wielka strata.

– Sprytna?

– Jak cała klatka lisic.

– Nie wie pan, jak się nazywał ten człowiek, z którym się zaprzyjaźniła w Paryżu?

– Wiem na pewno, że był wielkim arystokratą. Hrabia... a może markiz? Tak, teraz sobie przypominam, markiz.

– I nie słyszał pan o niej od tamtej pory?

– Ani słowa. Nawet przypadkowo. Założę się, że bawi w jednym z tych zagranicznych kurortów. Urodzona markiza. Nikt by nie uwierzył, że jest inaczej. Niezrównana jak zwykle.

– Rozumiem – powiedział Poirot w zamyśleniu.

– Niestety, nic więcej nie mogę panu powiedzieć, panie Poirot – ciągnął jego rozmówca. – A chciałbym się jakoś odwdzięczyć. Kiedyś oddał mi pan wielką przysługę.

– Rachunki między nami są wyrównane; pan też mi kiedyś pomógł.

– Do trzech razy sztuka, ha, ha! – roześmiał się pan Aarons.

– Uprawia pan niezwykle interesujący zawód – powiedział pan Poirot.

– Tak sobie – odparł pan Aarons obojętnie. – Dość ciekawy, jeśli wziąć pod uwagę dobre i złe strony. W zasadzie nie dokładam do interesu, ale cały czas trzeba mieć oczy szeroko otwarte. Nigdy nie wiadomo, na co publiczność rzuci się następnym razem.

– W ostatnich latach taniec stał się bardzo modny – mruknął w zamyśleniu Poirot.

– Jeśli o mnie chodzi, nigdy nie lubiłem tego rosyjskiego baletu, ale ludziom się podoba. Zbyt wymyślne, jak dla mnie.

– Na Riwierze spotkałem tancerkę... *mademoiselle* Mirelle.

– Mirelle? Bardzo dobra, jeśli wierzyć temu, co opowiadają. Stoją za nią pieniądze, chociaż dziewczyna rzeczywiście potrafi tańczyć, widziałem ją i wiem co mówię. Nigdy nie miałem z nią wiele do czynienia, ale słyszałem, że trudno z nią wytrzymać. Awantury i humory na okrągło.

– Tak – potwierdził Poirot zamyślony. – Wyobrażam sobie.

– Temperament! – rzekł pan Aarons. – Temperament! Tak to nazywają. Moja pani była tancerką zanim za mnie wyszła, ale dziękuję niebu, nigdy nie miała żadnego temperamentu. W domu nie potrzeba temperamentu, panie Poirot.

– Zgadzam się z panem, przyjacielu; jest tam zupełnie nie na miejscu.

– Kobieta powinna być spokojna, miła i dobrze gotować – oświadczył pan Aarons.

– Mirelle występuje od niedawna, prawda? – spytał detektyw.

– Jakieś dwa i pół roku, nie więcej – powiedział pan Aarons. – Wylansował ją jakiś francuski książę. Teraz, jak słyszę, zadaje się z byłym premierem Grecji. Ludzie jego pokroju wiedzą, jak korzystnie ulokować pieniądze.

– O tym nie słyszałem – powiedział Poirot.

– Och, ona nie marnuje czasu. Mówią, że młody Kettering zamordował dla niej własną żonę. Nie wiem, czy to prawda. Tak czy inaczej, trafił do więzienia, a ona musiała sobie znaleźć kogoś nowego i doskonale sobie poradziła. Opowiadają, że nosi na szyi rubin wielkości gołębiego jajka; nie powiem, żebym kiedykolwiek widział rubin wielkości gołębiego jaja, ale tak się zwykle pisze w powieściach kryminalnych.

– Rubin wielkości gołębiego jaja! – powtórzył Poirot. Oczy zrobiły mu się zielone niczym u kota. – Jakie to interesujące!

– Dowiedziałem się od przyjaciela – powiedział pan Aarons. – Z tego, co wiem, może to być po prostu kolorowe szkło. Wszystkie kobiety są takie same; zawsze opowiadają niestworzone rzeczy o swoich klejnotach. Mirelle twierdzi, że ten jej rubin jest przeklęty. Zdaje się, że nazywa go Serce Płomienia.

– Ale jeśli dobrze pamiętam – wtrącił Poirot – rubin, który się tak nazywał, był osadzony w naszyjniku.

– No właśnie! Nie mówiłem, że nie ma końca kłamstwom, które kobiety wygadują o swojej biżuterii? To jest pojedynczy kamień, na platynowym łańcuszku. Powtarzam, stawiam dziesięć do jednego, że to zwyczajny kawałek kolorowego szkła.

– Nie – odparł Poirot. – Nie; nie wydaje mi się, że to szkło.

XXXII

Katarzyna i Poirot porównują notatki

– Zmieniła się pani, *mademoiselle* – powiedział nagle Poirot. On i Katarzyna siedzieli w Savoyu po dwóch stronach małego stolika. – Tak, zmieniła się pani – ciągnął.

– Pod jakim względem?

– *Mademoiselle*, trudno opisać tego rodzaju zmiany.

– Jestem starsza.

– Tak, jest pani starsza. I nie chodzi mi o zmarszczki. Kiedy zobaczyłem panią po raz pierwszy, była pani obserwatorką życia. Miała pani spokojny, rozbawiony wyraz twarzy kogoś, kto ogląda sztukę z ostatniego rzędu.

– A teraz?

– Nie patrzy już pani z boku. Może zabrzmi to dziwacznie, ale wygląda pani teraz jak czujny zawodnik, biorący udział w trudnej grze.

– Starsza pani bywa czasem męcząca – odparła Katarzyna z uśmiechem – ale zapewniam pana, że nie toczę z nią śmiertelnych pojedynków. Musi nas pan kiedyś odwiedzić, panie Poirot. Wydaje mi się, że należy pan do ludzi, którzy potrafią docenić jej odwagę i hart ducha.

Zapadła cisza, podczas gdy kelner sprawnie serwował kurczęta *en casserole*. Gdy odszedł, Poirot powiedział:

– Wspominałem pani o moim przyjacielu, Hastingsie? Tym, który nazwał mnie ludzką ostrygą. *Eh bien*, *mademoi-*

selle, znalazłem w pani godną rywalkę. Pani jest o wiele bardziej zamknięta w sobie niż ja.

– Nonsens – zaprzeczyła lekko Katarzyna.

– Herkules Poirot nigdy nie opowiada nonsensów. Jest tak jak mówię.

Znowu zapadła cisza. Przerwał ją Poirot, pytając:

– Widziała się pani po powrocie z którymś ze znajomych z Riwiery?

– Spotkałam się z majorem Knightonem.

– Aha. Więc to tak? – Coś w oczach Poirota sprawiło, że Katarzyna spuściła wzrok. – Więc pan Van Aldin przebywa w Londynie?

– Tak.

– Muszę się z nim spotkać jutro albo pojutrze.

– Ma pan dla niego jakieś wiadomości?

– Dlaczego pani tak sądzi?

– Po prostu pytałam, to wszystko.

Poirot spojrzał na nią błyszczącymi oczyma.

– A teraz, *mademoiselle*, widzę, że chciałaby mnie pani o coś zapytać. Czemu nie? Czy sprawa Błękitnego Ekspresu nie jest naszą powieścią kryminalną?

– Tak, chciałabym zadać panu kilka pytań.

– *Eh bien?*

Katarzyna podniosła wzrok z nagłym postanowieniem.

– Co pan robił w Paryżu, panie Poirot?

Detektyw uśmiechnął się lekko.

– Odwiedzałem ambasadę rosyjską.

– O!

– Widzę, że nic to pani nie mówi. Ale nie będę ludzką ostrygą. Wyłożę karty na stół, czego, o ile mi wiadomo, ostrygi raczej nie robią. Podejrzewa pani, że nie podoba mi się ta sprawa przeciw Derekowi Ketteringowi, nieprawdaż?

– Zastanawiałam się nad tym. W Nicei zdawało mi się, że pan ją zakończył.

– Nie mówi pani wszystkiego, *mademoiselle*. Ale ja nie będę nalegał. To przeze mnie, przez moje odkrycia, Kettering znalazł się tam, gdzie się znalazł. Jednak gdyby nie ja, sędzia śledczy nadal próbowałby na próżno powiązać ze sprawą hrabiego de la Roche. *Eh bien*, *mademoiselle*, nie żałuję tego, co zrobiłem. Miałem tylko jeden cel: odkryć prawdę, a ślad prowadził wprost do pana Ketteringa. Ale czy się tam kończył? Policja twierdzi, że tak, ale ja, Herkules Poirot, nie jestem zadowolony. – Urwał niespodziewanie. – Proszę mi powiedzieć, *mademoiselle*, czy miała pani ostatnio wiadomości od panny Lenox?

– Tylko jeden, bardzo krótki, ogólnikowy list. Zdaje się, że jest na mnie zła z powodu powrotu do Anglii.

Poirot przytaknął.

– Miałem z nią rozmowę tego wieczoru, kiedy został aresztowany pan Kettering. Bardzo interesującą rozmowę, pod wieloma względami.

Znowu umilkł; Katarzyna nie przerywała toku jego myśli.

– *Mademoiselle* – powiedział w końcu – poruszam obecnie bardzo delikatny temat, a jednak nie zawaham się tego zrobić. Pewna osoba, jak sądzę, kocha pana Ketteringa; proszę mnie poprawić, jeśli się mylę; ze względu na nią chcę powiedzieć, że mam nadzieję, iż to ja mam rację, a policja się myli. Wie pani, kogo mam na myśli?

Po chwili milczenia Katarzyna odpowiedziała:

– Tak... myślę, że tak.

Poirot pochylił się w jej stronę.

– Nie jestem zadowolony, *mademoiselle*, nie jestem zadowolony. Fakty, podstawowe fakty, wskazują na pana Ketteringa. Ale jest jedna rzecz, której nie wzięto pod uwagę.

– To znaczy?

– Zniekształcona twarz ofiary. Setki razy, *mademoiselle*, powtarzałem sobie pytanie: „Czy Derek Kettering byłby zdolny wymierzyć żonie taki potężny cios po jej zamordowaniu?”. Czemu miałoby to służyć? Jaki cel pozwoliłoby osiągnąć? Czy takie zachowanie odpowiada temperamentowi pana Ketteringa? I odpowiedź na te pytania, *mademoiselle*, mnie nie zadowala. Ciągle na nowo powraca ta jedna kwestia: „dlaczego?”. A oto jedyne, co może mi pomóc rozwiązać ten problem.

Wyciągnął swój notes i wyjął coś z niego dwoma palcami.

– Pamięta pani? Była pani przy tym, jak zebrałem te włosy z koca w przedziale pani Kettering.

Katarzyna pochyliła się, uważnie przyglądając się włosom.

Poirot kiwnął głową kilka razy z rzędu.

– Widzę, że nic to pani nie mówi, *mademoiselle*. A jednak, w jakiś dziwny sposób jestem przekonany, że wiele pani rozumie.

– Miałam pewną koncepcję – powiedziała Katarzyna powoli. Bardzo dziwną koncepcję. Dlatego właśnie zapytałam, co pan robił w Paryżu.

– Kiedy do pani pisałem...

– Z Ritza?

Dziwny uśmiech przebiegł po twarzy Poirota.

– Tak, ma pani rację, z Ritza. Czasem lubię sobie pozwalać na zbytek... kiedy kto inny płaci.

– Ambasada rosyjska – powtórzyła Katarzyna marszcząc brwi. – Nie, nie rozumiem, do czego pan zmierza.

– Nie wprost, *mademoiselle*. Udałem się tam po pewną informację. Spotkałem się z pewnym człowiekiem i groziłem mu; tak, *mademoiselle*, ja, Herkules Poirot, groziłem mu.

– Że zawiadomi pan policję?

– Nie – odparł Poirot sucho. – Że zawiadomię prasę. To o wiele groźniejsza broń.

Popatrzył na Katarzynę; uśmiechnęła się w odpowiedzi, potrząsając głową.

– Znowu zmienia się pan w ostrygę, panie Poirot.

– Nie, skąd, nie chciałem, by zabrzmiało to tajemniczo. Zaraz wszystko pani wyjaśnię. Podejrzewałem, że mężczyzna ów odegrał czynną rolę w sprzedaży rubinów panu Van Aldinowi. Oskarżyłem go o to i w końcu udało mi się z niego wydobyć całą historię. Dowiedziałem się adresu, gdzie kamienie zostały przekazane milionerowi, i dowiedziałem się również, że po drugiej stronie ulicy przechadzał się wtedy mężczyzna; mężczyzna o budzących szacunek białych włosach, poruszający się lekkim, sprężystym krokiem młodego człowieka. Mężczyzna, któremu nadałem pewien przydomek: Markiz.

– A teraz przyjechał pan do Londynu zobaczyć się z panem Van Aldinem?

– Nie tylko po to. Miałem też inne sprawy do załatwienia. Odkąd tu jestem, zdążyłem się już spotkać z dwiema innymi osobami: impresariem teatralnym i lekarzem z Harley Street. Od obu uzyskałem pewne informacje. Niech pani rozważy to wszystko; zobaczymy, czy wyciągnie pani z tego podobne wnioski jak ja.

– Ja?

– Tak, pani. Coś pani powiem, *mademoiselle*. Przez cały czas zastanawiałem się, czy morderstwa i kradzieży dokonała ta sama osoba. Bardzo długo nie byłem pewien…

– A teraz?

– A teraz wiem na pewno.

Zapadło milczenie. Potem Katarzyna podniosła głowę. Oczy jej błyszczały.

– Nie jestem taka inteligentna jak pan, *monsieur* Poirot. Połowa z tego, co pan powiedział, nic mi nie sugeruje. Rozważałam całą sprawę pod zupełnie innym kątem…

– Ależ tak jest zawsze – wtrącił Poirot cicho. – Lustro ukazuje prawdę, choć każdy patrzy w nie z innego miejsca.

– Możliwe, że moja koncepcja jest absurdalna… może okazać się zupełnie inna niż pańska, ale…

– Tak?

– Proszę mi powiedzieć, czy to się panu przyda?

Podała mu wycinek z gazety. Przeczytał go, podniósł na nią wzrok i poważnie skinął głową.

– Tak, jak mówiłem, *mademoiselle*, każdy patrzy w lustro z innego miejsca, ale ciągle jest to to samo lustro i te same przedmioty się w nim odbijają.

Katarzyna wstała.

– Muszę się pospieszyć – powiedziała – jeśli nie chcę się spóźnić na pociąg. Panie Poirot…

– Tak, *mademoiselle*.

– To… to nie może trwać o wiele dłużej; rozumie pan o co mi chodzi? Ja… ja już długo nie wytrzymam.

Głos się jej załamał.

Poirot poklepał ją po ręce uspokajająco.

– Odwagi, *mademoiselle*, niech pani wytrwa. Koniec jest już bliski.

XXXIII

Nowa teoria

– *Monsieur* Poirot chciał się z panem widzieć.

– Do diabła z nim!

Knighton milczał wyrozumiale.

Van Aldin wstał z miejsca i zaczął się przechadzać po pokoju.

– Czytał pan dzisiaj te przeklęte gazety?

– Przeglądałem.

– Nic nie spuścili z tonu?

– Obawiam się, że nie, proszę pana.

Milioner usiadł z powrotem i przycisnął dłoń do czoła.

– Gdybym wiedział, do czego to doprowadzi – jęknął – przysięgam na Boga, nigdy bym nie najął tego małego Belga. Myślałem tylko o jednym: odnaleźć zabójcę Ruth.

– Nie wolałby pan chyba, by pański zięć pozostał na wolności?

– Wolałbym sam wymierzyć sprawiedliwość.

– Obawiam się, że to nie najlepszy pomysł, proszę pana.

– Mniejsza z tym. Jest pan pewien, że ten facet chce się ze mną zobaczyć?

– Tak, panie Van Aldin. Bardzo mu na tym zależało.

– Chyba więc nie mam wyjścia. Jeśli chce, może przyjść jeszcze dzisiaj.

Poirot był ożywiony i nonszalancki. Wydawało się, że nie dostrzega braku serdeczności ze strony milionera; uprzejmie konwersował o różnych drobnostkach. Przyjechał do Londynu, wyjaśnił, żeby się spotkać z lekarzem. Wymienił nazwisko znanego chirurga.

– Nie, nie z wojny; pamiątka z lat spędzonych w policji, kula od jakiegoś łobuza.

Dotknął lewego ramienia krzywiąc się przesadnie.

– Zawsze uważałem pana za szczęściarza, *monsieur* Van Aldin; w niczym nie przypomina pan typowego amerykańskiego milionera, męczennika niestrawności.

– Jestem dość odporny – odparł Van Aldin. – I prowadzę surowe życie; odżywiam się prosto i w niewielkich ilościach.

– Widział się pan z panną Grey, nieprawdaż? – spytał niewinnie Poirot, zwracając się do sekretarza.

– Tak... raz czy dwa. – Knighton zaczerwienił się lekko.

– Dziwne, nic mi pan o tym nie wspomniał, Knighton.

– Nie wiedziałem, że to pana interesuje.

– Bardzo lubię tę dziewczynę – powiedział milioner.

– Wielka szkoda, że pozwoliła się zagrzebać w St Mary Mead – stwierdził detektyw.

– Postąpiła bardzo szlachetnie – gorąco zaprzeczył Knighton. – Niewiele osób zgodziłoby się doglądać chorej na raka kobiety nie mając takiego obowiązku.

– Już nic nie mówię – powiedział Poirot z błyskiem w oku. – Uważam tylko, że to szkoda. A teraz, przejdźmy do interesów.

Obaj mężczyźni popatrzyli na niego ze zdumieniem.

– Nie chciałbym panów przerazić tym, co mam do zakomunikowania. Co by pan powiedział, *monsieur* Van Aldin, na wiadomość, że Derek Kettering mimo wszystko nie zamordował swojej żony?

– Co?

Milioner i sekretarz wpatrywali się w Poirota w niemym zdumieniu.

– Możliwe, że Kettering nie zamordował swojej żony.

– Czy pan oszalał, Poirot? – powiedział w końcu Van Aldin.

– Nie – odparł detektyw. – Nie oszalałem. Można powiedzieć, że jestem ekscentrykiem; niektórzy w każdym razie tak mnie nazywają, ale sprawom zawodowym oddaję się, jak to się mówi, całą duszą. Pytam, czy byłby pan zadowolony, czy raczej nie, gdyby tak się sprawy miały?

Van Aldin patrzył na niego zaskoczony.

– Naturalnie, że byłbym zadowolony – powiedział w końcu. – To tylko pańskie przypuszczenie, czy też przemawiają za tym jakieś fakty?

Poirot utkwił wzrok w suficie.

– Istnieją pewne przesłanki – powiedział cicho – że mógł to być mimo wszystko hrabia de la Roche. W każdym razie udało mi się podważyć jego alibi.

– Jak zdołał pan to zrobić?

Poirot skromnie wzruszył ramionami.

– Mam swoje metody. Wykazałem nieco taktu, nieco sprytu... i to wszystko.

– Ale przecież rubiny, które miał hrabia, były fałszywe – zaprotestował Van Aldin.

– ...a jedynie ze względu na klejnoty był gotów popełnić morderstwo. Przeoczył pan jeden fakt, panie Van Aldin. Jeśli chodzi o rubiny, ktoś go mógł uprzedzić.

– Ależ to zupełnie nowa teoria! – wykrzyknął Knighton.

– Naprawdę wierzy pan w to wszystko, Poirot? – spytał surowo milioner.

– Nie mamy dowodów – spokojnie odparł detektyw. – Na razie to tylko teoria, ale zapewniam pana, *monsieur* Van Aldin, warta zbadania. Musimy pojechać do Francji i sprawdzić wszystko na miejscu.

– Uważa pan to za konieczne? To znaczy, abym udał się tam wraz z panem?

– Uznałem, że pan sam by sobie tego życzył – powiedział Poirot. W jego głosie zabrzmiał ton lekkiej nagany, który nie uszedł uwagi Van Aldina.

– Tak, tak, oczywiście – powiedział. – Kiedy chce pan wyruszyć?

– W tym tygodniu ma pan wiele spraw do załatwienia – wtrącił sekretarz cicho.

Ale milioner już podjął decyzję; zbył obiekcje Knightona niecierpliwym gestem.

– Ta sprawa jest ważniejsza – powiedział. – A więc dobrze, panie Poirot, jutro. Jaki pociąg?

– Pojedziemy, jak sądzę, Błękitnym Ekspresem – powiedział detektyw i uśmiechnął się.

XXXIV

Błękitny Ekspres po raz drugi

„Pociąg milionerów", jak go czasem nazywano, wszedł w zakręt – wydawałoby się – z niebezpieczną prędkością. Van Aldin, Knighton i Poirot siedzieli w milczeniu. Przedziały Knightona i Van Aldina były ze sobą połączone, podobnie jak Ruth Kettering i jej służącej podczas tamtej tragicznej podróży. Przedział Poirota znajdował się nieco dalej.

Podróż stanowiła dla milionera ciężkie przeżycie; budziła w nim najboleśniejsze wspomnienia. Poirot i Knighton co jakiś czas rozmawiali półgłosem, starając się uszanować jego uczucia.

Kiedy pociąg, po powolnej podróży przez centrum, wjechał na Gare de Lyon, Poirot gorączkowo porwał się do działania. Van Aldin uświadomił sobie, że detektyw wybrał ten właśnie pociąg, by przeprowadzić rekonstrukcję zdarzeń. Poirot osobiście odgrywał każdą rolę. Był po kolei służącą, zamkniętą pospiesznie we własnym przedziale, panią Kettering, rozpoznającą swojego męża ze zdumieniem i lekkim niepokojem, i Derekiem Ketteringiem, przekonującym się, że żona podróżuje tym samym pociągiem. Sprawdzał różne możliwości, między innymi w jaki sposób najlepiej ukryć się w drugim przedziale.

Nagle uderzyła go jakaś myśl. Złapał Van Aldina za ramię.

– *Mon Dieu*, zupełnie o tym nie pomyślałem! Musimy przerwać naszą podróż w Paryżu. Szybko, szybko, wysiądźmy od razu!

Chwycił bagaże i wyskoczył z pociągu. Van Aldin i Knighton, zdumieni, ale posłuszni, podążyli za nim. Milioner, odzyskawszy wiarę w zdolności Poirota, trzymał się tego przekonania. Problemy zaczęły się przy wyjściu z peronu. Ich bilety zostały u konduktora, o czym zapomnieli wszyscy trzej.

Wyjaśnienia Poirota były żywe, szybkie i potoczyste, nie wywarły jednak wrażenia na niewzruszonym urzędniku.

– Mniejsza o to – przerwał gwałtownie Van Aldin. – Widzę, że się panu śpieszy, Poirot. Na miłość boską, niech pan zapłaci za podróż od Calais i ruszajmy.

Ale potok wymowy detektywa niespodziewanie wysechł, a on sam wyglądał jak obrócony w słup soli. Ręka, wyciągnięta w wyrazistym geście, zawisła w powietrzu jak tknięta paraliżem.

– Co za dureń ze mnie – powiedział. – *Ma foi*, gdzie ja miałem głowę. Wróćmy do pociągu. Przy odrobinie szczęścia jeszcze go złapiemy.

Nadbiegli w ostatniej chwili. Pociąg już ruszał, kiedy ostatni, Knighton, wskoczył na stopnie.

Konduktor przywitał ich wylewnie i pomógł zanieść bagaże z powrotem do przedziałów. Van Aldin nic nie powiedział, ale był wyraźnie zdegustowany niezwykłym zachowaniem Poirota.

– To pogoń za urojeniami – powiedział do Knightona, kiedy zostali na chwilę sami. – Zupełnie stracił głowę. Do pewnego momentu świetnie sobie radził, nie można jednak ufać komuś, kto rzuca się tam i z powrotem jak przestraszony królik.

Poirot dołączył do nich parę chwil później, wylewnie przepraszając i tak wyraźnie skruszony, że jakiekolwiek ostre słowa wydawały się zbyteczne. Van Aldin przyjął przeprosiny z ponurym wyrazem twarzy, ale powstrzymał się od cierpkich uwag.

Zjedli obiad w pociągu. Następnie, ku zdumieniu pozostałych, detektyw zaproponował, żeby przenieśli się wszyscy trzej do przedziału Van Aldina.

Milioner spojrzał na niego podejrzliwie.

– Czyżby pan coś przed nami ukrywał, *monsieur* Poirot?

– Ja? – Poirot otworzył oczy w niewinnym zdumieniu. – Co za dziwaczny pomysł.

Van Aldin nie odpowiedział, ale wyraźnie nie wydawał się przekonany. Konduktorowi polecono, żeby nie ścielił łóżek. Był zdziwiony, ale wysoki napiwek, wręczony przez Van Aldina, zamknął mu usta. Trzej mężczyźni siedzieli bez słowa. Poirot wiercił się niespokojnie, nie mógł usiedzieć na miejscu. W pewnej chwili zwrócił się do sekretarza:

– Majorze Knighton, czy drzwi od pańskiego przedziału są zamknięte na klucz? To znaczy, drzwi wychodzące na korytarz.

– Tak, sam je zamykałem przed chwilą.

– Jest pan pewien?

– Sprawdzę jeszcze raz, jeśli pan sobie życzy – odparł sekretarz z uśmiechem.

– Nie, nie, proszę się nie fatygować. Sam zobaczę.

Przeszedł do drugiego pomieszczenia; po chwili wrócił, kiwając głową.

– Tak, miał pan rację. Proszę wybaczyć staremu człowiekowi jego dziwactwa. – Zamknął drzwi łączące oba pomieszczenia i wrócił na swoje miejsce w rogu.

Mijały godziny. Trzej mężczyźni to zapadali w niespokojną drzemkę, to budzili się z nieprzyjemnym dreszczem. Chyba nigdy wcześniej nie zdarzyło się, żeby ktoś zarezerwował miejsce sypialne w najbardziej luksusowym pociągu po to tylko, by z niego zrezygnować w ostatniej chwili. Co jakiś czas Poirot zerkał na zegarek, po czym kiwał głową i z powrotem układał się do snu. Raz wstał, otworzył drzwi drugiego pomieszczenia, zajrzał do środka, po czym wrócił na miejsce, kręcąc głową.

– O co chodzi? – spytał szeptem Knighton. – Oczekuje pan czegoś, nieprawdaż?

– Denerwuję się – wyznał detektyw. – Czuję, jakbym siedział na rozżarzonych węglach. Zrywam się na każdy szmer.

Knighton ziewnął.

– Ze wszystkich przeklętych niewygodnych podróży… – mruknął. – Mam nadzieję, że wie pan, o co pan gra, *monsieur* Poirot.

Usadowił się najwygodniej, jak to było możliwe. Van Aldin i sekretarz drzemali, kiedy Poirot, po raz czternasty zerkając na zegarek, pochylił się i potrząsnął milionera za ramię.

– Ha? Co się dzieje?

– Za pięć, dziesięć minut, *monsieur*, będziemy w Lyonie.

– Mój Boże! – W przyćmionym świetle twarz Van Aldina wydawała się blada i zmęczona. – Gdzieś o tej porze moja biedna Ruth została zamordowana.

Siedział nieruchomo, wpatrzony wprost przed siebie. Jego usta skrzywiły się lekko, kiedy powrócił myślami do tragedii, która okryła smutkiem całe jego życie.

Rozległ się pisk hamulców, pociąg zwolnił i wjechał na peron. Van Aldin otworzył okno i wyjrzał na zewnątrz.

– Jeśli to nie Derek… jeśli pańska nowa teoria jest słuszna, tamten mężczyzna wysiadł z pociągu na tej stacji? – spytał przez ramię.

Ku jego lekkiemu zdumieniu detektyw pokręcił głową.

– Nie – powiedział z namysłem. – Żaden mężczyzna nie wysiadł z pociągu, ale myślę… tak, myślę, że mogła wysiąść kobieta.

Knighton gwałtownie nabrał tchu.

– Kobieta? – spytał ostro milioner.

– Tak, kobieta – Poirot pokiwał głową. – Może pan nie pamięta, *monsieur* Van Aldin, ale panna Grey wspominała w swoich zeznaniach, że jakiś chłopak w czapce i płaszczu przechadzał się po peronie, najwyraźniej żeby rozprostować nogi. Co do mnie, jestem przekonany, że ten chłopak był tak naprawdę kobietą.

– Ale co to za kobieta?

Twarz Van Aldina wyrażała niedowierzanie, Poirot odpowiedział jednak poważnie i z całkowitą pewnością:

– Jej nazwisko, czy raczej nazwisko, pod którym występowała przez wiele lat, brzmi Kitty Kidd, ale pan, *monsieur* Van Aldin, znał ją pod innym: Ada Mason.

Knighton zerwał się na równe nogi.

– Co?! – wykrzyknął.

Poirot obrócił się do niego.

– Ach! Zanim zapomnę... – wyjął coś z kieszeni i wyciągnął do sekretarza.

– Pozwoli pan, że zaproponuję mu papierosa... z pana własnej papierośnicy. Powinien był pan bardziej uważać, kiedy pan wsiadał do pociągu w Paryżu.

Knighton stał jak skamieniały. Potem poruszył się; Poirot wyciągnął rękę w ostrzegawczym geście.

– Proszę się nie ruszać – powiedział jedwabistym głosem. – Drzwi do sąsiedniego pomieszczenia są otwarte, a pan od tej chwili znajduje się pod nadzorem. Otworzyłem drzwi na korytarz, kiedy opuściliśmy Paryż, i nasi przyjaciele z policji weszli do środka. Wie pan, jak sądzę, że francuska policja dość pilnie pana poszukuje, majorze Knighton... czy może raczej panie Markizie?

XXXV

Wyjaśnienia

–Wyjaśnienia?

Poirot uśmiechnął się. Siedział naprzeciw milionera przy obiedzie zastawionym w prywatnej loży Van Aldina w Negresco. Van Aldin wydawał się odprężony, ale bardzo zdziwiony. Poirot odchylił się na krześle, zapalił jednego ze swoich cienkich papierosów i w zamyśleniu zapatrzył w sufit.

– Dobrze, udzielę panu wyjaśnień. Wszystko zaczęło się od jednego faktu, który bardzo mnie zdziwił. Wie pan, co mam na myśli? Zniekształconą twarz ofiary. W śledztwach nierzadko się z tym spotykałem i zawsze miało to na celu utrudnienie identyfikacji. Oczywiście była to pierwsza rzecz, jaka mi przyszła do głowy. Czy zamordowaną kobietą rzeczywiście była Ruth Kettering? Ale to rozumowanie nie prowadziło donikąd, bo panna Grey udzieliła zdecydowanej i bardzo wiarygodnej odpowiedzi, więc z niego zrezygnowałem. Zmarła była panią Kettering.

– Kiedy po raz pierwszy zaczął pan podejrzewać służącą?

– Z początku jej nie podejrzewałem, ale pewien szczegół zwrócił moją uwagę. Papierośnica znaleziona w przedziale. Służąca twierdziła, że pani Kettering podarowała ją mężowi, co, biorąc pod uwagę stosunki, jakie ich łączyły, wydawało się nieprawdopodobne. Wzbudziło to moje wątpliwości, czy zeznaniom Ady Mason można wierzyć. Należało rozważyć inny podejrzany fakt, a mianowicie, że służyła u swojej pani dopiero od dwóch miesięcy. Naturalnie, wydawało się, że nie mogła mieć nic wspólnego z zabójstwem, skoro została w Paryżu, a wielu ludzi widziało panią Kettering żywą jeszcze po odjeździe z Paryża, ale...

Poirot pochylił się. Podniósł palec z emfazą i pogroził Van Aldinowi.

– Ale ja jestem dobrym detektywem. Podejrzewam. Podejrzewam wszystkich i wszystko. Nie wierzę w nic, co mi się mówi. Pomyślałem sobie: skąd wiadomo, że Ada Mason została w Paryżu? Z początku odpowiedź na to pytanie wydawała się zupełnie wystarczająca. Mieliśmy zeznania pańskiego sekretarza, majora Knightona, osoby z zewnątrz, którego można było uważać za wiarygodne źródło informacji, i słowa wypowiedziane przez samą panią Kettering do konduktora. Na razie odłożyłem tę drugą sprawę na bok, bo przyszedł mi do głowy bardzo dziwny pomysł... być może niewiarygodny, a nawet niemożliwy pomysł. Gdyby okazał się prawdą, te konkretne zeznania stawały się bezużyteczne.

Skupiłem się na największej przeszkodzie, to jest stwierdzeniu majora Knightona, że widział Adę Mason w Ritzu po tym, jak Błękitny Ekspres opuścił Paryż. Wydawało się ono nie do podważenia, a jednak, starannie analizując fakty, zauważyłem dwie rzeczy. Po pierwsze, dziwnym zbiegiem okoliczności major również pracował u pana od dwóch miesięcy. Po drugie, pierwszą literą jego nazwiska jest „K". Załóżmy, tylko załóżmy, że to jego papierośnicę znaleziono w pociągu. Jeśli on i Ada Mason pracowali razem, i służąca rozpoznała papierośnicę, to czy nie zachowałaby się w taki właśnie sposób? W pierwszej chwili, przestraszona, szybko wymyśliła wiarygodną historyjkę, składając winę na pana Ketteringa. *Bien entendu*, różniła się ona od pierwotnego planu. Kozłem ofiarnym miał zostać hrabia de la Roche, Ada Mason nie mogła jednak być zupełnie pewna, że go rozpoznała, na wypadek gdyby hrabia miał alibi. Teraz, jeśli wróci pan pamięcią do tamtej chwili, przypomni pan sobie znaczące wydarzenie. Zasugerowałem Adzie, że widziała nie hrabiego de la Roche, ale Dereka Ketteringa. Wtedy nie wydawała się przekonana, ale kiedy wróciłem do hotelu, zadzwonił pan i powiedział, że pana odwiedziła. Twierdziła, iż jest już całkiem pewna, że mężczyzną, którego widziała, był Derek Kettering. Oczekiwałem czegoś podobnego. Miała czas z kimś się skontaktować, otrzymała instrukcje i postąpiła zgodnie z nimi. Kto jej dał instrukcje? Major Knighton. Była jeszcze jedna drobna sprawa, która mogła nic nie znaczyć, albo mogła znaczyć bardzo wiele. W trakcie przypadkowej rozmowy major Knighton wspomniał o kradzieży biżuterii w Yorkshire, w domu, gdzie bawił z wizytą. Może był to jedynie zbieg okoliczności... a może kolejne ogniwo w łańcuchu.

– Nie rozumiem jednak jednej rzeczy, *monsieur* Poirot. Jestem chyba wyjątkowo tępy, skoro nie domyśliłem się tego do tej pory. Kim był mężczyzna, który odwiedził Ruth w przedziale w Paryżu? Czy był to Derek Kettering, czy hrabia de la Roche?

– Na tym właśnie polegała prostota całego planu. Nie było żadnego mężczyzny. Mój Boże, nie widzi pan genialności tego rozwiązania? Czyje słowa mamy na potwierdzenie, że był tam jakikolwiek mężczyzna? Tylko Ady Mason. A wierzymy Adzie Mason, ponieważ Knighton zeznał, że widział ją w Paryżu!

– Ale przecież sama Ruth powiedziała, że odesłała służącą – zaoponował Van Aldin.

– Właśnie do tego dochodzę. Mamy tu zeznania samej pani Kettering, a z drugiej strony, nie mamy ich, bo zmarli nie składają zeznań. To nie są jej zeznania, tylko zeznania konduktora, a to zupełnie co innego.

– Więc pana zdaniem kłamał?

– Nie, absolutnie. Wydawało mu się, że mówi prawdę. Ale kobieta, która mu powiedziała, że zostawiła swoją służącą w Paryżu, nie była panią Kettering.

Van Aldin popatrzył na niego zdumiony.

– *Monsieur* Van Aldin, Ruth Kettering była martwa, zanim pociąg wjechał na Gare de Lyon. To Ada Mason, ubrana w rzucający się w oczy strój swojej pani, zamówiła kosz z kolacją i rozmawiała z konduktorem.

– Niemożliwe!

– Możliwe, *monsieur* Van Aldin, jak najbardziej możliwe. Kobiety w dzisiejszych czasach wyglądają tak podobnie, że poznaje się je raczej po stroju niż po twarzy. Ada Mason była tego samego wzrostu co pańska córka. Ubrana w kosztowne futro i czerwony lakierowany kapelusik nasunięty nisko na czoło, z kasztanowatymi włosami spływającymi spod niego po obu stronach, bez trudu oszukała konduktora. Niech pan pamięta, że wcześniej nie rozmawiał z panią Kettering. Oczywiście, widział przez chwilę służącą, kiedy wręczała mu bilety, ale zapamiętał ją jedynie jako chudą, ubraną na czarno kobietę. Gdyby był człowiekiem niezwykle spostrzegawczym, powiedziałby może, że pani i służąca są do siebie trochę podobne, ale bardzo mało prawdopodobne, by mu to w ogóle przyszło do głowy. I proszę pamiętać, że Ada Mason, czy raczej Kitty Kidd, to aktorka, umiejąca zmieniać wygląd i brzmienie głosu w mgnieniu oka. Nie, nic; nie miała obaw, że konduktor może ją rozpoznać w stroju pani Kettering, ale istniało niebezpieczeństwo, że kiedy odkryje ciało, uświadomi sobie, iż to nie z tą kobietą rozmawiał wcześniej. Oto przyczyna, dla której twarz ofiary została zniekształcona. Największym zagrożeniem dla Ady Mason była panna Grey, która mogła wejść do przedziału, kiedy pociąg opuści Paryż. Zabezpieczyła się przed tą ewentualnością zamawiając kolację do przedziału i zamykając drzwi na klucz.

– Kto więc zabił Ruth... i kiedy?

– Przede wszystkim, proszę pamiętać, że zabójstwo zostało zaplanowane przez dwie osoby: Knightona i Adę Mason. Tamtego dnia Knighton załatwiał dla pana sprawy w Paryżu. Wsiadł do pociągu gdzieś w centrum miasta. Pani Kettering mogła być zdziwiona, ale na pewno niczego nie podejrzewała. Być może zwrócił jej uwagę na jakiś szczegół za oknem, a kiedy się odwróciła, zarzucił sznur na szyję... i w ciągu paru sekund było po wszystkim. Drzwi przedziału zostają zamknięte na klucz, Knighton i Ada Mason biorą się do dzieła. Zdejmują z zabitej wierzchnie ubranie, zawijają ciało w koc i układają na siedzeniu w drugim przedziale między walizkami. Knighton wysiada z pociągu, zabierając ze sobą kasetkę z rubinami. Ponieważ wszyscy będą przekonani, że morderstwo zostało popełnione dwanaście godzin później, jest całkowicie bezpieczny. Jego zeznania i rzekoma rozmowa konduktora z panią Kettering zapewnią jego wspólniczce niepodważalne alibi.

Na Gare de Lyon Ada Mason zamawia kosz z kolacją, zamyka się w toalecie i błyskawicznie przebiera w rzeczy swojej pani, przyczepia dwa pasma sztucznych włosów i w ogóle stara się jak najbardziej do niej upodobnić. Kiedy konduktor przychodzi pościelić łóżka, opowiada mu zmyśloną historyjkę, jak to postanowiła odesłać służącą. Podczas gdy on ścieli jej łóżko, Ada wygląda przez okno, zwrócona plecami do ludzi przechodzących korytarzem. Mądre posunięcie, bo, jak wiemy, znajdowała się wśród nich panna Grey. Teraz gotowa jest przysiąc, że o tej godzinie pani Kettering była jeszcze wśród żywych.

– Proszę mówić dalej – ponaglił Van Aldin.

– Zanim pociąg wjechał do Lyonu, Ada Mason ułożyła ciało swojej pani na łóżku, a obok niego porządnie złożone ubrania. Sama włożyła męski strój i przygotowała się do opuszczenia pociągu. Kiedy do przedziału wszedł Derek

Kettering i, jak sądził, ujrzał ją śpiącą, wszystko było już gotowe, a Ada Mason siedziała ukryta w drugim przedziale, czekając na sposobność, by niepostrzeżenie wydostać się z pociągu. Tuż za konduktorem zeskakuje na peron, potem przechadza się jakby dla zaczerpnięcia powietrza. Gdy nikt na nią nie patrzy, szybko przebiega na sąsiedni peron i pierwszym pociągiem wraca do Paryża, do Ritza. Poprzedniego wieczoru została tam zameldowana przez inną wspólniczkę Knightona. Pozostaje jej tylko czekać w spokoju na pańskie przybycie. Kamienie nie są i nigdy nie były w jej posiadaniu. Żadne podejrzenie nie pada na Knightona i, jako pański sekretarz, przywozi je do Nicei bez najmniejszych obaw, że zostanie odkryty. Wcześniej zaaranżował przekazanie ich panu Papopolousowi; wręcza je Mason i każe zanieść handlarzowi dopiero w ostatniej chwili. Bardzo zręcznie to wszystko rozegrał, ale czego innego można oczekiwać od takiego mistrza jak Markiz?

– Naprawdę jest pan przekonany, że Richard Knighton jest znanym przestępcą, zajmującym się tym procederem od lat?

Poirot przytaknął.

– Jedną z największych zalet tego dżentelmena był miły, ujmujący sposób bycia. Sam pan padł ofiarą jego wdzięku, *monsieur* Van Aldin, kiedy zatrudnił go pan jako swego sekretarza po tak krótkiej znajomości.

– Byłbym przysiągł, że wcale o to nie zabiegał! – wykrzyknął milioner.

– Zostało to bardzo zręcznie przeprowadzone... tak zręcznie, że zwiodło nawet takiego znawcę ludzkich charakterów jak pan.

– Sprawdziłem jego przeszłość. Była nienaganna.

– To również stanowiło element gry. Richard Knighton był człowiekiem dobrze urodzonym, z koneksjami, odznaczył się w czasie wojny; stał całkowicie poza podejrzeniami.

Ale kiedy zacząłem przeglądać akta tajemniczego Markiza, znalazłem wiele punktów wspólnych. Knighton mówił po francusku jak rodowity Francuz, odwiedzał Amerykę, Francję i Anglię mniej więcej w tym samym czasie, kiedy działał tam Markiz. Ostatnie wiadomości o Markizie mówiły, że organizował kradzieże klejnotów w Szwajcarii, a przecież właśnie w Szwajcarii natknął się pan na Knightona; w tym samym czasie pojawiły się pierwsze plotki, że zamierza pan kupić słynne rubiny.

– Ale dlaczego morderstwo? – spytał Van Aldin bezradnie. – Zręczny złodziej z pewnością potrafiłby ukraść kamienie i uniknąć stryczka.

Poirot pokręcił głową.

– Nie było to pierwsze morderstwo popełnione przez Markiza. To instynkt popycha go do zbrodni; stara się nie zostawiać za sobą śladów. Zmarli nie składają zeznań.

Markiz namiętnie poszukiwał słynnych, historycznych klejnotów. Planując z dużym wyprzedzeniem, przyjął posadę pańskiego sekretarza, a swojej wspólniczce pomógł w uzyskaniu miejsca służącej u pańskiej córki, przewidując, że to dla niej przeznaczył pan rubiny. Mimo tych wszystkich wysiłków i stworzenia dojrzałego i starannie przemyślanego planu nie zawahał się zaryzykować drogi na skróty, nasyłając na pana chuliganów, gdy wracał pan do hotelu po kupieniu rubinów. Zamach się nie powiódł; nie sądzę, żeby go to zdziwiło. Ten plan, jego zdaniem, był całkowicie bezpieczny. Żadne podejrzenie nie powinno paść na Richarda Knightona. Ale jak wszyscy wielcy ludzie, bo uważam Markiza za wielkiego człowieka, miał swoje słabostki. Zapałał szczerą miłością do panny Grey i podejrzewając ją o uczucie do Dereka Ketteringa nie oparł się pokusie wplątania go w sprawę morderstwa, kiedy nadarzyła się po temu sposobność. A teraz, *monsieur* Van Aldin, powiem panu coś bardzo dziwnego. Panna Grey nie jest w najmniejszym stopniu przesądna, a jednak żywi głębokie przekonanie, że pewnego dnia w ogrodach kasyna w Monte Carlo wyraźnie poczuła obecność pańskiej córki, zaraz po długiej rozmowie z Knightonem. Jest pewna, że zmarła próbowała jej przekazać jakąś wiadomość i nagle uświadomiła sobie, co to za wiadomość: Knighton jest mordercą! Zdarzenie wydawało się tak niezwykłe, że panna Grey nikomu o nim nie wspomniała. Ale była przekonana o jego prawdziwości i zaczęła postępować zgodnie z tym, czego się dowiedziała. Nie zniechęcała Knightona i udawała przed nim, że jest przekonana o winie Ketteringa.

– Niezwykłe – powiedział Van Aldin.

– Tak, bardzo dziwne. Trudno wyjaśnić takie wydarzenia. *A propos*, jedna rzecz zbiła mnie z tropu. Pański sekretarz wyraźnie utykał na skutek rany odniesionej na wojnie. Markiz nie kulał z całą pewnością. Wydawało się to wielką przeszkodą. Ale panna Lenox Tamplin wspomniała przypadkiem pewnego dnia, że chirurg, który go leczył podczas wojny, był bardzo zdziwiony tym faktem. To sugerowało kamuflaż. W Londynie udałem się do rzeczonego lekarza i uzyskałem od niego wiele medycznych informacji, które utwierdziły mnie w tym przekonaniu. Wspomniałem nazwisko tego chirurga w obecności Knightona. Byłoby naturalne, gdyby sekretarz napomknął, że leczył się u niego w czasie wojny, ale on nic nie powiedział. I ten mało znaczący fakt przekonał mnie do końca, iż moja teoria jest słuszna. Również panna Grey dostarczyła mi wycinek z gazety, w którym była mowa o rabunku dokonanym w szpitalu lady Tamplin w czasie, gdy przebywał tam Knighton. Uświadomiła sobie, że podążamy tą samą drogą, kiedy napisałem do niej z Ritza z Paryża.

Napotkałem tam pewne problemy, ale w końcu uzyskałem to, czego chciałem: dowód, że Ada Mason przybyła rankiem w dniu morderstwa, a nie minionego wieczoru.

Na dłuższą chwilę zapadło milczenie, potem milioner przez stół wyciągnął do Poirota rękę.

– Chyba zdaje pan sobie sprawę, jak wiele to dla mnie znaczy, *monsieur* Poirot – powiedział wzruszony. – Rankiem poślę panu czek na okrągłą sumę, jednak żaden czek nie jest w stanie wyrazić mojej wdzięczności za to, czego pan dokonał. Jest pan niezrównany, *monsieur* Poirot. Jest pan po prostu niezrównany.

Detektyw podniósł się i wypiął pierś.

– Jestem tylko Herkulesem Poirot – odparł skromnie. – A jednak, na swój sposób, jestem wielkim człowiekiem, podobnie jak pan. Ogromnie mi miło, że mogłem panu służyć pomocą. A teraz muszę już iść naprawić szkody spowodowane podróżą. Niestety, mój nieoceniony Georges nie przyjechał ze mną.

W hotelowym holu spotkał znajomego, czcigodnego pana Papopolousa, z córką u boku.

– Sądziłem, że opuścił pan Niceę – powiedział cicho Grek ujmując wyciągniętą rękę Poirota.

– Interesy zmusiły mnie do powrotu, drogi panie Papopolous.

– Interesy?

– Tak, interesy. *À propos* interesów, mam nadzieję, że pańskie zdrowie uległo poprawie, drogi przyjacielu?

– Ogromnej. Jutro wracamy do Paryża.

– To wspaniała nowina. Mam nadzieję, że nie zrujnował pan kompletnie eksministra Grecji?

– Ja?

– O ile wiem, sprzedał mu pan piękny rubin, który obecnie, tak między nami, nosi panna Mirelle, znana tancerka.

– Tak – potwierdził Papopolous. – Tak, to prawda.

– Rubin nieco podobny do Serca Płomienia.

– Rzeczywiście, istnieje pewne podobieństwo – zgodził się Grek ostrożnie.

– Ma pan doskonałą rękę do kamieni, *monsieur* Papopolous. Moje gratulacje. *Mademoiselle* Zia, jestem niepocieszony, że wraca pani do Paryża tak szybko. Teraz, kiedy zakończyłem swoje sprawy, miałem nadzieję częściej się z panią widywać.

– Czy będzie niedyskrecją, jeśli zapytam, co to były za sprawy? – chciał wiedzieć pan Papopolous.

– Ależ skąd, ależ skąd. Udało mi się właśnie wsadzić za kratki Markiza.

Szlachetna twarz pana Papopolousa przybrała nieobecny wyraz.

– Markiz? – mruknął. – Dlaczego wydaje mi się, że coś mi to przypomina...? Nie, nie mogę sobie przypomnieć.

– To bardzo znany przestępca i złodziej biżuterii. Właśnie został aresztowany za zamordowanie angielskiej damy, pani Kettering.

– Doprawdy? Jakie to interesujące!

Nastąpiła wymiana pożegnalnych uprzejmości. Kiedy Poirot nie mógł ich już usłyszeć, pan Papopolous zwrócił się do córki:

– Zio – powiedział z uczuciem. – Ten człowiek to diabeł!

– A ja go lubię.

– Ja też go lubię – przyznał Grek. – Ale mimo wszystko, to diabeł.

XXXVI

Nad brzegiem morza

Mimozy prawie już przekwitły. W powietrzu unosił się ich lekko drażniący zapach. Różowe geranium oplatające balustradę willi lady Tamplin i kępy goździków rosnące poniżej wydawały słodki, ciężki aromat. Morze Śródziemne wydawało się bardziej błękitne niż zwykle. Poirot siedział na tarasie z Lenox Tamplin. Właśnie skończył jej opowiadać tę samą historię, z którą zapoznał Van Aldina dwa dni wcześniej. Dziewczyna słuchała z wielką uwagą, ze zmarszczonymi brwiami i smutkiem w oczach.

Kiedy skończył, zapytała po prostu:

– A Derek?

– Wczoraj został zwolniony.

– I wyjechał… dokąd?

– Opuścił Niceę ubiegłego wieczoru.

– Pojechał do St Mary Mead?

– Tak, do St Mary Mead.

Umilkła.

– Myliłam się co do Katarzyny – powiedziała Lenox. – Myślałam, że jej nie zależy.

– Jest bardzo zamknięta w sobie. Nie ufa nikomu.

– Mnie mogła zaufać – odparła Lenox z odrobiną goryczy.

– Tak – przyznał Poirot z powagą. – Pani mogła zaufać. Ale *mademoiselle* Katarzyna spędziła znaczną część życia wysłuchując innych, a tym, którzy wiele słuchają, nierzadko trudno jest mówić; swoje radości i smutki zachowują dla siebie i nie opowiadają o nich nikomu.

– Byłam głupia – powiedziała Lenox. – Sądziłam, że naprawdę jej zależało na Knightonie. Powinnam była wiedzieć lepiej. Chyba myślałam tak, bo... bo miałam nadzieję, że tak jest.

Poirot ujął jej rękę i uścisnął po przyjacielsku.

– Odwagi, *mademoiselle* – powiedział łagodnie.

Lenox patrzyła na morze, wprost przed siebie. Jej twarz o brzydkich, surowych rysach miała w sobie przez chwilę tragiczne piękno.

– Zresztą – powiedziała w końcu – i tak nic by z tego nie wyszło. Jestem dla Dereka za młoda; on nigdy nie dorośnie. Trzeba mieć do niego anielską cierpliwość. – Zapadło długie milczenie, potem Lenox szybko, impulsywnie, zwróciła się do Poirota: – Ale pomogłam, *monsieur* Poirot, tak czy inaczej, pomogłam.

– To prawda, *mademoiselle*. To pani pierwsza podsunęła mi myśl, że morderca wcale nie musiał jechać pociągiem. Wcześniej nie potrafiłem wytłumaczyć, w jaki sposób wszystko zostało dokonane.

Lenox odetchnęłaa głęboko.

– Cieszę się – powiedziała. – To już coś.

Z tyłu dobiegł ich długi gwizd lokomotywy.

– Przeklęty Błękitny Ekspres – powiedziała Lenox. – Pociągi są nieubłagane, nieprawdaż, *monsieur* Poirot? Ludzie umierają w nich, a one dalej jadą przed siebie. Wygaduję bzdury, ale rozumie pan, o co mi chodzi.

– Tak, rozumiem. Życie przypomina pociąg, *mademoiselle*. Zawsze biegnie naprzód. I to dobrze.

– Dlaczego?

– Bo każdy pociąg w końcu dociera do celu, *mademoiselle*; jest nawet w pani języku przysłowie, które o tym mówi.

– „Podróże kończą się spotkaniami zakochanych” – roześmiała się Lenox. – Nie dla mnie.

– Ależ tak. Jest pani młoda, młodsza, niż się pani zdaje. Niech pani zaufa temu pociągowi, *mademoiselle*, bo kieruje nim sam dobry Bóg.

Znów rozległ się gwizd.

– Niech pani ufa pociągowi, *mademoiselle* – powtórzył Poirot cicho. – I Herkulesowi Poirot… on wie.

Spis treści